Jeremy Clarkson

I jeszcze jedno...
Świat według Clarksona 2

przełożyli Maria i Tomasz Brzozowscy

insignis

Tytuł oryginału
And Another Thing...
The World According to Clarkson, Volume 2
MICHAEL JOSEPH
Published by the Penguin Group
Penguin Books Ltd, 80 Strand, London WC2R ORL, England
The content of this book previously appeared in Jeremy Clarkson's *Sunday Times* columns.
First published 2006
www.penguin.com

Redakcja i korekta
Małgorzata Ibek-Mocniak
Piotr Mocniak

Skład
Tomasz M. Brzozowski

Copyright © for the translation
by Maria Brzozowska and Tomasz M. Brzozowski
Copyright © for this edition
Wydawnictwo Insignis, Kraków 2007
Wszelkie prawa zastrzeżone

ISBN-13: 978-83-60355-03-9

insignis

Wydawnictwo Insignis
ul. Lea 219/37
30-133 Kraków
telefon / fax +48 (12) 6333746
biuro@insignis.pl
www.insignis.pl

Druk i oprawa:
OPOL*graf* SA www.opolgraf.com.pl

Wyłączna dystrybucja:
fk Olesiejuk
www.olesiejuk.pl

Andy'emu Wilmanowi

Spis treści

Jestem nikim – tak twierdzi moja ekskluzywna karta kredytowa

Podejrzewam, że każdy z nas ochłonął już po tym, jak przed Bożym Narodzeniem wycisnęliśmy ostatnie soki z naszych ledwo żywych kart kredytowych. W okolicy przyszłego tygodnia możemy się więc spodziewać telewizyjnego wystąpienia jakiegoś ministra, który z kwaśną miną wyjaśni nam, że zadłużamy się bardziej, niż jesteśmy w stanie oszczędzić, i że to wszystko musi się skończyć.

W połowie lat siedemdziesiątych ubiegłego wieku, wkrótce po wprowadzeniu kart kredytowych, nasze zadłużenie sięgało 32 milionów funtów.

Teraz wpędziliśmy się w dług sięgający 50 miliardów, co daje 1140 funtów debetu przypadających na każdego dorosłego obywatela Wielkiej Brytanii.

W wyniku powyższego nasza gospodarka stoi na skraju załamania i, by ją ratować, podstarzałe paniusie będą musiały sprzedać swoje koty na eksperymenty medyczne. Dzieci wpadną w sidła prostytucji i będą zmuszane do czyszczenia kominów od środka[1]. Po prostu brak słów.

Istnieje jednak jeszcze bardziej mroczna strona kart kredytowych. Ich złowieszczy aspekt, o którym rzadko się wspomina.

---

[1] Wykorzystywanie małych dzieci, głównie chłopców, które mogły wejść do komina i wyczyścić go od środka, było nagminną praktyką kominiarzy w epoce wiktoriańskiej.

Mówię tu o cierpieniu wynikającym z nieposiadania odpowiedniej karty.

Wszyscy to przerabialiśmy. Kolacja skończona, rachunek już czeka na stole i każdy rzuca na spodek swój kawałek plastiku. Powstaje istne morze platyny i złota. Jeden z gości wyciąga kartę z rysunkiem dyliżansu amerykańskiego banku Wells Fargo. Inny pokazuje kartę nabywczą Rządu Jej Królewskiej Mości, dokładnie taką, jaką ma James Bond.

Teraz nadchodzi wasza kolej. Tylko że wszystko, co macie, to zielona karta najzwyklejszego banku NatWest Switch.

Z towarzyskiego punktu widzenia będziecie skończeni. A może już jesteście?

Kilka lat temu przeczytałem wywiad z jakimś gościem, który w swoim portfelu miał całą masę różnych kart i twierdził, że najlepsze z nich, a w szczególności obiekt pożądania wielu ludzi – czarna karta American Express, dawały mu „pewne przywileje".

Oczywiście musiałem taką kartę mieć. Nakłamałem więc o moich zarobkach, wyłożyłem 650 cholernych funciaków i już trzymałem ją w garści, w pudełku ze sztucznej skóry, zapakowaną jak wytworne kolczyki od Tiffany'ego. Mój własny paszport do świata *high-life*-u.

Kilka tygodni później leciałem klasą turystyczną do jakiejś zapomnianej przez Boga i ludzi dziury – nawet już nie pamiętam dokąd – i czekałem na samolot w jednym z tych barów z ostrygami na Heathrow, zmagając się z pytaniami na temat diesli Volkswagena, którymi męczył mnie jakiś gość w nylonowych spodniach. Po chwili przypomniałem sobie o moim „czarnym kluczu" w portfelu i o wzmiance zawartej w dołączonej do niego broszurce, że karta otwiera drzwi do ekskluzywnych poczekalni na lotniskach całego świata.

Poczłapałem więc w kierunku jednej z takich klubowych poczekalni z moim turystycznym biletem lotniczym.

– Przykro mi, ale nie możemy pana wpuścić – oznajmiła radośnie kobieta przy wejściu.

– Jak to? – odparłem. – Przecież mam czarną kartę American Express, która daje mi pewne przywileje.

Nie dawała. Wróciłem więc do mojego dieslowca w barze z ostrygami.

Miesiąc później meldowałem się w hotelu Blakes w Amsterdamie, gdzie znów przypomniałem sobie o karcie i pomyślałem: „Ciekawe, czy dostanę dzięki niej lepszy pokój w cenie gorszego".

Co za radość! Dostałem! Jedyne, co musiałem zrobić, to wynająć apartament cesarski w cenie biliona funtów za dobę, a zostałby on automatycznie zamieniony na apartament maharadży z powiększonym minibarem, i to bez dodatkowych dopłat. Wybrałem więc pokój klasy turystycznej o standardzie schowka na miotły.

Mijały miesiące, a ja wciąż wyciągałem z kieszeni moją ekskluzywną, lśniącą, czarną kartę American Express i efekt był wszędzie bardzo zbliżony. Słyszałem: „Non."… „Nein." A w Wielkiej Brytanii na prowincji: „Co to, k***a, jest?!".

Jestem trochę niesprawiedliwy. Nie tylko brytyjska prowincja dziwiła się mojej karcie.

Praktycznie nigdzie na wschód od Nowego Jorku i na zachód od Los Angeles nie można nic wskórać przy jej pomocy, wszystko jedno jakiego jest koloru. Niektórzy mówili, że Amex pobiera zbyt wysokie opłaty. Inni, że Amerykanie to niewierne psy.

W końcu natknąłem się na jakąś kobietę, która też miała taką kartę, i zapytałem, co w niej takiego widzi.

– Och – odpowiedziała, odgarniając grzywkę drogocennych włosów – karta jest wspaniała. Już na drugi dzień potrzebowałam 24 kwiatów odmiany „variegate", a moja kwiaciarnia ich nie miała. Zadzwoniłam więc na gorącą linię Amexu i załatwili je dla mnie.

Świetnie. Tylko że ja jakoś nigdy nie odczuwałem potrzeby ukwiecenia domu odmianą „variegate". Ale jeszcze bardziej martwi mnie to, że rzadko zdobywam się na odwagę, by wyciągnąć mój czarny plastik, gdy jem akurat kolację w tych nielicznych restauracjach, które go akceptują. Co udowodniłbym, gdybym nim zapłacił?

Gdy wyciągasz z kieszeni czarnego Amexa, mówisz tym samym, że zarabiasz milion funtów rocznie. Czy na kelnerze faktycznie wywrze to wrażenie? A co na to twoi przyjaciele? Oni albo też zarabiają milion funtów, i wtedy twoja karta ich nie wzruszy, albo nie zarabiają aż tyle, i wtedy przestaną być twoimi przyjaciółmi.

Posiadanie czarnego Amexa to nie to samo, co posiadanie dużego domu. Duży dom jest użyteczny. To nie to samo, co posiadanie dużego samochodu. Duży samochód jest wygodniejszy niż mały. Ta karta istnieje wyłącznie po to, by wywierać wrażenie. Nie ma innego zastosowania.

Gdybym należał do osób, które mają klientów, może by mi się to przydało. Ale w tym miejscu słówko ostrzeżenia. By dostać tę kartę, skłamałem na temat wysokości moich zarobków. Kto więc zaręczy, że ten spocony golfista, który wczoraj przy kolacji machnął czarnym Amexem przed oczami wszystkich zgromadzonych, nie zrobił tego samego co ja? W końcu A.A. Gill[2] też ma tę kartę, na litość boską.

W związku z tym wszystkim zamierzam pozbyć się swojej. Na pewno w jakimś tam stopniu pomoże to gospodarce Wielkiej Brytanii. Ale co ważniejsze, jeśli chodzi o moje poczucie własnej wartości, rozstanie z kartą zdziała cuda.

Niedziela, 11 stycznia 2004 r.

---

[2] Prowokacyjny felietonista, krytyk i pisarz brytyjski szkockiego pochodzenia.

Ups... Jak wplątałem w to Amerykańskie Siły Powietrzne

Ponieważ przez wypadki z tzw. ogniem skierowanym do przyjaciela amerykańska armia wyrobiła sobie okropną reputację, wielu spośród nas nie zdziwiło się wcale, gdy w zeszłym tygodniu podano do wiadomości, że jeden z myśliwców F-15 zrzucił bombę na hrabstwo York[1].

Ja też nie byłem zdziwiony, ale z innego powodu. Otóż kilka lat temu, gdy leciałem F-15, niechcący zrzuciłem bombę na Północną Karolinę.

Kręciłem właśnie jeden z odcinków programu „Ekstremalne maszyny", który wymagał ode mnie poruszania się z zawrotną prędkością rozmaitymi maszynami. Było więc oczywiste, że muszę wykorzystać tę okazję, by przelecieć się najszybszym i najgroźniejszym myśliwcem arsenału Sił Powietrznych USA – niepokonanym F-15 Strike Eagle.

To, co widzieliście w telewizji, to mój lot myśliwcem, a potem jak od tego latania wymiotowałem. To, czego nie widzieliście – z powodu braku czasu, sami rozumiecie – to próba zrzucenia naprowadzanej laserowo bomby na poligon w Kitty Hawk.

Z pewnością wszyscy oglądaliście w wiadomościach materiały filmowe, pokazujące, jak przestrzeliwano taki-

---

[1] Amerykański F-15E podczas lotu treningowego 8 stycznia 2004 r. zrzucił przypadkowo bombę ćwiczebną BDU-33 na stare lotnisko w Yorkshire.

mi pociskami skrzynki pocztowe różnych firm produkujących mleko dla niemowląt, więc wiecie, jak to wygląda. Gość siedzący na tylnym fotelu w kokpicie – w tym przypadku będę to ja – nakierowuje kamerę na cel i odpala bombę, która leci dokładnie tam, gdzie pokazuje krzyż celownika.

Te kamery mają fenomenalny zasięg. Odległość, na jaką są w stanie „widzieć", jest utajniona, ale kątem oka spostrzegłem, że pokrętło zasięgu zostało ustawione na 250 kilometrów. A to oznacza, że samolot, który zbombardował Yorkshire mógł przelatywać w tym czasie nad hrabstwem Sussex.

Przy moim pierwszym podejściu pilot Gris „Maverick" Grimwald powiedział, że będzie leciał nisko i szybko, wykonując szalone zwroty, tak jakbyśmy byli pod ostrzałem pocisków ziemia–powietrze.

Siedząc z tyłu, ustawiłem jeden z monitorów tak, by pojawił się na nim obraz z kamery zamocowanej pod samolotem, którą mogłem sterować za pomocą mechanicznej dźwigienki na joysticku.

Po dwóch dniach ćwiczeń doszedłem do wniosku, że nie będzie się to różniło od grania na PlayStation. I tak jest w rzeczywistości. Ale czy możecie sobie wyobrazić obsługę PlayStation w wirującym bębnie pralki? No dobrze, może bardziej realistycznie: czy wasze dzieci próbowały kiedykolwiek grać na Game Boy-ach, siedząc na tylnym siedzeniu poruszającego się samochodu? A to jest zaledwie 100 km/h, i to po mniej więcej prostej linii.

Grimwald leciał z prędkością 1000 km/h na wysokości kilkuset metrów nad ziemią i, co gorsza, rzucał samolotem z jednej strony na drugą tak, że w jednej sekundzie mój monitor pokazywał łańcuchy odległych Appalachów, a w kolejnej – rozmyte w kierunku lotu pola, przemykające z prędkością, przy której można wejść w nadprzestrzeń.

Gdy skończyłem wymiotować, byliśmy już nad morzem i przy przeciążeniu 6 g wykonywaliśmy nawrót do miejsca startu.

– Tym razem – powiedział Maverick (*vel* „Sukinsyn", bo osobiście tak wolę go nazywać) – ułatwię ci zadanie. Polecimy trochę wyżej, trochę wolniej i trochę spokojniej.

Nie pomogło mi to. Zobaczyłem rzekę, gdzie kręcono film *Wybawienie*. Zobaczyłem trzęsawisko, w którym w filmie *Wzgórze nadziei* ugrzązł Jude Law, a potem ujrzałem wodospad, za którym w *Ostatnim Mohikaninie* ukrył się Daniel Day-Lewis. I znów byliśmy nad morzem, a ja zwracałem właśnie kawałek tortu, który zjadłem na moje dziewiąte urodziny.

„Sukinsyn" nie był tym zachwycony.

– Czy zdajesz sobie sprawę – zapytał – że samo paliwo na każde z tych podejść kosztuje amerykańskiego podatnika 7000 dolarów?

Jeśli chcesz wiedzieć, to mam gdzieś amerykańskiego podatnika. Więc nie uronię z jego powodu ani jednej łezki, tu, na tylnym fotelu odrzutowca, który właśnie skierował swój dziób prosto na Słońce! Właśnie wznosiliśmy się pod kątem 90 stopni z prędkością, w którą po prostu trudno uwierzyć.

Pozwólcie, że opiszę ją następująco: winda w BT Tower jest szybka. Odczuwacie to w brzuchu, bo wyjeżdża na wysokość 200 metrów w ciągu 30 sekund. Wyobraźcie więc sobie, co czuje się w odrzutowcu, który wznosząc się pokonuje 5 tysięcy metrów w 11 sekund.

To jest jak przeniesiona do naszej rzeczywistości kosmiczna katapulta.

To popisowy numer F-15. Dzięki niesamowitemu ciągowi silników turbinowych Pratt & Whitney samolot potrafi nie tylko dwuipółkrotnie przekroczyć prędkość dźwięku i unieść uzbrojenie o 4 tony cięższe niż Eurofighter, ale również przyspieszać wznosząc się w pozycji pionowej.

Przy trzecim podejściu byliśmy już naprawdę wysoko i miałem sporo czasu, by za pomocą kamery zlokalizować cel, odpalić pocisk i utrzymywać krzyż celownika w tym samym miejscu, aż do momentu, gdy bomba tam dotrze. Słowem – łatwizna.

A i tak udało mi się to spaprać. Rozpaczliwie poruszałem kamerą w tę i z powrotem, ale nie mogłem odnaleźć niczego, co przypominałoby cel, więc pomyślałem: „Już wiem. Odpalę bombę tak czy siak, bo w czasie, w którym będzie leciała ku ziemi, na pewno uda mi się naprowadzić celownik na cel".

Nie udało mi się. „Sukinsyn" wyczuł drgnięcie samolotu w momencie, gdy nacisnąłem przycisk zwalniający bombę i zapytał:

– Widzisz cel?

– Jasne! – odpowiedziałem, wciąż ruszając kamerą.

Celu jednak nie zobaczyłem i po dziś dzień nie mam pojęcia, w co trafiła bomba. Z pewnością nie w cel. Nie jestem nawet pewny, czy zrzuciłem ją na Północną Karolinę.

Kto wie? Może zrzucenie bomby na Yorkshire to nie był brak kompetencji? Może to był odwet?

Niedziela, 18 stycznia 2004 r.

Sorry, Hans, na plażach rządzą teraz wyzywający angole

Kiedy pojawiły się wczasy zorganizowane, nagle mogliśmy doświadczyć życia w towarzystwie ludzi innych narodowości. Myśleliśmy wtedy, że najbardziej zabawni na plaży są Niemcy.

Jak Monthy Pyton zauważył już lata temu, Niemcy podkradają łóżka do opalania, wszędzie wpychają się bez kolejki i straszą dzieci. A jeśli nie przyjdziesz do bufetu punkt o dziewiętnastej, Fritz zdąży już wyżreć wszystkie kiełbaski.

Jednak wraz z wynalezieniem Boeinga 747 nadeszła era wakacji w dalekich krajach i zdaliśmy sobie sprawę, że Niemcy w porównaniu z Amerykanami są jak nieśmiałe szare myszki. Dla tych ostatnich żadne szorty nie są za duże, a żadne kąpielówki za małe.

Co więcej, Hank nie lubi leżeć na plaży i czytać książki. Lubi wrzeszczeć i grać w siatkówkę. Kiedy w pobliżu są jankesi, czujesz się, jakbyś spędzał wakacje na boisku szkolnym.

Przez lata Amerykanie stanowili klasę sami dla siebie, ale później upadł mur berliński i w rezultacie, od Oceanu Indyjskiego przez Środkowy Wschód i Morze Śródziemne aż po Karaiby, ton nadają obecnie Borys i Katia.

W wielu aspektach Rosjanie przypominają Amerykanów. Są albo stanowczo zbyt grubi, albo stanowczo zbyt piękni. Nie istnieje nic pomiędzy. Podobnie jak w przypadku Wuja Sama, żadna część ich ciała nie uniknęła ludzkiej ingerencji. Amerykanie lubują się w śnieżnobiałych zębach, Rosjanie uwielbiają przerażające tatuaże sił specjalnych. I żadna z tych dwóch nacji nie widzi nic złego w powiększaniu biustu. Widziałem kiedyś na plaży w Barbados Rosjankę o ciele pomarszczonym jak orzech włoski i piersiach, które rzucały cień na całą Antiguę.

Rosjanie wysuwają się jednak na prowadzenie, jeśli chodzi o stroje plażowe. Mężczyźni noszą tradycyjne Speedo, podczas gdy kobiety wydają się czerpać inspiracje na temat mody z internetowych stron porno. Co prawda jeszcze nie widziałem na plaży nikogo w pończochach i podwiązkach, ale to tylko kwestia czasu.

Dzisiaj jednak pojawił się nowy zawodnik, który rozniósł w pył dawnych faworytów. Tytuł Najgłupszych Ludzi na Plaży w roku 2004 został przyznany... Brytyjczykom.

Zostaliśmy stworzeni, by wymyślać myśliwce Spitfire i okręty Beagle. Dlatego nie prezentujemy się dobrze na plaży. Powinniśmy siedzieć w warsztatach, z rękawicami na dłoniach, i obmyślać wynalazki. Jesteśmy różowi jak świnki, a jeśli wystawi się nas na słońce, stajemy się żółto--różową szachownicą.

Zostaliśmy stworzeni do żwawych spacerów wzdłuż nadbrzeżnej promenady w Scarborough i spędzania wakacji na wilgotnym kempingu w Szkocji. Ale nasze nowobogactwo oznacza, że teraz możemy wybrać się w tropiki. A ponieważ chodzi tu o świeżo zarobione pieniądze, naprawdę nie wiemy, co z nimi zrobić. Największą winę za ten stan rzeczy ponoszą kobiety. Na plaży noszą kostium kąpielowy, zegarek i okulary słoneczne. Innymi słowy: niezbyt wiele, by pokazać innym wczasowiczkom, że „jestem znacząco bogatsza od ciebie".

Mimo to nie ustają w wysiłkach. Oczywiście nie posuwają się do noszenia amerykańskich stringów albo rosyjskich frędzli na sutkach, ale ich bikini trzymają się na groteskowych złotych klamerkach, okulary słoneczne wyposażone są w absurdalne zawiasy, wyglądające jakby pochodziły z głównej bramy pałacu maharadży, a jeśli chodzi o zegarki, przypominają one raczej zegary podróżne na paskach.

W porze lunchu jest jeszcze gorzej, ponieważ Angielki wreszcie mają pretekst, aby się okryć. W ruch idą T-shirty, informujące wszystkich, że odwiedzało się też inne miejsca, i bogato zdobione chusty.

Musiałem zapytać żonę, gdzie do diaska te wszystkie kobiety kupują swoje stroje. W ogóle nie musiała się zastanawiać. W sklepach z ubraniami. A dokładniej: w sklepach z ubraniami w prowincjonalnych miasteczkach. W sklepach, które swoim żonom kupili ich mężowie, by te przestały sypiać ze śmieciarzami.

W takim razie, gdzie zaopatrują się te sklepy z ubraniami? Żonę przytkało. Nie u Armaniego, to na pewno, ani u żadnego innego projektanta, o którym kiedykolwiek słyszał ktoś, kto nie mieszka w Leicester.

Nigdy nie widzieliście takiego chłamu. A co przytrafiło się najzwyklejszym japonkom? Obecnie nie mogą być uznane za obuwie, o ile nie są przyozdobione kwiatkiem i nie mają wysokich obcasów.

Pojawia się też kwestia nastoletnich córek tych kobiet, które dumnie kroczą z napisem „sex" na majtkach od bikini. Albo „cukiereczek". Naprawdę działa to na nerwy. Spróbujcie czytać książkę o dziewiętnastowiecznych parowcach, gdy w odległości 20 centymetrów od waszej twarzy piętnastolatka reklamuje swój tyłek. Szczególnie wytrąca to z równowagi w przypadku Rosjanek w ich obcisłych, podkreślających kształty strojach Speedo.

Trzeba coś z tym zrobić, i dlatego obmyśliłem plan. Kiedy kupujecie w sklepie strój na wakacje, przeprowadźcie prosty test: czy kiedykolwiek widziałyście Victorię Beckham w czymś choć odrobinę podobnym? Jeśli odpowiedź brzmi „tak", natychmiast odwieście to na miejsce.

Jeśli to nie zadziała, do akcji będzie musiał wkroczyć rząd. Tutaj również mam pewien pomysł. Lotniska dysponują już techniką kontroli bagażu na obecność nożyczek do paznokci i pęsetek, więc na pewno nie jest aż tak trudno wykryć, a następnie skonfiskować złote sandały bez pięt, przesadnie skomplikowane okulary słoneczne i wszelkie kostiumy kąpielowe z ozdobami.

Nie obchodzi mnie, co prowincjonalne Brytyjki noszą u siebie w domu. Ale będąc za granicą wystawiają złe świadectwo nie tylko sobie – źle świadczą o całym kraju, i trzeba z tym skończyć.

A jeśli chodzi o mężczyzn: żadnych kraciastych czapek z daszkiem. Żadnych. Zrozumieliście? Po prostu żadnych.

Niedziela, 25 stycznia 2004 r.

Naucz się zabijać kurczaki albo nie dostaniesz kolacji

Niedawno, gdy dzieci ze szkoły św. Jerzego w Norfolk wyszły w czasie przerwy na dziedziniec, w pobliskiej posiadłości Sandringham rozpoczęło się właśnie polowanie, w wyniku czego z nieba spadł deszcz martwych i postrzelonych bażantów.

Dla nauczycieli była to wspaniała okazja. Mogli ustawić dzieci w szereg i pokazać im jak się skubie ptaki.

– Dobrze, dzieci, stańcie tu wszystkie. Ty, Johnny, odwróć bażanta na grzbiet i stań na jego rozpostartych skrzydłach. A teraz mocno pociągnij za nogi...

Byłaby to znakomita ilustracja, jaką drogę muszą przebyć zwierzęta, zanim ze swych siedlisk trafią na stół jako smakowita duszona potrawka.

Niestety, tak się nie stało. Nauczyciele zaczęli biegać w kółko załamując ręce.

Wszystkie dzieci płakały. Wysłano listy do zarządców Sandringham z prośbą, by nie strzelać do ptaków, gdy dzieci przebywają na zewnątrz. W ten sposób te słodkie dzieciaczki wciąż będą wierzyć, że hamburgery rosną na drzewach, a coca-cola tryska z naturalnych źródeł w Wyoming.

Po tym zdarzeniu pewna kobieta napisała na łamach „Daily Mail", że sprzeciwia się zorganizowanym polowaniom na ptaki, bo są one hodowane specjalnie na ubój.

A jak pani myśli, skąd się bierze bekon? Wie pani, tylko nieliczni hodują świnki dla zabawy.

Jestem coraz bardziej przygnębiony tym, jak próbujemy się odizolować od realiów łańcucha pokarmowego i cudów świata natury.

W zeszłym tygodniu transportowano ciężarówką długiego na 17 metrów kaszalota, który został wyrzucony na plażę na Tajwanie. Eksplodował w mieście Tajnan. Na przechodniów, budynki i samochody spadł rzęsisty deszcz 50 ton krwi, brei i tłuszczu. Na pewno nie wyglądało to pięknie. Bez wątpienia powstaną teraz ustawy zakazujące biologom przewożenia martwych wielorybów przez obszary zabudowane.

Dlaczego? Bo gdy zdycha zwierzę, albo gdy umiera człowiek, martwy żołądek napełnia się metanem. Czasem ciśnienie tego gazu jest tak wysokie, że zwłoki nie wytrzymują i eksplodują jak bomba.

Zastanawiam się, czy ta wybuchowa moc nie mogłaby być w jakiś sposób wykorzystana. Nie chcę popadać w niewybredne klimaty, ale krowy w Nowej Zelandii produkują 900 000 ton metanu rocznie. To jeden z tych faktów, które zawsze noszę w pamięci, by wykorzystywać je w takich nagłych sytuacjach jak ta.

Tak czy owak, byłoby fajnie otrzymywać z krowich wymion mleko, z krowich kończyn mięso, a z krowich zadków – elektryczność. Zdaję sobie jednak sprawę, że w dzisiejszych czasach ludzie niechętnie włączaliby światło w domu, gdyby mieli świadomość, że prąd powstaje z pierdzenia Krasuli.

Podobnie nonsensowne zachowania możemy obserwować dzisiaj w programie *I'm celebrity... Get Me Out of Here!*[1]. Jego uczestnicy, charakteryzujący się sztucznym sposobem bycia – a czasem również sztucznymi biustami – są kompletnie niezdolni do radzenia sobie w dżungli. Czy rzeczywiście sądzą, że producenci programu pozwoliliby im włożyć głowę do zbiornika wypełnionego naprawdę niebezpiecznymi pająkami i wężami? Oczywiście, że nie.

Jeśli więc nie obawiają się, że zostaną pożarci, albo że skonają krzycząc w agonii, to w czym problem? Na pewno nie jest nim robactwo, przed którym uciekają piszcząc ze strachu. W czwartek grupa zawodników otrzymała na kolację zabitego kurczaka.

– Blee... Nie będę tego jadła! – zawołała Kerry[2], co łatwo było przewidzieć. Dobrze. Zostaw kurczaka w spokoju, niech napełni się gazem, a potem wybuchnie.

To samo przydarzyło się w amerykańskim *reality show* „Survivor"[3]. Przymierający głodem uczestnicy programu dostali kilka kurczaków, ale nie mogli się zmusić do ich zabicia i oskubania. Na litość boską, przecież to tylko kurczaki! A kurczaki to z grubsza rzecz biorąc niewiele więcej niż rośliny. Są tak głupie, że funkcjonują normalnie nawet bez głowy. Tak czy owak, gdy cała grupa deliberowała, co powinna zrobić z kurczakami, te zostały zjedzone przez stadko waranów.

Pamiętam, jak w pewnym programie podróżniczym pokazywano reportaż o Malcie. Mogliśmy zobaczyć tam-

---

[1] W wolnym tłumaczeniu: „Jestem gwiazdą... Zabierzcie mnie stąd!" – *reality show* emitowany przez brytyjską telewizję ITV1, w którym znane osoby próbują przetrwać w dżungli.

[2] Kerry Katona – prezenterka telewizyjna, felietonistka i była wokalistka zespołu Atomic Kitten, zwyciężczyni trzeciej edycji programu.

[3] Program znany w polskiej wersji jako *Wyprawa Robinson*.

tejszą przystań, posłuchać o uciążliwych miejscowych obyczajach i w końcu przejść do tradycyjnych potraw.

– Oni jedzą króliki! – wykrzyknęła prezenterka takim głosem, jakiego mógłbym użyć, gdyby okazało się, że zjadają siebie nawzajem.

Na chwilę ogarnęło mnie zdumienie. Zjadają je w całości i na surowo? A może żywcem? Nie. Zabijają je, zdzierają z nich skórę i wkładają do garnka z kawałkami cebuli, zupełnie tak jak my. A mimo to kobieta, rozgarnięta w stopniu umożliwiającym jej pracę w telewizji, była zaskoczona.

Szczerze mówiąc, nie rozumiem tego. Tam, z dala od łańcucha gastronomicznego XXI wieku: supermarket–lodówka–mikrofalówka – żyją owady, które pożerają partnerów po odbytym stosunku; istnieją ptaki o nazwie urubu różowogłowe, które, gdy są zagrożone, wymiotują na agresora; występują kotowate, które mogą zabić dla zabawy. I są też lamparty morskie, które grają w tenisa wodnego używając pingwinów jako piłek.

W tym wielkim łańcuchu współzależności, strzelanie do bażantów i zasilanie fryzyjskim bydłem krajowej sieci energetycznej nie jest chyba aż takie złe.

Oczywiście możecie nie chcieć brać udziału w zabijaniu i wyzysku zwierząt. W porządku. Zostańcie wegetarianami. Ale jeśli chcecie jeść mięso, nie wytrzeszczajcie gał i nie krzyczcie, gdy dowiecie się, w jaki sposób krowa zostaje kanapką z McDonald'sa.

Niedziela, 1 lutego 2004 r.

Chcecie wygrać wojnę? Postarajcie się o dobry plener!

Wpływowy hollywoodzki związek zawodowy pracowników filmu i telewizji wezwał kinomanów do bojkotu *Wzgórza nadziei*, gdyż ich zdaniem ta stuprocentowo amerykańska historia wojny secesyjnej została „wykradziona" przez Brytyjczyków i sfilmowana w Rumunii.

Brytyjski reżyser Anthony Minghella odpowiedział atakiem na atak, twierdząc, że nakręcił film w Transylwanii, ponieważ Północna Karolina, gdzie rozgrywa się akcja *Wzgórza nadziei*, jest dziś „zbyt gęsto usiana polami golfowymi".

To nieprawda. Północna Karolina to widowiskowe miejsce z zamglonymi górami, spienionymi rzekami i przejmującymi dreszczem lasami. To tam nakręcono film *Wybawienie*, który podobnie jak *Wzgórze nadziei* wymagał rozległych plenerów, by wydobyć pożądane poczucie skali. I nie przypominam sobie, bym w *Wybawieniu* widział Tigera Woodsa przechadzającego się na drugim planie ujęcia, w którym Neda Beatty'ego w roli Bobby'ego zmuszają do kwiczenia z bólu.

Północną Karolinę wykorzystano również jako pełne rozmachu tło filmu *Ostatni Mohikanin*. Występujący w nim jako Sokole Oko Daniel Day-Lewis nie musiał się obawiać ani Francuzów, ani Huronów, ani tego, że oberwie w głowę piłką golfową uderzoną mistrzowsko przez Colina Montgomeriego.

Mimo to Minghella uparcie twierdzi, że kręcił film w Rumunii, ponieważ Karpaty lepiej oddają charakter Ameryki w latach 1860. Ciężko się z tym spierać. Statyści, których w liczbie tysiąca dwustu wynajął do scen batalistycznych, z pewnością prezentują się realistycznie. Nie zauważyłem, by któryś z nich walczył z pistoletem w jednej ręce i z zestawem z McDonald'sa za 3,99 funta w drugiej.

Podejrzewam jednak, że prawdziwym powodem decyzji Minghelli, by kręcić film w Rumunii, a nie w Ameryce, są pieniądze. Szacuje się, że dzięki niskim kosztom utrzymania i minimalnym stawkom tych wszystkich statystów, zaoszczędził 16 milionów funtów. Wydaje mi się, że postąpił całkowicie zdroworozsądkowo. Mimo to Amerykanie nie ustawali w protestach przeciwko rumuńskim plenerom, australijskiej aktorce i brytyjskiemu aktorowi w rolach głównych, oraz Rayowi Winstone'owi z powodu jego akcentu rodem z Głębokiego Południa (Londynu).

To doprawdy zabawne! I nie mogłoby stać się jeszcze bardziej zabawne, nawet gdyby swoje argumenty Amerykanie okrasili 20 litrami śmietany i 100 kilogramami masła. A co powiedzą na *Pearl Harbor*, w którym Ben Affleck sam jeden wygrał bitwę o Anglię? Wiem, że Tony Blair wygłosił kiedyś przemówienie w związku z 11 września, dziękując Amerykanom, że stali z nami ramię w ramię podczas bombardowania Londynu, ale on nie widzi różnicy pomiędzy 5,5-milimetrową wiatrówką a międzykontynentalnym jądrowym pociskiem balistycznym Trident.

Rzeczywiście, zjawiło się u nas paru Amerykanów, by pomóc nam w pierwszych dniach wojny – 244 osoby, jeśli

mamy być dokładni. Nie myślcie jednak, że przybyli tu
z jakichś szlachetnych pobudek. Większość z nich stanowili niedoszli piloci i awanturnicy, którzy dotarli do nas,
bo zostali odrzuceni przez Amerykańskie Siły Powietrzne
z powodu swojej ślepoty bądź głupoty. Dobrze wiedzieli,
że zbierający cięgi RAF nie będzie aż tak wybredny.

Jesteśmy im oczywiście wdzięczni, nawet pomimo to,
że gdy Japończycy zaatakowali Hawaje, prawie wszyscy
wrócili do domu, zabierając ze sobą Spitfire'y, na których
latali, i zostawiając niezapłacony rachunek za swoje szko-
lenie. Ten aspekt, moim zdaniem, nie został należycie
ujęty w filmie z Affleckiem, ale nie powstrzymało mnie
to przed kupieniem sobie płyty DVD.

Idźmy dalej. *Golenie jaj szeregowca Ryana*[1], to film,
w którym Amerykanom udało się wygrać wojnę, mimo
że Brytyjczycy ciągle wszystko knocili. W filmie *O jeden
most za daleko* Ryan O'Neal nie zdobył Arnhem „dzięki"
niekompetencji Seana Connery'ego.

A, i nie zapominajmy o *U-571*, gdzie Matthew McCo-
naughey dzielnie wykradł maszynę deszyfrującą Enigma,
co umożliwiło Stevenowi Spielbergowi przeprowadzenie
swojej *Kompanii braci* przez hrabstwo Belgię.

I dlaczego Steve McQueen w *Wielkiej ucieczce* występuje w domowych ciuchach? Które wojsko wysyła swoich
żołnierzy na front w parze drelichowych spodni, kurtce
baseballowej i T-shircie?

A teraz Wietnam. Według Hollywood, Amerykanie
nie przegrali tam ani jednej bitwy. Tajemnicą więc po-
zostanie, dlaczego przegrali wojnę. Podejrzewam, że to

---

[1] Clarkson przekręca oryginalny tytuł filmu *Saving Private Ryan* na *Sha-
ving Ryan's Privates*.

w zupełności tłumaczy, dlaczego to nie Hollywood nakręcił *Wzgórze nadziei*. Któż miałby być czarnym charakterem, skoro obie strony były... amerykańskie?

To dobrze, że w czasach, gdy filmy o drugiej wojnie światowej są ostatnim krzykiem mody, przemysł filmowy Wielkiej Brytanii staje na wysokości zadania. W przeciwnym wypadku oglądalibyśmy kapitana Chucka Gibsona[2], który bombardowałby zaporę Mohne[3] holując za sobą samoloty Brada i Toda. Poza tym nazwisko Barnes Wallace[4] nie brzmi zbyt dobrze. W filmie powinien występować jako Clint Thrust.

Jeśli chodzi o odtwarzanie prawdy, reputacja Hollywood jest po prostu fatalna, co nie jest takie złe, jeśli traktuje się kino jako rozrywkę. Ale amerykańskie multipleksy są praktycznie jedynymi miejscami, gdzie w ogóle jacykolwiek ludzie poznają jakąkolwiek historię. Po projekcji filmu *Helikopter w ogniu* widzowie opuścili kino przekonani, że Ameryka prowadziła w Somalii akcję humanitarną. I że nie chodziło jej o obalenie dyktatora, któremu było nie w smak, że amerykańskie firmy wykradają całą ropę.

I z pewnością hollywoodzkich pracowników przemysłu filmowego i telewizyjnego właśnie to powinno niepokoić o wiele bardziej niż to, gdzie który film został nakręcony. W *Szeregowcu Ryanie* francuskie wybrzeże było irlandzkie. W *Pełnym magazynku* Wietnam urządzono

---

[2] Właściwie: podpułkownik lotnictwa Guy Gibson, dowódca najsłynniejszego lotu bombowego RAF-u „Operacja Chastise", w wyniku którego zniszczono dwie ważne zapory w Zagłębiu Ruhry.

[3] Właściwie: zapora Möhne.

[4] Brytyjski naukowiec, inżynier i wynalazca tzw. bomb sprężynujących (ang. *bouncing bombs*) użytych w „Operacji Chastise".

w londyńskiej dzielnicy Docklands, a w boksie Lennox Lewis jest z Wielkiej Brytanii.

I co z tego? Mnie zdecydowanie nie obchodzi to, gdzie zostało nakręcone *Wzgórze nadziei*, ani ile zapłacono statystom. Pomyślałem sobie tylko, że był to najdłuższy film, jaki kiedykolwiek widziałem. I w sumie dobry.

Niedziela, 8 lutego 2004 r.

Strach przed otyłością może poważnie pogorszyć twój stan zdrowia

Niedawno naukowcy podali, że dziecko urodzone w 2030 roku będzie żyło o pięć lat dłużej, niż dziecko urodzone wczoraj. Z tego powodu w połowie obecnego stulecia więcej będzie ludzi pobierających emerytury, niż pracujących.

Wpłynie to katastrofalnie na ekonomię, ponieważ proste obliczenia pokazują, że w budżecie zabraknie pieniędzy, by wszystkim tym staruszkom wystarczyło na protezy bioder i karmę dla kotów.

W takim razie, co u licha zrobimy? Skłonimy ludzi, by oszczędzali więcej i na starość byli samowystarczalni? Zmusimy wszystkich, by mieli więcej dzieci? Czy też wezwiemy na pomoc tysiące młodych, zdrowych imigrantów, którzy będą chcieli uwijać się przy jakiejś konkretnej robocie? Trudna decyzja.

Z kolei w zeszłym tygodniu ukazał się raport wykazujący, że jednak nie będziemy żyli tak długo. Dzięki wysiłkom McCaina i jego frytkom do odgrzewania w piekarniku oraz McDonald'sowi i jego kanapkom, eksplodujemy w wieku 62 lat. Można by oczekiwać, że rząd przyjmie tę nowinę z westchnieniem ulgi.

Ależ skąd. John Reid, minister zdrowia, ogłosił, że potrzebna jest wielka debata, w której będziemy musieli zmierzyć się z problemem otyłości.

O co w takim razie chodzi? Najpierw nam mówią, że wszyscy będziemy żyli 126 lat i żeby przeżyć będziemy musieli zjadać się nawzajem. A za chwilę dowiadujemy się, że właściwie byłoby najlepiej, żebyśmy nic nie jedli. Na początku podejrzewałem, że ma to coś wspólnego z *cool Britannią*[1]. Tony uwielbia swoje galerie sztuki i odlotowe mosty. Z pewnością nie chce, by to wszystko zostało zapchane przez tłum grubych nóg i obwisłych brzuchów.

Później pomyślałem, że to kolejny przejaw myteżyzmu[2] z Dubyą[3]: „Hej, George! Popatrz! My też mamy tłuściochów".

Ale wtedy w telewizji wystąpił jakiś człowiek w garniturze i powiedział, że rząd naprawdę powinien opodatkować frytki do odgrzewania w piekarniku, i nagle wszystko stało się jasne. Każą nam płacić podatki, gdy się przemieszczamy, i gdy parkujemy. Musimy płacić podatki, gdy zarabiamy pieniądze, oraz gdy je wydajemy. Opodatkowane jest wszystko, co wprowadzamy do płuc, a teraz chcą również wprowadzić podatek od wszystkiego, co wprowadzamy do żołądka.

No i w związku z tym poczyniłem pewne obserwacje. Po pierwsze, amerykańskie pojęcie otyłości jest dalekie od naszego. W Ameryce żyją ludzie, którzy przekroczyli już etap, gdy otyłość jest problemem czy powodem do

---

[1] *Cool Britannia* – termin wprowadzony pod koniec lat dziewięćdziesiątych minionego wieku, opisujący współczesną kulturę Wielkiej Brytanii. Nawiązuje do wczesnych rządów Partii Pracy i Londynu jako „najwspanialszej stolicy świata".

[2] Ang. *me-too-ism*.

[3] Przezwisko George'a W. Busha, naśladujące wymowę „W" z południowoamerykańskim akcentem.

żartów, i dotarli do punktu, w którym staje się odrażająca. U nas tak nie jest.

Sprawdziłem, że w Wielkiej Brytanii byłbym oficjalnie uznany za otyłego, gdybym ważył 114 kilogramów. Ale 114 kilogramów, gdy ma się 195 centymetrów wzrostu nie ma nic wspólnego z tym, co sceptycy nazywają otyłością – w istocie, ważąc 114 kilogramów byłbym Martinem Johnsonem[4].

W zeszłym roku, gdy nagrywaliśmy *Top Gear*, żyliśmy w takim pośpiechu, że pamiętam, jak pewnego tygodnia, jedząc kolację w czwartkowy wieczór, pomyślałem: „Boże, od niedzielnego obiadu nie miałem nic w ustach". Po prostu na jedzenie nie było czasu i w rezultacie przez zaledwie parę miesięcy schudłem o 13 kilogramów.

Obecnie *Top Gear* nie jest nadawany, mogę więc całymi dniami snuć się po domu w obwisłych ciuchach, co 20 minut zaglądać do lodówki w poszukiwaniu kiełbasek, i wypełniać dziury pomiędzy nimi wcinając delicje i wafelki czekoladowe Penguina. Jestem wyluzowany, zadowolony i przytyłem już 7 kilo.

Które rozwiązanie jest lepsze dla zdrowia? Zestresowany i szczupły, czy gruby i szczęśliwy? Nie jestem wprawdzie lekarzem, ale wiem, jaka jest odpowiedź.

Poza tym zastanówcie się, jak ta fobia otyłości wpłynie na dzieci. Żadnego z moich nie można nazwać zabiedzonym i jestem autentycznie zaniepokojony, że przez bzdury rozpowszechniane przez tych nazistów opętanych obsesją zdrowia, moje dzieci zaczną cichcem zwracać obiad w komórce na rowery.

---

[4] Legendarny brytyjski rugbista.

Może więc John Reid mógłby przyznać, że już wiele lat temu Norman Tebbit[5] miał rzeczywiście rację i że naprawdę powinniśmy wsiąść na rowery. Albo może mógłby pomyśleć o dotowaniu żywności, która jest dla nas zdrowa, zamiast nakładać podatki na tę, która nie jest.

A jeszcze lepiej by było, gdyby zwrócił uwagę na prawdziwe źródło nieszczęścia i stresu w naszym kraju. Parę lat temu zaciągnąłem kredyt hipoteczny zabezpieczony polisą na życie na kwotę 75 000 funtów.

Nikt nawet nie zająknął się o tym, że towarzystwo inwestycyjne może stracić moje pieniądze, ale to właśnie zrobiło. W zeszłym tygodniu dostałem list z informacją, że nie wystarczy ich na spłatę hipoteki, i żebym coś z tym zrobił, jeśli chcę zachować dom.

Dlatego właśnie nie płacę składek na emeryturę. Byłaby to kompletna i oczywista strata czasu, ponieważ w ten sposób powierza się pieniądze bandzie gości w garniturkach, którzy są zbyt głupi, by dostać robotę w bankowości czy agencji nieruchomości.

Popatrzcie tylko na ich biura w londyńskim City. Wielkie lśniące wieżowce ze szkła i stali. Kto za nie płaci? My. Tak samo jak za ich dodające otuchy reklamy w telewizji.

Chcecie, żebym wam coś doradził? Wydajcie wolne środki na frytki i czekoladę, ponieważ dzięki temu umrzecie z uśmiechem na twarzy w dniu, w którym przestaniecie pracować.

---

[5] Brytyjski polityk konserwatywny. Jako minister do spraw zatrudnienia w rządzie Margaret Thatcher zasłynął m.in. wypowiedzią, że jego bezrobotny ojciec nie wszczynał zamieszek, lecz wsiadał na rower i jeździł szukając pracy.

A być pochowanym w wielkiej trumnie w wieku 62 lat, to o wiele lepsze, niż ociągać się przez kolejne 40, oczekując pomocy od następnej fali imigrantów, których sprowadzi rząd, by utrzymać średnią wieku w kraju poniżej 400 lat.

Niedziela, 15 lutego 2004 r.

Szkoci! Przestańcie jeździć na nartach i wróćcie do swych szop!

Ostatnimi czasy w Szkocji źle się dzieje. Budowa nowego, lśniącego budynku szkockiego parlamentu dziesięciokrotnie przekroczyła planowane koszty i obecnie jest już opóźniona o trzy lata. Gospodarka dostaje zadyszki, a również pod kiltami nie jest za wesoło, bo tempo przyrostu naturalnego jest prawie takie jak u słoni.

W zeszłym tygodniu sprawy przybrały jeszcze gorszy obrót. Walijczycy wygrali ze Szkocją w rugby, potem jeszcze w piłkę nożną, a teraz słyszymy, że firma Glenshee Chairlift Company w ciągu ostatnich dwóch lat straciła milion funtów i musi sprzedać dwa narciarskie ośrodki wypoczynkowe w Highland.

Najwyraźniej należy za to obwiniać globalne ocieplenie. Dawno temu każdej zimy Szkoci mogli trochę odetchnąć od wody, bo nieustannie padający deszcz zamieniał się w śnieg, który przynajmniej ładnie wygląda. A teraz po prostu bez przerwy tam leje.

To dobrze. Tak naprawdę to nigdy nie widziałem sensu w jeżdżeniu na narty do Szkocji. Państwowa agencja turystyczna w swoich reklamówkach twierdzi, że wyjazd z deskami w kierunku północnej granicy jest „naprawdę dobrym sposobem, by nowicjusze mogli wypróbować ten sport, zanim wydadzą górę pieniędzy na wyjazd w jakieś inne miejsce".

Czy aby na pewno? Podejrzewam, że każdy, kto próbował jeździć na nartach w Szkocji, wyniósł z tego doświadczenia odmrożenia, hipotermię, oblodzoną fryzurę i mocne postanowienie, że definitywnie kończy z tym sportem. Nauka jazdy na nartach w Szkocji przypomina trochę naukę nurkowania w kamieniołomie. Niby nabywa się podstawowych umiejętności, ale nie w tym rzecz.

Ja, oczywiście, nie jestem jakoś specjalnie zainteresowany jazdą na nartach. Tak jak mówiłem już wcześniej, nie rozumiem, w jakim celu ludzie szusują w dół stoku, gdzie znajduje się bar, a następnie wsiadają na wyciąg, by jeszcze raz zjechać po tym samym stoku. To tak, jakby wybrać się w niedzielę do pubu, wrócić do domu i pójść do pubu jeszcze raz. To szaleństwo. Ja szusuję do baru i wchodzę do środka na drinka.

W wypoczynku na nartach bardzo podoba mi się czyste niebo, ostre zarysy gór, szczypiące w policzki powietrze i wszystkie te dziewczyny w kombinezonach. To dająca wiele frajdy, barwna zamieć, a w dodatku można się opalić.

Nawet gabinet lekarski w Val d'Isère – gdzie uczęszczam, gdy wywrócę się na nartach w drodze powrotnej z baru – jest pełen niezwykłych, coraz to nowych obrażeń. Kiedyś widziałem tam kolesia z kijkiem narciarskim, który wystawał mu z oka.

Wieczorami można pić wino, aż zacznie się wylewać uszami, bo wiadomo, że nad ranem rześkie górskie powietrze wyleczy kaca. Jest wprost cudownie.

Nie wyobrażam sobie jednak, że tak mógłby wyglądać narciarski wypad do Szkocji. Nie jestem pewien, czy wykonanie poprawnego równoległego skrętu na warstwie wrzosów mogłoby komuś przynieść dużo satysfakcji. Tak więc Szkocja musi polegać na rozrywkach „po nartach" i na... hm... Cóż, to chyba wszystko.

Zgadzam się, że do Val d'Isère przyjeżdża mnóstwo Rupertów[1] z partnerkami, którzy rzucają w was bułkami i czerpią niesamowitą frajdę ze ściągania sobie nawzajem spodni, co może być męczące.

A jakie towarzystwo macie w Glenshee? Rodzinę dziwacznych brodaczy z Tipton[2] i kufel piwa McEwan. Narciarstwo powinno być wyrafinowane, a Szkocja po prostu taka nie jest.

Oczywiście, możecie się upierać, że do Szkocji jest zaledwie 800 km i łatwiej tam dotrzeć niż do Val d'Isère, ale podróż samolotem w obydwa miejsca zajmuje tyle samo: godzinę z hakiem. Tak, oczywiście, do Szkocji można się wybrać samochodem, ale powinniście wziąć pod uwagę, że jeśli spadł tam śnieg, to drogi są nieprzejezdne. Więc i tak się tam nie dostaniecie.

Ale jeśli się wam to uda, na górskie szczyty z łatwością wyjedziecie dzięki kolejce linowej Cairngorm, która kosztowała podatnika prawie tyle, co nowy budynek szkockiego parlamentu. A teraz nie jest już chyba potrzebna, bo, jak podał „The Economist", od 1980 roku liczba sprzedawanych biletów spadła o połowę.

Firma Glenshee Chairlift Company wciąż wierzy, że pojawi się chętny do kupienia dwóch należących do niej ośrodków, ale dopóki nie znajdą kogoś o przedsiębiorczości wydry morskiej, nie obiecywałbym sobie zbyt

---

[1] Rupert to dla Clarksona uosobienie głupiego dorobkiewicza z londyńskiego City (patrz: *Świat według Clarksona*, wydanie pierwsze, s. 226).

[2] Patrz przypis 2 na s. 81.

wiele. Ze względu na niskie ceny lotów i brak jakichkolwiek oznak recesji, Francja, a nawet Kolorado, zawsze będą górą.

Te wieści mogą okazać się złe dla personelu pracującego w szkockich ośrodkach narciarskich, ale za to są dobre dla całej reszty. To dlatego, że John Logie Baird[3] był Szkotem. Alexander Graham Bell był Szkotem. Alexander Fleming był Szkotem. James Watt był Szkotem. Charles Macintosh[4] był Szkotem. John Dunlop był Szkotem. Szkoci wynaleźli wszystko: kalejdoskop, pigment do farb, urządzenie do czyszczenia dywanów, Marynarkę Wojenną Stanów Zjednoczonych, znaczki pocztowe z klejem, igły do strzykawek, środki znieczulające, golf, parafinę, radar, kanalizacyjny system osuszania pól i odtylcowe ładowanie broni. Tę listę można po prostu ciągnąć w nieskończoność.

To oczywiste, że Szkotów zesłano na Ziemię po to, by byli wynalazcami. Ale w ciągu jakichś ostatnich stu lat, przez ten absurdalny flirt z narciarstwem i przez zabieranie z powrotem swoich tronów z opactwa westminsterskiego[5], zboczyli z tej drogi. Przejęli kontrolę nad wszystkimi związkami zawodowymi i nieźle je wszystkie udupili, a teraz całkiem dobrze idzie im z dewastowaniem opactwa.

---

[3] Wynalazca noktowizora oraz pierwszego działającego systemu telewizyjnego. Pionier techniki telewizyjnej.

[4] Wynalazca nieprzemakalnych tkanin.

[5] Chodzi o szkocki kamień koronacyjny, tzw. Kamień ze Scone lub Kamień Przeznaczenia, na którym przed koronacją siadali władcy Szkocji. W 1296 roku król Anglii Edward I zabrał go ze szkockiego opactwa Scone i umieścił go w opactwie westminsterskim. Kamień leżał podczas koronacji pod tronem królewskim. W 1996 roku, po 700 latach, powrócił do Szkocji i obecnie znajduje się w zamku edynburskim. Legenda głosi, że na tym kamieniu spał w Betel biblijny Jakub.

Zostawcie to wszystko i wracajcie do swych szop w ogródku, uzbrojeni w klucze francuskie i mikroskopy.

Ostatnio George Bush powiedział, że chce lecieć na Marsa. Niech więc jeden z was zapomni na chwilę o sportach zimowych i zrobi mu statek kosmiczny.

Niedziela, 22 lutego 2004 r.

Mój syn myśli, że jestem gejem, i może być tylko gorzej

To była sielska scena. Mój syn i ja, wracający przez pola z jego niedzielnego porannego meczu rugby. Niebo było jasne. Obiad już czekał w piekarniku. Wszystko na całym świecie było dobre.

– Tatusiu – powiedział mój syn, wskazując naszą nową szopę w ogrodzie. – A w Indiach niektórzy ludzie mieszkają w jeszcze mniejszych domach.

– Phi! – zażartowałem. – Wielkie rzeczy, Indie. Moje pierwsze mieszkanie w Londynie było mniejsze od tej szopy. I nawet na takie nie było mnie stać w pojedynkę, wiec mieszkałem w nim z kumplem.

Siedmioletni mózg mojego syna przetworzył tę informację tak szybko, że nie było nawet chwili przerwy w rozmowie. Zapytał wprost i z młodzieńczą dosadnością:

– Czyli, gdy byłeś młodszy, byłeś tak jakby gejem?

Kilka dni później ten temat znowu wypłynął. Jacyś homoseksualiści, którzy pojawili się w telewizyjnych wiadomościach, uskarżali się na poglądy George'a W. Busha dotyczące małżeństw osób tej samej płci. Pomyślałem wtedy: czyżbym odchodził od zmysłów?

Oczywiście, że nie może być małżeństw osób tej samej płci. To podważa cały sens małżeństwa, ideę, że dwoje ludzi tworzy trwały związek, w którym mogą być poczęte i wychowane dzieci. Argumentacja, że homoseksualiści powinni móc zawierać małżeństwa jest tak samo głupia jak to, że powinienem mieć możliwość grania w drużynie Manchester United.

Urodziłem się z uzdolnieniami do gry w piłkę nożną na poziomie pingwina cesarskiego, więc nie mogę być piłkarzem.

Andrew Lloyd Weber przyszedł na świat z twarzą, która wygląda jak roztopiony kalosz, nie może więc być modelem. A jeśli urodziliście się z upodobaniem do tej samej płci, nie możecie zawierać małżeństw. Pogódźcie się z tym!

A tak naprawdę to ja będę musiał się z tym pogodzić, ponieważ wkrótce ster przejmie pokolenie moich dzieci, a ono nie widzi nic złego w chłopakach, którzy żenią się ze swoimi chłopakami. Mój syn, jak już wiemy, myśli, że jego tato był gejem, i nie ma nic przeciwko temu.

I nie chodzi tu tylko o homoseksualizm. Każda informacja w dzienniku sprawia, że czuję się zagubiony i wyalienowany, obcy na swojej własnej planecie. Nie wniesiono oskarżenia przeciwko zatrudnionej w rządzie kobiecie za to, że wysyłała do swoich koleżanek maile z tajemnicami państwowymi. Marks & Spencer otworzył dom handlowy Lifestore[1], nie będzie interwencji amerykańskiej na Haiti, bo to rok wyborów. Posh[2] nie chce mieć takiej fryzury jak Jordan[3]. To wszystko jest po prostu nie do wiary.

---

[1] Była to nowa koncepcja domu handlowego z wnętrzem urządzonym tak jak w zwykłym domu, w przeciwieństwie do standardowego uporządkowania produktów. Eksperyment jednak nie przyjął się i w 2005 roku Marks & Spencer zamknął Lifestore.

[2] Chodzi oczywiście o Victorię Beckham.

[3] Brytyjska modelka i gwiazda telewizyjna.

Problem w tym, że mam 43 lata, a to oznacza, że minął już termin mojej śmierci. Zostałem zaprojektowany, by żyć 40 lat, i teraz wyłącznie centralne ogrzewanie oraz połysk, jaki nadaje drewnu Pronto, trzymają mnie z dala od krematorium.

Mamy więc dziś niecierpliwą, młodą krew, kłócącą się z wapniakami, których chodzi jeszcze trochę po tym świecie i którzy nie za bardzo pragną cokolwiek zmieniać. Wymyśliłem nawet na to nazwę: syndrom księcia Karola. Nade wszystko chciałby realizować swoją wizję Wielkiej Brytanii, ale jego mama jest wciąż u władzy. Jest rozważna i otwiera ośrodki opieki dziennej dla upośledzonych umysłowo.

Tak to wygląda. W San Francisco jest mnóstwo energicznych mężczyzn i kobiet. Myślą, że bez mrugnięcia okiem można zaakceptować adopcję dzieci przez pary homoseksualne. Wyobrażają sobie, że fakt posiadania dwóch tatusiów czy dwóch mamuś w żaden sposób nie zwichnie u dziecka spojrzenia na świat. Ale ich zapędy powstrzymuje staruszek w Waszyngtonie.

Tu, w Anglii, młodzi ludzie, którzy oglądają serial *Buffy – postrach wampirów* chcą zniesienia abonamentu telewizyjnego, ale przez to wchodzą w konflikt ze staruszkami, którzy zastanawiają się, jak mogliby wytrzymać bez Johna Humphrysa[4] o poranku i bez *Targowiska antyków* w niedzielę po południu.

Gdybym już nie żył, moje dzieci słuchałyby przy śniadaniu Chrisa Moylesa[5]. Ale ponieważ jeszcze żyję, radio znajduje się w śmietniku, a w domu panuje wojna.

---

[4] Znany brytyjski prezenter radiowy i telewizyjny.

[5] Kontrowersyjny prezenter stacji radiowej BBC Radio 1.

Wielu ludzi stawia sobie pytanie, czy chrześcijanie i wyznawcy islamu mogą koegzystować w dzisiejszym, kurczącym się świecie. Natomiast ja jestem bardziej zaniepokojony koegzystencją młodych i starych. Oczywiście, że mając 43 lata, czuję się wystarczająco źle, ale co ma powiedzieć moja mama, która dobija siedemdziesiątki? W jej życiu nie istnieje z pewnością ani jedna mająca sens rzecz.

Podczas świąt Bożego Narodzenia wzięliśmy ją ze sobą na jakieś przedstawienie dla dzieci i nawet ono – jeśli o moją mamę chodzi – równie dobrze mogłoby być w języku klingońskim.

– Dlaczego – zastanawiała się po wyjściu – nie śpiewają już tych wszystkich starych piosenek?

Z tego samego powodu, podejrzewam, z którego Marks & Spencer wymieszał ze sobą indonezyjskie bibeloty z bananami i biustonoszami.

Mamy tu do czynienia z osobą, która nie może oglądać amerykańskich programów telewizyjnych, bo „nie rozumiem, o co w ogóle tam chodzi!", a mimo to żyje na tej samej planecie i w tym samym czasie co jej wnuki, które obejrzały już tyle australijskich oper mydlanych, że wybuchają śmiechem na końcu każdego zdania.

Mama zabiera je czasem na kolację do jakiejś restauracji, a one siadają przy stole i grają na Game Boy-ach swoimi rozrośniętymi kciukami, wytworem XXI wieku. To musi być przerażające dla jej pokolenia, ale nasze będzie miało jeszcze gorzej, bo żyjemy coraz dłużej, a tempo zmian jest coraz szybsze.

Pewnie myślicie, że jest źle już teraz, ale pomyślcie, co będzie, gdy pałeczkę przejmą wasze dzieci.

Pastorzy geje, internetowe *reality show* nadawane z domu sąsiada, komisje śledcze za każdym razem, gdy ktoś umrze, satelitarna kontrola prędkości, myślące komputery, sklonowane psy, lisy zasiadające w radach gmin, obowiązkowy język polski w programach szkolnych, wakacje na Marsie. Przed naszymi dziećmi świat otwiera się na oścież jak muszla ostrygi. Ale dla reszty z nas będzie raczej jak pozbawione pereł wiadro z pomyjami.

Niedziela, 29 lutego 2004 r.

Przykro mi, ale publiczne przeprosiny to jedno wielkie kłamstwo

Ponieważ w jednym z programów telewizyjnych chciałem zademonstrować wytrzymałość pickupa Toyoty, znalazłem jakieś drzewo i wjechałem w nie.

Niestety, gdy wyemitowano ten materiał, pewien telewidz o sokolim wzroku uświadomił sobie, że sfilmowany kasztanowiec wygląda tak samo jak ten w jego wsi. Podreptał więc na drugą stronę ulicy – i rzeczywiście – na pniu widniały ślady czerwonej farby. Oczywiście zawiadomił o tym radę gminy, która napisała list ze skargą.

List spowodował, że wezwano mnie do biura jakiejś grubej ryby z telewizji BBC, gdzie spędziłem pół godziny ze wzrokiem wbitym w czubki butów, mówiąc „nie wiem, psze pana" i „przecież to tylko drzewo". Dowodziłem też, że ponieważ drzewo należy do rady gminy, to jest własnością publiczną i w związku z tym miałem prawo w nie wjechać.

Nic to jednak nie dało, bo do rady gminy wystosowano list z prośbą o przyjęcie szczerych przeprosin i zapewnieniem, że w przyszłości, gdy ekipa *Top Gear* będzie przejeżdżać przez wieś, w nic już nie wjedzie.

Wcale nie zamierzałem przepraszać i wciąż nie jest mi przykro z tego powodu. Zgodziłem się na przeprosiny tylko dlatego, by wyciszyć tę sprawę, móc pojechać do innej wsi i rozbić się tam o coś innego.

Od czasu, kiedy w filmie *Za garść dolarów* Clint Eastwood polecił uzbrojonym bandytom przeprosić swojego muła, panuje przekonanie, że mówienie „przepraszam" po to, by wszystko było w porządku zakrawa na kpinę. Gdyby ci bandyci rzeczywiście przeprosili, film z miejsca by się skończył. A ponieważ tego nie zrobili, było potem jeszcze dużo strzelania i – przynajmniej jeśli chodzi o Clinta – sporo mrużenia oczu.

Później nastał jednak Tony Blair, który po śledztwie Huttona[1] oświadczył, że wszystko, czego kiedykolwiek pragnął, to przeprosiny BBC skierowane do jego muła, Campbella.

To zaś sprawiło, że przepraszanie stało się powszechną obsesją. Zawodnicy Spurs zostali ostatnio poddani surowej krytyce, nie dlatego, że przegrali mecz, tylko że za to nie przeprosili.

Obawiam się, że starania Jego Blairowskości, by być tak wielkodusznym jak Eastwood, mogły stworzyć niebezpieczny precedens. Co będzie, gdy Saddam Husajn zacznie nas przepraszać za ludobójstwo? „Nie wiem, co we mnie wtedy wstąpiło. Naprawdę, jest mi bardzo, ale to bardzo przykro. Przepraszam. Czy mogę już sobie pójść?".

Wcale nie żartuję. W Pakistanie człowiek oskarżony o sprzedawanie tajemnic związanych z bronią jądrową Libii i Korei Północnej uniknął odpowiedzialności karnej,

---

[1] Chodzi o śledztwo w sprawie samobójstwa dr. Davida Kelly'ego, który twierdził, że rządowe raporty uzasadniające brytyjską interwencję w Iraku, były celowo przesadzone i że stał za nimi sekretarz prasowy w rządzie Blaira, Alastair Campbell. Materiały z tymi domniemaniami zostały wyemitowane przez telewizję BBC. Śledztwo oczyściło rząd Wielkiej Brytanii ze stawianych mu zarzutów.

bo wystąpił w telewizji prosząc naród o przebaczenie. Dobrze, już dobrze, nic nie szkodzi.

Od czasu do czasu widujemy przeprosiny w gazetach, po tym jak napiszą – no, nie wiem – na przykład, że modelka Jordan zdawała na maturze egzaminy z 17 przedmiotów i że skończyła nanotechnologię na Harvardzie. Jednak zazwyczaj ukazują się one tak małym drukiem, że nie sposób ich dostrzec gołym okiem, a w dodatku publikowane są dopiero na 38 stronie, obok odwracającej uwagę reklamy kabin prysznicowych. W dodatku przeprosiny pisze się tylko dlatego, że jakiś nadęty prawnik stoi nad ich autorem z pistoletem w jednej dłoni i nakazem sądowym w drugiej.

Mówienie „przykro mi" pod wpływem przymusu oznacza, że wcale nie jest nam przykro. Aby przeprosiny mogły zabliźnić rany, muszą być prawdziwe. G.K. Chesterton powiedział: „Drętwe przeprosiny są jak druga zniewaga".

Justin Timberspodnie przepraszał po tym, jak odsłonił pierś Janet Jackson w programie transmitowanym na żywo przez amerykańską telewizję. Ale czy naprawdę było mu przykro? Bill Clinton przepraszał po tym, jak opinia publiczna dowiedziała się o jego zabawie w „znikające cygaro" – ale zrobił to tylko dlatego, że został przyłapany.

A teraz ten ubiegający się o prezydenturę sobowtór Jimmy'ego Hilla[2] przeprasza za wypowiedź, że wszyscy sikhowie to terroryści. Ale ponieważ John Kerry to polityk, jego przeprosiny są nic niewarte. Powiedział, że przykro mu z powodu jego uwag, które zostały źle zrozumiane, co

---

[2] Angielski piłkarz, trener, menedżer, dziennikarz piłkarski i producent telewizyjny bardzo podobny do Johna Kerry'ego.

oznacza dokładnie to: „Przykro mi, że jesteście wszyscy za głupi, żeby zrozumieć, o co mi tak naprawdę chodzi".

Słowo „przepraszam" jest przydatną przepustką wybawiającą z opresji, kiedy kłócisz się z żoną, a do twojego ulubionego programu w telewizji pozostało tylko 10 minut. „Tak, wiem, że do twojego sosu holenderskiego wpadł mi węgiel. Jestem beznadziejnym mężem, i to we wszystkich możliwych aspektach. Przepraszam. Czy mogę już sobie pójść i obejrzeć *24 godziny*?"

Słowo „przepraszam" sprawdza się wtedy, gdy nadepniecie komuś na palec u nogi albo gdy wasze dziecko beknie po wypiciu zbyt dużej ilości coca-coli. Słowa „przepraszam" używamy w przypadku drobnych uchybień, takich jak niewielkie spóźnienia. Gdy w kinie przeciskacie się obok kogoś, by zająć swoje miejsce, mówicie „przepraszam", bo jest to inny sposób powiedzenia „proszę mi wybaczyć". A powiedzenie „proszę mi wybaczyć" w przypadku, gdy popełnicie coś „grubszego", po prostu nie zadziała: „Zastrzeliłem twojego męża celując miedzy oczy. Mam wielką nadzieję, że mi wybaczysz".

Dziś, by nadać chwili swojego upokorzenia odrobinę powagi i by rozwiać przypuszczenia, że być może zrobili coś gorszego od rozlania wody na czyjeś spodnie, ludzie występujący z publicznymi oświadczeniami nauczyli się przyjmować skruszony wyraz twarzy i mówić, że „szczerze przepraszają".

Ale gdy oglądaliście Lorda Rydera, który w imieniu telewizji BBC przepraszał Świętego Tony'ego i tego pół konia, pół osła Alastaira, czy nie stanął wam przed oczami, choćby na krótką chwilę, John Cleese dyndający do góry nogami z okna mieszkania na strychu w filmie *Rybka zwana Wandą*, który przepraszał tego psychopatycznego eksagenta CIA, granego przez Kevina Kline'a?

Elton John powiedział kiedyś, że słowo „przepraszam" wydaje się być najtrudniejsze.

To nieprawda. Odważny mężczyzna, mężczyzna z kręgosłupem i odpowiednim poziomem żelaza we krwi, powie: „Nie chcę twych przeprosin. Chcę twej chłosty!".

Niedziela, 7 marca 2004 r.

Chcesz dać dziecku na imię Noe lub Cola? Przecież to głupota!

Wielu z moich znajomych, czterdziestolatków z hakiem, bierze przykład ze świadomego rodzicielstwa Tony'ego Blaira[1] i decyduje się na dziecko *last-minute*.

Istnieją dwie rzeczy, o których musicie pamiętać, gdy ktoś dzwoni do was z wiadomością, że właśnie urodził mu się potomek. Po pierwsze, z zupełnie nieoczywistych względów musicie zapytać, ile waży dziecko. Po drugie, postarajcie się nie wypuszczać z rąk słuchawki, gdy powiedzą wam, jakie imię dla niego wybrali.

– Chardonnay? – zapytajcie z powagą w głosie. – Hm, to pięknie... Wszyscy zdębieją...

Coroczny ranking najbardziej popularnych imion pokazuje, że dla większości ludzi źródłem inspiracji wciąż jest Biblia, i że numerem jeden na liście są supertradycyjne imiona Jack i Emily. Spójrzcie jednak, co dzieje się poniżej dziesiątego miejsca, a zobaczycie istną kakofonię obłędu: dzieci przedstawicieli klasy robotniczej dostają imiona po australijskich gwiazdach popu i po żonach piłkarzy. Klasa średnia wcale nie wypada lepiej, bo nazywają dzieci coraz bardziej niedorzecznie. No bo co to za imię – Araminta?

Dorastaliśmy śmiejąc się z Franka Zappy, bo swojej córce dał na imię Moon Unit, ale dziś to właśnie my

---

[1] W 2000 roku 47-letniemu wówczas Blairowi urodził się syn Leo.

nadajemy naszym dzieciom imiona będące nazwami odległych himalajskich wiosek i egzotycznych serów.

Ludzie zawsze nazywali dzieci tak, by dać wyraz swoim
własnym aspiracjom – to dlatego w XIX wieku tak wielką
popularnością cieszyły się imiona Rubin i Opal, i z tego
samego powodu moja biedna mamusia nosi imię po Shir-
ley Temple. Podejrzewam, że również dlatego tak wielu
napływających do nas w latach 1950. imigrantów z Karaibów nazwało swoich synków Winston.

Noszenie imienia premiera czy aktorki, których podzi-
wiali wasi rodzice, nie jest jeszcze takie złe. Ale w Ameryce aspiracjami ludzi są produkty i usługi, co spowodowało
gwałtowny wzrost popularności takich imion jak Arma-
ni, Timberland, L'Oreal czy Celica – model samochodu
Toyoty. A w zeszłym roku pewne biedactwo otrzymało
imię Del Monte[2].

W tym miejscu chciałem przypuścić kolejny atak na
Amerykanów, którzy z reguły wybierają imię dla swojego dziecka losując litery z worka do gry w Scrabble. Ale
ponieważ przypomniałem sobie właśnie, że u nas mistrz
jeździecki, Harvey Smith, nazwał swojego konia Sanyo
Music Centre, dajmy temu spokój i przejdźmy dalej.

Zanim nadacie dziecku imię Cola Light lub Dżojstik,
ważne jest, byście mieli świadomość, że taki wybór będzie
miał ogromny wpływ na to, jak ułoży się życie waszego
maleństwa.

Gdy państwo Gauntlet ochrzcili swego syna imieniem
Victor, w zamyśle miał zostać prezesem Astona Martina i tak właśnie się stało. Jeśli państwo Arkwright dadzą
swemu synowi na imię Stan, na sto procent zostanie

---

[2] Kalifornijski producent żywności w puszkach.

hydraulikiem. Z kolei Mike Pemberton w przyszłości będzie pilotem, a Brooklyn[3] – z całą pewnością – mostem. Pewien mój znajomy bardzo się tym przejmuje. Na początku chciał swojemu nowo narodzonemu synowi dać na imię Jack, twierdząc, że „Jack Wilman" brzmi jak nazwisko zawadiackiego agenta CIA. Podobała mu się wizja syna nieustannie opuszczającego się z helikoptera na atomowe okręty podwodne.

– Ach tak – odrzekłem. – A ja z kolei widziałem napis „Jack Wilman" na boku jakiejś furgonetki.

Nie od razu musi to oznaczać coś złego. Jeśli krój napisu jest fikuśny, a furgonetkę wypełniają domowej roboty chrupiące kanapki z pasztetem ze słoiczków, to w porządku. Ale Jack Wilman? To raczej była jedna z tych furgonetek z drabinami na dachu. W związku z tym mój znajomy zdecydował się na imię Noe, co oznacza, że chłopak na pewno zostanie gejem.

Wszystko to okazało się jeszcze bardziej skomplikowane po zeszłotygodniowym badaniu opinii publicznej, z którego wynika, że młodzież jest o wiele bardziej konserwatywna, niż mogłoby się nam wydawać. Popiera monarchię, długie kary więzienne i patriotyzm, a to prowadzi do wniosku, że jest przeciwna tak idiotycznym imionom jak Rawlplug[4].

Nie zgadza się z tym moja najstarsza córka. Pewnej nocy, kiedy wspólnie z żoną naprawdę dobrze sobie popiliśmy, myśleliśmy całkiem serio, by córce dać na imię Boadicea. Nazajutrz, nad opakowaniem Nurofenu postanowiliśmy, że będzie się nazywała Emily. Teraz jest przez to wściekła.

---

[3] Brooklyn, Romeo i Cruz to imiona synów Davida i Victorii Beckhamów.

[4] Producent mocowań naściennych, synonim kołka rozporowego.

Jeździ po ogrodzie na rowerze z nożami przymocowanymi do kół i twierdzi, że jesteśmy nudni i bez polotu.
Oczywiście, że jestem nudny i bez polotu, bo gdy byłem chłopcem, zdechły dwa z moich żółwi – Sullivan i Bubble. Zostały Gilbert i Squeak i robiąc ze mnie pośmiewisko, nauczyły mnie głębokiego poszanowania dla rozsądnych zasad nadawania imion[5].

I to właśnie dlatego szczerze podziwiam system panujący w Islandii. Nazwisko tworzy się tam przez dodanie do imienia ojca końcówki „-son" lub „-dottir". Tak więc książę Karol nazywałby się Karol Philipson, a Nigella Lawson[6] – Nigella Nigelsdottir.

Feministki tego systemu nie popierają, ale działał on przez wieki, w związku z czym Islandczycy nie chcą, by ktoś, komu przyjdzie do głowy nazwać swojego syna Śnieżnyskuter, doprowadził do jego nadużycia. Bo córka tego syna, jeśli ten zdradzałby podobne do ojca skłonności, nazywałaby się Fifi Trixibelle Peaches Śnieżnyskuterdottir. Brzmiałoby to groteskowo, tak więc tamtejszy rząd sporządził listę dozwolonych imion i to z niej trzeba wybierać.

Gdybyśmy taki system mieli tu, w Anglii, moglibyśmy dzięki niemu chronić piękno tradycyjnych angielskich imion. Nie byłoby Tiger Lily, nie byłoby Anastazji. Państwu Beckhamom powiedziano by, żeby w końcu przestali robić z siebie idiotów. A moje dzieci miałyby na imię Roy, Brenda i Enid.

Niedziela, 14 marca 2004 r.

---

[5] Gilbert & Sullivan – duet autorski librecisty i kompozytora tworzący w epoce wiktoriańskiej. Bubble & Squeak – tradycyjne danie angielskie, kapusta gotowana z resztkami mięsa i ziemniakami.

[6] Znana autorka programów i książek kulinarnych, m.in. „Nigella gryzie".

Na cokole ustawcie Piersa – on zasługuje na unieśmiertelnienie

Przez 150 lat spierano się, co lub kto powinien zostać uwieczniony przez ustawienie na pustym cokole na londyńskim Trafalgar Square. I oto w zeszłym tygodniu podano do wiadomości, że stanie tam pomnik niepełnosprawnej ciężarnej kobiety o nazwisku Alison Lapper[1].

Moja pierwsza reakcja była następująca: dlaczego nie „Latający Szkot"[2]? Właśnie jest wystawiony na sprzedaż za jedyne 2 miliony funtów. Byłby doskonałym rozwiązaniem, bo harmonizuje z miłością do publicznego transportu, z którą obnosi się burmistrz Londynu, Ken Livingstone, i stanowi przykład chwalebnych osiągnięć brytyjskiej inżynierii minionych czasów.

Problem w tym, że niezależnie od tego, czego byście nie wybrali, to coś stanie się gałęzią dla gołębi, a następnie zostanie zniszczone przez wandali. Żal byłoby patrzeć na ten śliczny, stary parowóz w takim stanie – co więc powiecie na mój kolejny, błyskotliwy pomysł? Jeśli faktycznie to, co ma tam stanąć, ma być miejscem, na które srają ptaki, i magnesem przyciągającym pałających żądzą dewastacji

---

[1] Brytyjska niepełnosprawna artystka, przyszła na świat bez rąk i z defektem nóg. Jest tematem kontrowersyjnej rzeźby autorstwa Marca Quinna, eksponowanej obecnie na Trafalgar Square.

[2] Sławny brytyjski parowóz, o którym Clarkson pisze w książce *Wiem, że masz duszę*.

pijaków i prymitywów, to dlaczego nie ustawimy tam pomnika Piersa Morgana[3]?

Być może słyszeliście, że w czasie zeszłotygodniowej ceremonii wręczania British Press Awards podszedłem do Piersa, redaktora naczelnego „Daily Mirror", i walnąłem go z pięści prosto w sam środek twarzy.

Jednak to tylko część prawdy. Uderzyłem go też w szczękę i w policzek.

Dlaczego? No cóż, najwyraźniej Piers myśli, że jeśli ktoś pojawia się w telewizji, to nie ma nic złego w publikowaniu zdjęć, na których ten ktoś całuje na dobranoc dziewczyny i pojawia się na plaży z widocznym sadłem.

Nie zgadzam się na to.

Z tego samego powodu nie popsułem i nie popsuję jego raczkującej kariery telewizyjnej, ujawniając szczegóły z jego skomplikowanego życia osobistego.

Ta różnica zdań utrzymywała się między nami już od pewnego czasu. Wszystko zaczęło się wtedy, gdy odmówiłem opuszczenia macierzystego okrętu, by zacząć pisać dla „Daily Mirror", stwierdzając, że o wiele bardziej wolałbym pisać instrukcje obsługi do radioodtwarzaczy samochodowych. Nasz spór ujrzał światło dzienne podczas ostatniego lotu Concorde'a, kiedy to opróżniłem na Piersa szklankę wody.

Gdy zatem wszyscy zauważyli, że obydwaj uczestniczymy w ceremonii wręczania nagród prasowych, atmosfera wyczekiwania na skandal wypełniła całą salę jak wielki, drapiący koc. W ostatnich latach feta ta stała

---

[3] W latach 1995–2004 redaktor naczelny „Daily Mirror", zwaśniony z Clarksonem po tym, jak na łamach prowadzonej przez siebie gazety opublikował kompromitujące go zdjęcia.

się festiwalem życzliwego poklepywania po plecach i dobrych win, więc każdy jej uczestnik czuł, że oto tu, w tym
miejscu, nadarza się okazja powrotu do dawnych czasów
rękoczynów i obelg, że dziennikarze będą zachowywać
się jak dziennikarze, a nie biznesmeni.

Nikt co prawda nie podszedł i nie powiedział: „Piers
mówi, że śmierdzisz", ale i tak panowała atmosfera pola
walki.

Problem w tym, że nikogo wcześniej nie uderzyłem.
Może i nie mam intelektu Stephena Fry'ego[4], ale to, że
mój nos nie wygląda tak jak jego, zawdzięczam temu, że
mam wystarczająco dużo zdrowego rozsądku by wiedzieć,
że jeśli uderzę kogoś pięścią, w rewanżu zaraz mi odda.

Poza tym bijatyki to zachowanie niegodne. Któż z nas
mógłby zapomnieć o Johnie Prescottcie[5] i jego wykrzy-
wionej grymasem twarzy, gdy przed wyborami do parlamentu rzucił się na jednego z protestujących. Mamy jeszcze Roberta Kilroya-Silka[6], który w zeszłym roku zaprosił
A.A. Gilla[7] na odrobinę boksu na zewnątrz. Chciałoby
się rzec: „O nie, nie bądźcie głupi!".

Gdy po raz pierwszy podeszliśmy do siebie, Piers nie
przebierając w słowach powiedział, że może i jestem wielki, ale pójdę na dno jak worek ziemniaków.

Niestety, nie znam języka z trybun stadionów, zanim
więc połapałem się, o co mu chodzi, wszedł między nas
redaktor naczelny „News of the World" i poprosił, byśmy
dali spokój.

---

[4] Znany brytyjski aktor komediowy, pisarz i filmowiec.

[5] Wicepremier Wielkiej Brytanii.

[6] Polityk, znany również jako gospodarz *talk-show* pt. *Kilroy*.

[7] Patrz przypis 2 na s. 15.

Szczerze mówiąc, nie mogę sobie przypomnieć, co wyzwoliło we mnie działanie. W jednej minucie obrzucaliśmy się obelgami, a już w kolejnej poczułem, jak zalewa mnie gorąca fala adrenaliny i walnąłem Piersa pięścią.

W tym momencie na arenie pojawił się drobnej postury korespondent motoryzacyjny z „The Sun", kierując nie wiadomo do kogo groźbę:

– Ostrzegam, pochodzę z Newcastle!

Na lewo ode mnie, facet w białym smokingu i z wielkim kubańskim cygarem, przeciągając samogłoski w kółko powtarzał:

– Doookończcie tooo. Na zewnątrz. Doookończcie tooo.

Był tam jeszcze brat sławnego redaktora naczelnego „The Sun", który rzucał się na wszystkie strony, tak jakby przez nieuwagę wszedł na przewody pod napięciem 6 milionów woltów. Innymi słowy wszyscy mężczyźni, co do jednego, stali się nagle siedmioletnimi chłopcami.

Zabawne. Przez następne kilka dni kobiety z pogardą pytały mnie, dlaczego uderzyłem Piersa. Mężczyźni, przeciwnie, z ledwie skrywaną złośliwą satysfakcją pytali, gdzie go uderzyłem.

Piers jako mężczyzna wypadł znakomicie. Mimo że go nie cierpię, muszę oddać mu honor, że po trzecim ciosie powiedział:

– To wszystko na cię stać?

Później rozpowiadał, że większy wycisk otrzymuje od swojego trzyletniego syna.

A co ze mną? No cóż, wydaje mi się, że złamałem jeden palec. Jest jasnoniebieski, nie chce się ruszać i przypomina nabrzmiałą parówkę. Jak to możliwe? Bruce Willis wykończył cały wieżowiec pełen czarnych charakterów i nawet nie podarł sobie kamizelki, podczas gdy ja uderzyłem gościa w średnim wieku i wyszedłem z tego ze złamaniem.

Chciałbym móc powiedzieć, że to przez moją słabość, delikatność i brak umiejętności, jakimi dysponują zbiry. Ale podejrzewam, że tak naprawdę ma to związek z wytrzymałością pana Morgana.

I to właśnie dlatego unieśmiertelnienie go w formie pomnika na Trafalgar Square to wspaniały pomysł.

Moglibyście go obsypywać wyzwiskami, rzucać w niego czym tylko popadnie, sprawiać, by zanieczyszczały go ptaki i okładać pięściami od dziś po wsze czasy. A on i tak wyszedłby z tego wszystkiego zupełnie nietknięty.

Amerykanie swoim „scramjetem" robią wszystkich w konia

Tak więc NASA z wielkim hukiem pobiła rekord prędkości lotu samolotem. Podczas zeszłotygodniowej próby ich bezzałogowy „scramjet" odczepił się od podbrzusza bombowca B-52 i osiągnął prędkość 7 machów, co odpowiada prawie 8000 km/h.

Eksperci mówią teraz o samolotach, które mogłyby pokonywać odległość z Londynu do Sydney w ciągu dwóch godzin, a z Paryża do Nowego Jorku w ciągu godziny. Brawo, Ameryko, za to, że się wam udało, i niech Bóg błogosławi pana Busha.

Z jednym małym zastrzeżeniem. Dwa lata temu w ciszy i bez rozgłosu brytyjski „scramjet" osiągnął zbliżoną prędkość przelatując nad australijskim pustkowiem. Tak. Podobnie jak wszystko inne, „scramjety" to nasza domena.

Dla świata lotnictwa „scramjet", czyli naddźwiękowy silnik strumieniowy, przez 40 lat pozostawał świętym Graalem. Działa inaczej niż zwykły silnik odrzutowy: powietrze, które wlatuje do niego z przodu, mieszane jest w wodorem i zapalane, a następnie wyrzucane tyłem. Nie ma tam żadnych ruchomych części, nie powstają szkodliwe spaliny, a najlepsze jest to, że im szybciej lecicie, tym szybciej lecicie.

Prędkość maksymalna naddźwiękowego napędu strumieniowego jest teoretycznie nieograniczona.

Brytyjska wersja „scramjeta" została rozwinięta przez organizację QinetiQ, której działalność na przestrzeni lat zaowocowała takimi wynalazkami jak radar mikrofalowy, włókno węglowe i wyświetlacze ciekłokrystaliczne.

Dziś, w nieogrzewanych, przedwojennych budynkach z prefabrykatów, z pożółkłymi od nikotyny ścianami i wilgotnymi klatkami schodowymi z betonu, faceci o kolosalnych mózgach i w plastikowych butach pracują nad układami dostarczania mocy dla nowego amerykańsko--europejskiego myśliwca i nad olbrzymim żaglem, który zbiera mgłę. (Jego pomysł oparty jest na zachowaniu chrząszcza żyjącego w Czarnej Afryce o nazwie *stenocara*, który na grzbiecie gromadzi parę wodną występującą w nocnym powietrzu, dzięki czemu w ciągu dnia dysponuje poręcznym źródłem wody.)

Czy pamiętacie, jak ostatnio czytaliście o miniaturowym urządzeniu skanującym, które „widzi" przez ubranie? Zostało zaprojektowane z myślą o bezpieczeństwie na lotniskach, ale często słychać było chichot z powodu innych potencjalnych zastosowań tego urządzenia. Tak czy siak, to urządzenie też zostało wynalezione przez gości z QinetiQ, uważam więc naprawdę, że taka drobnostka jak naddźwiękowy silnik strumieniowy nie sprawiła im najmniejszego problemu. Pewnie zrobili go w czasie przerwy na kawę.

Pozostaje jednak intrygujące pytanie: Dlaczego – skoro próba była udana – nie narobili wokół niej tyle szumu? Czy oznacza to powrót do czasów silnika odrzutowego i poduszkowca, kolejnych przykładów brytyjskiej wynalazczości blokowanej przez apatię brytyjskich przedsiębiorstw i rządu?

Nie. Nie było szumu, ponieważ w przeciwieństwie do tego, co mówili wam nadmiernie rozentuzjazmowani Amerykanie, nigdy nie wybierzecie się do Australii w „scramjecie".

„Każdy, kto twierdzi inaczej, walczy o zwycięstwo w tegorocznych wyborach" – stwierdził w zeszłym tygodniu pewien ekspert.

A oto dlaczego. Po pierwsze, wodór potrzebny, by odbyć lot do Sydney (19 000 km) – a wodór, zwróćcie uwagę, jest lekki – ważyłby więcej, niż sam samolot, do którego byłby tankowany.

Po wtóre, naddźwiękowe silniki strumieniowe zaczynają działać dopiero wtedy, gdy napędzany nimi samolot porusza się z prędkością 5 machów (6 130 km/h). Proszę, bądźcie łaskawi mi wyjaśnić, jak zamierzacie osiągnąć prędkość tego rzędu?

W trakcie zeszłotygodniowej próby samolot NASA został wyniesiony na wysokość 12 000 metrów przez bombowiec B-52 i tam się od niego odłączył. Następnie wykorzystał napęd rakietowy, by wznieść się na wysokość 27 000 metrów i osiągnąć prędkość siedmiu machów. W tym momencie pałeczkę przejął naddźwiękowy silnik strumieniowy, i tak, oczywiście, zaobserwowano minimalne przyspieszenie, ale paliwa starczyło zaledwie na 11 sekund lotu.

Może przypominacie sobie brytyjski projekt „Hotol"[1] z późnych lat 1980. Miał, jak zapowiadano, korzystać z naddźwiękowych silników strumieniowych i rakiet. Świetnie. Stąd do Sydney w 45 minut.

---

[1] Projekt wahadłowca poziomego startu i lądowania („Hotol" to skrót od *Horizontal Take-Off and Landing*).

Ale nawet brytyjscy spece nie mogli poradzić sobie z tym, jak w ogóle sprawić, by taki wahadłowiec mógł oderwać się od ziemi.

Nie chciałbym tu uprawiać czarnowidztwa, ale pomyślcie tylko. Piętnaście minut trwa jazda autobusem z parkingu na lotniskowy terminal, pół godziny stanie w kolejce do odprawy, przez kolejne pół śmieje się z was ochrona prześwietlając wasze ubrania, a kolejną godzinę spędzacie, idąc do odpowiedniej bramki.

Tam z kolei wsiadacie do bombowca, który potrzebuje godziny na to, by wznieść się na odpowiedni pułap. Potem musicie się przesiąść do rakiety, która wystrzeliwuje was w przestrzeń kosmiczną. Stamtąd lecicie w dół napędzani naddźwiękowym silnikiem strumieniowym, lądując w Australii z prędkością 22 500 km/h. A tam pożera was krokodyl.

– Era „scramjetów" nigdy nie nadejdzie – powiedział jeden z ekspertów.

Odpowiedziałem mu, że „nigdy" to mocne słowo, lecz on był niewzruszony:

– Nie chodzi o to, że nie nadejdzie za twojego życia. Po prostu nie nadejdzie nigdy.

NASA szczerzy zęby, gdy ludzie mówią o locie na Księżyc trwającym 30 minut, bo musi podsycać wyobraźnię Hanka z Minnesoty. Ludzie z NASA wiedzą, że bez zielonych nie dojdzie do spotkania z zielonymi ludkami.

Członkowie brytyjskiej grupy badawczej wspólnie ze swoimi australijskimi partnerami nigdy nie zrobili wielkiego halo wokół swojego sukcesu, bo wiedzieli, że takie silniki strumieniowe da się wykorzystać tylko w przypadku rakiet samonaprowadzających dalekiego zasięgu i pocisków czołgowych. A my – obawiam się – musimy pozostać przy naszych airbusach i jumbo jetach i wlec się przez warstwę ozonową z pożałowania godną prędkością 800 km/h.

Nie popadajmy jednak w rozpacz. Podczas gdy Amerykanie zajęci są składaniem sobie gratulacji z powodu wpisania do księgi rekordów ich jedenastosekundowego skoku, spece z QinetiQ przeszli do kolejnego etapu: pracują nad samolotem, którego prędkość przelotowa wyniesie 5 machów. Ich projekt, zwany eksperymentem z prędkością hiperdźwiękową, wykorzystuje sprawdzony w pociskach Sea Dart silnik strumieniowy. Twierdzą, że pierwszy działający model tego samolotu wzbije się w powietrze za 18 miesięcy.

Pewnie będziecie mogli o tym przeczytać za pięć lat, gdy Amerykanom też uda się zrobić coś podobnego.

Niedziela, 4 kwietnia 2004 r.

BHP i śmierć telewizji

Podczas Ostatniej Wieczerzy Jezus umył apostołom nogi
i przez 2000 lat chrześcijanie szli za jego przykładem, zja-
wiając się przed Wielkanocą w kościołach, gdzie pastor
przechadzał się między nimi ze zwilżonym ręcznikiem.

Mimo to, w tym tygodniu w Wielki Czwartek, wie-
lebny Jack Nicholls musiał używać osobnego ręcznika
dla każdego wiernego, by uniknąć rozprzestrzenienia się
grzybicy stóp. Witajcie więc wszyscy w obłąkanym i pełnym zagrożeń świecie Bezpieczeństwa i Higieny Pracy.

To świat, w którym ćwiczenia wojskowe w łagodnych
górach Brecon Beacons muszą być zabezpieczane porę-
czami, na wypadek gdyby któryś z żołnierzy miał spaść.
To świat, w którym zakazane są chodziki dla dzieci, na
wypadek gdyby uczące się chodzić dziecko miało przewrócić się do rozpalonego kominka.

W tym miejscu muszę być ostrożny. Ludzie na usłu-
gach BHP to drażliwa banda, która twierdzi, że wykonuje
bardzo ważną pracę, taką jak zapobieganie wybuchom
elektrowni jądrowych. Gdyby Jezus zstąpił jutro na Ziemię i umył nogi dwóm osobom używając tego samego
ręcznika, prawie na pewno nie wyciągnęliby względem
Niego żadnych konsekwencji.

Chyba żeby jedna z tych osób była trędowata – wtedy,
oczywiście, nie mieliby wyjścia.

„Nie, nie, Panie Chrystusie, nie obchodzi nas to, że w przeszłości wskrzeszałeś ludzi z martwych. I jeszcze coś: przestań chodzić po wodzie, bo to po prostu głupie."

Nie przeczę, że Inspektorat BHP przyczynił się do tego, że dzieci nie czyszczą już kominów, ale w przeważającej części jego działalność polega na infekowaniu społeczeństwa przekonaniem, że „bycie bezpiecznym" jest ważniejsze od „bycia szczęśliwym". Ludzie z BHP twierdzą nawet, że „bezpieczeństwo i higiena pracy to kamień węgielny cywilizowanego społeczeństwa". Nie mogą chyba bardziej się mylić.

BHP to cywilizacyjny nowotwór. Ogromna, pokraczna, złośliwa, pulsująca narośl.

Dawniej firmy żyły w strachu przed związkami zawodowymi, które wchodziły przez drzwi frontowe i wszystkich napotkanych po drodze pracowników wyprowadzały tyłem.

Myśleliśmy jednak, że wszyscy pokroju Arthura Scargilla[1] i Jimmy'ego Knappa[2] zostali wymordowani przez Margaret Thatcher.

Skądże znowu. Po prostu przeobrazili się w inspektorów BHP i powrócili, by wściubiać swoje szukające problemów nosy dosłownie w każdy aspekt każdej naszej działalności.

Nie dalej jak w zeszłym tygodniu podano do wiadomości, że przez trzy ostatnie lata na pewnym odcinku drogi w hrabstwie Wilts zginęło 15 osób. Wykorzystał to jakiś

---

[1] Radykalny przywódca związkowy brytyjskich górników, a obecnie przewodniczący Socjalistycznej Partii Pracy. Znany m.in. z obrony Stalina i krytyki przemian zapoczątkowanych w Polsce przez „Solidarność".

[2] Przywódca związku zawodowego kolejarzy.

bojownik o bezpieczeństwo na drogach i powiedział, że „to tak, jakby co roku rozbijał się jumbo jet". Przykro mi, koleś, ale gdybyś to przeliczył, wiedziałbyś, że to nie tak.

Dziś firmy, które zdecydują się zatrudnić konsultantów od BHP, mogą liczyć na rządową łapówkę w wysokości 100 000 funtów. Nie dajcie się jednak na to skusić, bo ci idioci będą się upierać, że wykładziny w waszych biurach niosą większe zagrożenie niż sporządzona przez terrorystów bomba.

Naprawdę. Wmówili nam, że 95 procent poważniejszych poślizgnięć w pracy prowadzi do złamania kości (czyżby?), i że w naszym kraju co trzy minuty ktoś się przewraca, w wyniku czego, jak twierdzą, ponoszone są trudne do oszacowania straty w ludziach.

Nieprawda. Za trudne do oszacowania straty w ludziach odpowiedzialny jest Holokaust, podczas gdy wczoraj spadłem ze schodów i nikt nie poniósł z tego powodu żadnych strat. Co więcej, nie dalej jak tydzień temu drzwi windy budynku BBC w londyńskim White City przycięły mi kolano i nie chciały się otworzyć. A siniak, jaki mi został, otrzymałem całkiem za darmo.

W dodatku Inspektorat BHP twierdzi, że można przedsięwziąć proste i wydajne ekonomicznie środki, by sprawić, że nikt nie będzie się potykał. Mówią, że należy uporać się ze wszystkimi śliskimi plamami, że trzeba nosić odpowiednie obuwie i położyć maty wyściełające wysokiej jakości, że biura muszą zostać przeprojektowane, a pracownicy powtórnie przeszkoleni. I to ma być ekonomicznie wydajne? Jak to możliwe, skoro przez cały dzień pracownicy będą zajęci wyłącznie tym, by trzymać się prosto?

BHP wymknęło się spod kontroli do tego stopnia, że wykonywanie mojej pracy stało się praktycznie niemożliwe. Z pewnością cykl programów pod tytułem *Ekstremalne maszyny*, jaki zrobiłem kilka lat temu, dziś nie mógłby już powstać.

Podczas jego realizacji przyprawiliśmy o atak serca operatora dźwięku, gdy kazaliśmy mu zjechać na linie z tankowca o trzeciej nad ranem, w samym sercu sztormu szalejącego wokół Przylądka Dobrej Nadziei. Na Florydzie kamerzysta siedział na 1000-konnej amfibii tak, że z niej spadł, a potem, gdy już wypompowaliśmy mu z płuc błoto, wcisnęliśmy go do dwumiejscowego myśliwca Spitfire, w którym na wysokości 1500 km nad ziemią skończyło się paliwo.

Pakowałem się do motorowych sań wyścigowych i odrzutowych myśliwców bez chwili zastanowienia. Tak, było to niebezpieczne, ale było też wielką frajdą. Byliśmy świadomi ryzyka, ale podejmowaliśmy je ponieważ: a) ubaw był przedni i b) mieliśmy nadzieję, że wyjdzie z tego dobry materiał.

W dzisiejszych czasach producenci, zanim udadzą się na plan, muszą wypełnić formularz oceniający ryzyko. Muszą potwierdzić, że znają wszelkie przepisy bezpieczeństwa i że jeśli nastąpi wykroczenie przeciwko nim, to oni – nie BBC – będą pociągnięci do odpowiedzialności. Efekt: nie chcą podejmować żadnego ryzyka.

My z *Top Gear* określamy ludzi z BHP jako WZPT. Wydział Zapobiegania Programom Telewizyjnym.

Niedziela, 11 kwietnia 2004 r.

Zalać się w trupa na morzu to nie przestępstwo

O nie. Rząd rozpoczął właśnie czteromiesięczny okres konsultacji, których celem jest zbadanie, czy weekendowi żeglarze leniący się na swoich łajbach w zatoce Solent albo na jeziorach Norfolk Broads powinni być zatrzymywani i zmuszani do dmuchania w balonik.

Oczywiście zdaję sobie sprawę, że prowadzenie czołgu pod wpływem heroiny może sprawiać trudności. Rozumiem, że Huw Edwards[1] miałby problemy z czytaniem z telepromptera, gdyby właśnie odlatywał po LSD. Ale żeglowanie łódką po morzu po kilku winach? Wybaczcie, ale to wcale nie wydaje się trudne.

Jasne, miał kiedyś miejsce przypadek kapitana islandzkiego trawlera, który rozbił się o jacht pewnej brytyjskiej pary, wyrządzając szkody na łączną kwotę 25 000 funtów. Rok później ten sam facet podpłynął, by ich przeprosić, ale ponieważ podczas rejsu wypił trochę wina, znów zderzył się z ich łodzią.

Moim zdaniem to całkiem zabawne, ale nie zdaniem tych, którzy chcą wszędzie wściubić swój nos.

Przypomną zaraz o niedawnym wypadku pewnego kapitana, który wpakował swoją pogłębiarkę w przystań w Hythe po uprzednim opróżnieniu sześciu kufli jasnego pełnego. Ci Metodyści Świętego Żeglującego wspomną

---

[1] Jeden z głównych prezenterów wiadomości telewizji BBC.

również o „pijanych prymitywach" siejących terror na swoich skuterach wodnych.

Wszystko to jest bardzo szlachetne, nie wątpię, ale – niestety – z artykułu o debacie wynika, że ustawa obejmie również zwykłych żeglarzy. A to już skandal.

Dosłownie dzień po tych wiadomościach wybrałem się by trochę pożeglować. Wyruszyliśmy pod obowiązkowym kątem 45 stopni, przy którym picie staje się niemożliwe, bo kieliszki bez przerwy zsuwają się ze stołu. I za każdym razem, jak tylko pomyślicie, żeby sobie golnąć, kapitan właśnie postanawia wykonać „nawrót przez rufę", przez co musicie zerwać się z miejsc i zacząć ciągnąć za liny, i to na ogół nie za te, co trzeba.

Tak czy owak, w porze obiadu zatrzymaliśmy się, wyciągnęliśmy szybko rum z ponczem (było to na Barbadosie) i całe popołudnie spędziliśmy wstawiając się w blasku słońca. Czy nie o to właśnie chodzi w całym tym żeglarstwie?

Oczywiście, Olivier de Kersauson, znakomity francuski żeglarz, twierdzi, że tak właśnie pływają Brytyjczycy. Kilka lat temu zabrał mnie na swój ogromny trimaran i wyjaśnił, dlaczego to właśnie Francuzi i Amerykanie wygrywają dziś we wszystkich znaczących regatach i biją wszystkie rekordy.

To, co dzieje się teraz, nie przypomina bynajmniej roku 1759, kiedy to nasza marynarka wojenna rzuciła się na flotę francuską, gdy ta usiłowała przerwać blokadę. W będącej tego następstwem bitwie w zatoce Quiberon, Brytania rzeczywiście była królową mórz.

Teraz już tak nie jest, a de Kersauson sądzi, że wie dlaczego. „Dziś wy, Brytyjczycy, wszyscy siedzicie bezczynnie w klubach żeglarskich, ubrani w te wasze głupkowate marynarki, popijając dżin z tonikiem, i żaden z was tak naprawdę nie żegluje" – powiedział.

Tak więc nowe ograniczenia z cyklu „piłeś – nie żegluj" mogą sprawić, że znów zdobędziemy rozgłos jako zwycięzcy regat Jules Verne Trophy, ale za tym wszystkim kryje się coś więcej.

W takim razie co? Przecież nie jest tak, że Wielka Brytania nie nadąża za resztą świata. Jak na razie, jedynie Finlandia ustanowiła ograniczenia w spożyciu alkoholu dla marynarzy, ale dotychczas nikogo jeszcze nie aresztowano, bo policja nie ma pomysłu, jak te zakazy egzekwować.

Tu napotkamy na podobny problem. Z pewnością zadanie, polegające na patrolowaniu zatoki Solent, będzie należało do policji w Hampshire. Jestem jednak przekonany, że starsi oficerowie będą mogli znaleźć sobie coś lepszego do roboty niż dręczenie pułkownika Tuftona Buftona[2] za sherry, którą wypił na swym luksusowym jachcie Fairline Targa 48.

Poza tym, kogo pociągnięto by do odpowiedzialności? Gdyby morskie gliny przyłapały mnie na tym, jak wężykiem opuszczam przystań w Cowes, to oczywiście powiedziałbym, że łodzią steruje moja stuprocentowo trzeźwa, pięcioletnia córka. A potem zaproponowałbym im, by lepiej poszli łapać włamywaczy.

U wybrzeża Brytanii spoczywa ćwierć miliona wraków statków. Prawie wszystkie znalazły się tam z jednego spośród czterech powodów. Należą do nich: brak

---

[2] Fikcyjny bohater satyrycznego magazynu „Private Eye", który jest parodią poglądów starszych wiekiem parlamentarzystów z ramienia Partii Konserwatywnej.

kompetencji, złe warunki pogodowe, Francuzi oraz Niemcy. Zakaz spożywania alkoholu na pełnym morzu mija się więc z celem.

Być może projekt tego zakazu wykoncypowali ci cholerni behapowcy od świeżego powietrza, ci wegetariańscy naziści, bo kończą się im pomysły, którymi mogą uprzykrzyć nam życie na lądzie. Dlaczego ów projekt jest w takim razie tak poważnie rozpatrywany?

By odpowiedzieć na to pytanie, musimy pomyśleć o potencjalnej karze. Nie można z powodu pijaństwa odebrać żeglarzowi licencji, bo i tak jej nie ma.

W rzeczywistości nie można też posłać Buftona Tuftona do więzienia za to, że żeglował pod wpływem sherry Harvey's Bristol Cream.

Jedyną realistyczną karą będzie mandat i w tym momencie przychodzi nam na myśl nierozgarnięty pomagier Tony'ego spod numeru 11[3]. Wystarczy wyjaśnić, że żeglowanie pod wpływem alkoholu powinno być wyjęte spod prawa „by chronić życie dzieci" i już można przyglądać się, jak zaczynają spływać olbrzymie sumy pieniędzy. To syndrom fotoradarów. Wmówcie nam, że prędkość zabija, a potem „kasujcie" mandaty, przyłapując nas na tym, jak udowadniamy, że wcale tak nie jest.

To powiedziawszy, stwierdzam również, że byłbym niezmiernie wkurzony, gdybym w roli ratownika musiał dyndać na linie helikoptera ratunkowego, usiłując przy potwornej pogodzie ocalić szypra z przewróconego do góry dnem jachtu, a on mówiłby do mnie: „Jesteś moim najlepszym kumplem!" oraz: „Chyba cię, k****, kocham!".

---

[3] Pod adresem Downing Street 11 mieści się w Londynie siedziba Ministerstwa Finansów, obecnie ministrem jest Gordon Brown.

Jest jednak na to sposób. Wyratowani pijani żeglarze musieliby płacić za koszt akcji ratunkowej. W ten sposób kara pieniężna byłaby rzeczywiście przydatna i nie byłoby potrzeby angażowania drogich policyjnych patroli.

Co więcej, wolność na otwartym morzu wciąż przynosiłaby błogosławioną ulgę tym, którzy – tak jak ja – nabierają coraz silniejszego przekonania, że nie żyjemy już w wolnym kraju.

Niedziela, 18 kwietnia 2004 r.

Dawniej pracowaliśmy by żyć, później zrezygnowaliśmy z życia

Nie ma wątpliwości, że z punktu widzenia ekonomii nasz kraj cieszy się obecnie dobrym zdrowiem. Mamy mniejsze bezrobocie niż większość innych dużych uprzemysłowionych państw, ceny domów należą do najwyższych na świecie, toniemy w kapitale wysokiego ryzyka i wszyscy jesteśmy grubi.

Kiedy się przyciśnie ekspertów, większość z nich jako źródło niekończącej się parady tych dobrych wieści wskazuje Gordona Browna[1], dziękując dobremu Bogu, że to właśnie jego obrotna, sroga, prezbiteriańska, chytra, przebiegła, szkocka ręka spoczywa u steru.

Bzdury. Metamorfoza Wielkiej Brytanii z kulejącej ofiary losu w kurę znoszącą złote jajka nie ma nic wspólnego z Brownem, a wynika bezpośrednio z dzisiejszych obyczajów związanych z jedzeniem lunchu.

Dawnymi czasy ludzie chodzili do stołówki punktualnie o pierwszej, aby w miłym towarzystwie odprężyć się nad talerzem czegoś dużego, smażonego w cieście. Obecnie każdy kupuje lunch w lokalu Grab'n'Go[2].

Czy we Włoszech też mają Grab'n'Go? Myślę, że nie. Tam wciąż jeszcze w porze obiadu opróżniają kilka butelek wina, a następnie odsypiają to aż do osiemnastej.

---

[1] Minister finansów Wielkiej Brytanii od 1997 roku.

[2] Ang.: „Weź i idź" – sieć ekspresowych kawiarni z kanapkami na wynos.

Jeśli w Wielkiej Brytanii wychodzi się gdzieś na lunch, jest to tylko pretekst, by jeszcze więcej popracować. To samo dotyczy kolacji oraz, w coraz większym stopniu, również i śniadania. Tak naprawdę to zaczyna nam już brakować posiłków, przy których można by załatwiać interesy. Wkrótce ludzie zaczną kupować i sprzedawać towary na nocnych przyjęciach.

A kto pije dziś alkohol do obiadu? Pewnego razu, w restauracji w Notting Hill, biorąc udział w planowaniu programów telewizyjnych i nowych kampanii reklamowych, zamówiłem lampkę wina i zapanowała grobowa cisza.

– Nie mógłbym sobie pozwolić na picie wina w dzień – powiedział mój zszokowany gość. – Nie byłbym w stanie już nic zrobić po południu.

I właśnie w tym rzecz. We wczesnych latach 1980. człowiek martwił się swoją wydajnością pracy, bo wiedział, że gdyby go zwolniono, zostałby bezrobotny na wieki.

Natomiast obecnie ludzie martwią się swoją wydajnością pracy ponieważ, w przeciwieństwie do reszty Europy, nie pracujemy już, by żyć.

Żyjemy, by pracować, a nie da się poprawnie funkcjonować z lampką wina Chablis krążącą w układzie krwionośnym.

Dziesięć lat temu wychodziło się z pracy punktualnie o 17:30, niezależnie od tego, czym się akurat w danej chwili zajmowało. Sklepy nie były otwarte przez cały dzień. Co roku brało się urlop, a jeśli człowiek czuł się trochę kiepsko, kładł się do łóżka na miesiąc.

Och, jak zmieniły się czasy! Teraz, jeśli ktoś z *Top Gear* o godzinie 19:00 dzwoni do firmy samochodowej w jakiejś zapadłej dziurze i trafia na automatyczną sekretarkę z wiadomością: „Przykro nam, ale dzisiaj biuro jest już nieczynne", rzuca słuchawką i przez resztę wieczoru mamrocze pod nosem o „prowincjonalnej bylejakości".

Ludzie idą do pracy, nawet jeśli zostali zmasakrowani przez tygrysy bengalskie. Jeśli złapiesz wirusa eboli, musisz uwinąć się z robotą zanim twoja wątroba zamieni się w płyn. Co się stało ze sklepami zamkniętymi przez część dnia? Dziś można kupić rukolę o trzeciej nad ranem we wszystkie dni tygodnia.

Dziś, i nie ma to nic wspólnego z panem Brownem ani z jego krwiożerczym szefem, cała siła robocza Wielkiej Brytanii cierpi nie na absencję, ale na prezencję. Kiedy zaczynałem pracę jako dziennikarz w lokalnej prasie, był rok 1987 i w kraju panował kompletny bajzel. Zdechłe szczury, wielkie stosy śmieci, ograniczony wybór chipsów – z solą, z octem albo bez dodatków. I byłem szczęśliwy, że mogę przyczynić się do ogólnego poczucia beznadziei, pracując tylko przez trzy i pół dnia tygodniowo.

Serio. Wychodziliśmy z pracy po zamknięciu numeru w czwartek w południe i zaczynaliśmy od nowa dopiero w poniedziałek.

Jeśli redaktor wiadomości chciał, żebym zajął się wieczornym spotkaniem rady gminy, przez cały dzień chrząkałem znacząco i marudziłem, żeby mój przedstawiciel w związku zawodowym w zamian za to załatwił mi wolne. Obecnie pracuję przez siedem dni w tygodniu, tydzień w tydzień.

W jaki więc sposób Gordon Brown wpłynął na tę zmianę? Otóż tak naprawdę trudno jest to ocenić, bo w tym czasie przebywał na urlopie ojcowskim.

Jak, na litość boską, coś takiego może zmienić państwo w silne i bogate? Rolą ojca przy narodzinach dziecka jest sprawdzić, czy ma ono odpowiednią liczbę paluszków u rączek i nóżek, a następnie powrócić do pracy. Gdybyśmy wszyscy wzięli tydzień wolnego, aby wycierać wymiociny niemowlęcia i je w nocy karmić, w mgnieniu oka znaleźlibyśmy się z powrotem w roku 1978.

Nie chodzi tu tylko o facetów. Moja żona, która jest również moim menedżerem, podczas swojej trzeciej cesarki znalazła czas, by przedyskutować nowy kontrakt, który wysłano jej tego samego dnia rano. Nie żartuję. Leżała z brzuchem otwartym na oścież i igłami w kręgosłupie zastanawiając się, czy 15 procent od końcowej kwoty jest wystarczająco dobrą propozycją, czy też mogłaby wytargować 20 procent.

Właśnie tego typu zachowania sprawiły, że nasze państwo jest silne. Pracujemy teraz przez cały czas, nawet podczas porodu. Wychodzimy wieczorem z cybernetycznymi głośnomówiącymi zestawami do naszych komórek, na wypadek gdyby biuro chciało się z nami skontaktować. W rezultacie zarabiamy więcej pieniędzy, które wydajemy szybciej niż kiedykolwiek wcześniej w dziejach naszego kraju.

Czy ktoś nam za to dziękuje? Nie. Brown wraca z urlopu ojcowskiego albo z sześciotygodniowego letniego wypoczynku i informuje nas, że to wszystko zawdzięczamy jemu. Taaak, jasne, a zwycięstwo w pierwszej wojnie światowej zawdzięczamy generałom.

Niedziela, 25 kwietnia 2004 r.

Tu, w Wielkiej Brytanii, jesteśmy nadzorowani

Zeszłotygodniowa ankieta wyłoniła listę 10 rzeczy, które najlepiej definiują Wielką Brytanię. Są to: pieczeń wołowa (od niej dostaje się choroby Creutzfeldta-Jakoba), ryba z frytkami (i tak już jest zakazana), królowa, Pałac Buckingham, gorące śniadanie, The Beatles (połowa z nich nie żyje), angielski policjant (ten to w ogóle już nie żyje), budynki Parlamentu, Marks & Spencer oraz zwyczaj picia herbaty.

Czy to dlatego w ten weekend wali do nas połowa wschodniej Europy? Czy dlatego, że ma ochotę na filiżankę herbatki? Czy dlatego, że potrzebuje pary nowych majtek z Marksa & Spencera? Czy dlatego, że chce zaczynać dzień od gorącego posiłku? ·

Mogę tylko przypuszczać, że ludzie, którzy uczestniczyli w tej ankiecie albo żyją przeszłością, albo mieszkają w Worthing. Każdy, kto ostatnio miał w ręku gazetę, może podać zupełnie inne rzeczy definiujące Wielką Brytanię. Przepraszając zawczasu E.J. Thribba[1], podejmuję niniejszym taką próbę:

---

[1] Fikcyjny poeta satyrycznego magazynu brytyjskiego „Private Eye", piszący pożegnalne wiersze dedykowane osobom niedawno zmarłym. W rzeczywistości za tą postacią ukrywa się Barry Fantoni.

Trzej z Tiptonu kolesie[2], zapach brie, co się niesie,
BBC ma problemy – ciężki statut, bez ściemy,
Masa błędów w szpitalach, znów się pociąg wywala,
A wieczorem odrobina chuligaństwa proszę państwa.
Wszyscy są na uczelniach – no i proszę, co z tego?
Przez to nie ma już dzisiaj hydraulika żadnego.
Szkoły też opuszczają – włos się jeży na głowie –
Coraz głupsi i głupsi z roku na rok uczniowie.
A w solariach – piłkarze, samochody – w nadmiarze,
Niechże w końcu się lata odrobina pokaże.
Nastolatka seks napis na swej dupie wypina,
Pamiętajmy o farsie pana Tony Martina[3].
Dania kiepskich kucharzy, mandat od miejskiej straży,
Wjedź na pas autobusów, nikt cię nie zauważy.
A gdy jeździsz za szybko, radar cię rejestruje,
Wszystko tak dziś budują, że się w mig rozsypuje.
Gwiazda oper mydlanych w majtkach jest filmowana,
Wszędzie za dużo seksu, durnych tekstów Beckhama.
Jednooki mułła Omar jest natrętny niczym komar.
No i nasze jankesom lizusowskie poddaństwo.
Wszystkie banki zamknięte – a to przecież jest draństwo.
Jak z *EastEnders*[4] dialogi, poziom sięga podłogi,
A nasz pomysł na wieczór – to kompletne pijaństwo.
Kiedy świat był w potrzebie, my – jak zawsze gotowi –
Niezłe manto dwa razy spuściliśmy Niemcowi.

---

[2] Tzw. Tipton Three, trzech mieszkańców angielskiego miasta Tipton, zaaresztowanych i więzionych przez dwa lata w surowym więzieniu amerykańskim w bazie Guantanamo. Byli podejrzani o współpracę z terrorystami, później zostali uniewinnieni.

[3] Tony Martin – brytyjski rolnik skazany za zastrzelenie włamywacza, jego kara została po długim procesie zredukowana do kary za nieumyślne spowodowanie śmierci w stanie niepełnej poczytalności czynów.

[4] Brytyjska opera mydlana.

Nasza broń dzisiaj w walce coraz częściej zawodzi,
Na okrętach podwodnych obijają się młodzi.
Że jesteśmy potęgą z przyjemnością myślimy,
Lecz gdy wojna nadejdzie, nie przetrwamy godziny.
Znów opieka społeczna zawaliła z darami,
Naukowcy rządowi byli darmozjadami.
Chińscy małż poławiacze, co zginęli okrutnie.
Nieruchomość – podatek, o to zawsze są kłótnie.
System monitoringu rozwiał wszelkie nadzieje –
W kominiarkach nagrali się na niego złodzieje.
Dobrze się nam przy biurkach i wesoło pracuje,
Nie wpuścimy tu euro, bo nam wszystko popsuje.
Nikt już nic nie wytwarza. Co za nuda przeklęta –
W „biurach" wszyscy pracują… lecz obsługi klienta.
Chodzi w dzień po ulicach policjantów niemało,
W nocy gejów tu spotkasz, którzy pójdą na całość.
Czy list dotrze na miejsce? O, niech każdy z was zgadnie.
Szef zostanie pozwany, gdy podwładny upadnie.
Spróbuj dziś w telewizji stwierdzić coś rozsądnego,
Cilla[5] powie, żeś palant, tłum nie puści żywego.
W Radio One pani Dido – cóż, niestety – zawodzi,
I Concorde'a już nie ma… Ach, no trudno, nie szkodzi…
Jestem gwiazdą i nie chcę ani chwili tu zostać[6],
Mina pstrąga na twarzy – cóż to za śmieszna postać?[7]
Stań się sławny, to łatwe, bez żadnego powodu:
Kopniesz piłkę – zostaniesz bohaterem narodu.

---

[5] Piosenkarka i prezenterka telewizyjna, której Clarkson nie darzy zbyt wielką sympatią.

[6] Nawiązanie do *reality show*: *I'm a Celebrity… Get Me out of Here!*, patrz przypis 1 na s. 26.

[7] Aluzja do Leslie Ash, angielskiej aktorki, u której nie powiodła się operacja plastyczna powiększenia ust. Przerysowane usta aktorki wyśmiała brytyjska prasa brukowa, określając je jako „wargi pstrąga" (*trout pout*).

A gdy ty, Czytelniku, rąbać drwa gdzieś wychodzisz,
Twa przeklęta ojczyzna cały czas na psy schodzi.
Siedząc w domu myślicie, że to wszystko jest spoko,
Choć Kopuła Millenium trochę kole was w oko.
Lecz to miejsce jest ranne i ta rana nabrzmiewa,
Plaster przestał już działać, krew się już z niej wylewa.
Jeśli więc tu jedziecie, by zaczynać „od nowa",
Miałbym do was słów kilka, proszę, oto te słowa:
To we Francji jest super, jest najlepsza i w modzie,
Od Alzacji na wschodzie aż po Brest na zachodzie.
Równych sobie nie mają wina ich i szampany,
Na piłkarskim boisku też ostatnio są „pany".
A ich sery... Zaiste, są to cuda przyrody,
Z wyspą Wight ich St. Tropez też wygrywa zawody.
Mają słońce, i châteaux, no i cycki na plaży,
Gdy jesteście w Prowansji, macie życie jak z marzeń.
Jedźcie tam zamiast do nas i zostawcie nas samych,
My jesteśmy bez sensu, nic fajnego nie mamy.
Jeśli wciąż nie wierzycie i żądacie konkretów:
Wprowadzamy dowody[8], lecz brakuje poetów.

Niedziela, 2 maja 2004 r.

---

[8] Od 2009 roku w Wielkiej Brytanii mają zacząć obowiązywać biometryczne dowody osobiste.

Towarzysz Podkładka nie pozwoli mi rozbić samochodu

Dawniej kręcenie *Top Gear* było łatwe. Polegało na tym, że brałem samochodem kilka ostrych zakrętów, szurałem oponami po żwirze, rzucałem kilka tanich metafor o podtekście seksualnym i przyozdabiałem efekt końcowy odrobiną Bruce'a Springsteena. Dziś to wszystko wygląda jednak zupełnie inaczej.

Nowe odcinki programu pojawią się na waszych ekranach dziś wieczorem, ale w dziwacznym świecie Tony'ego Blaira nadludzki wysiłek, by mogły się tam znaleźć, jest ponad siły samego Herkulesa.

Problem wziął się stąd, że gdy zagapiliśmy się na chwilę, dokonano podstępnie zamachu stanu we wszystkich naszych głównych instytucjach – w szkołach, w rządzie, w stacjach telewizyjnych, w policji, a nawet w wojsku. Tak, nie rządzą tam już dyrektorzy ani generałowie. Władzę przejął cichy, mały facet (lub kobieta) w brzydkim sweterku, skubiący (lub skubiąca) jedyne w swoim rodzaju, najlepsze pod każdym względem chipsy z mąki kukurydzianej.

W wyniku tych działań galerie w nowoczesnych studiach telewizyjnych są jak mosty na sowieckich okrętach podwodnych.

Nawet reżyser jest teraz poddany bezpośredniej kontroli polityruka, którego jedynym zadaniem jest upewnianie się, że nikt się nie przewróci, nie potknie czy nie powie czegoś, co mogłoby kogoś obrazić.

I tak w środę, podczas nagrywania programu, gdy jeden z prezenterów użył wyrażenia *to take the mickey*, czyli „robić sobie z czegoś jaja", natychmiast zgaszono reflektory, zamknięto migawki i wyłączono kamery. Przy wyciu syren wyciągnięto nas na zewnątrz, a oddział do zadań specjalnych przejął nieszczęsnego prezentera, który teraz, wraz ze swoją rodziną, przebywa z Ronem Atkinsonem i Robertem Kilroyem-Silkiem[1] w syberyjskim gułagu.

Dlaczego? Cóż, od pewnego czasu wiemy, że *n****** (czyli po polsku „cz******") jest czwartym w kolejności najbardziej obraźliwym słowem w języku angielskim, oraz że stwierdzenie, iż wszyscy Arabowie to terroryści jest tak głupie, jak rozbieranie się przed kamerą podłączoną do internetu. A teraz ktoś doszedł do wniosku, że *to take the mickey* może denerwować Irlandczyków.

Tak naprawdę to słówko *mickey* w angielskim zwrocie „robić sobie jaja" nie ma nic wspólnego z obraźliwym określeniem Irlandczyka – *Mick*. To skrót od *mickey bliss* zapożyczony z rymowanego slangu robotniczych dzielnic wschodniego Londynu, a to z kolei jest łagodnym sposobem powiedzenia „odlać się" – *to take the piss*.

Ale na tym właśnie polega problem z politrukami. Nie przejmują się zanadto prawdą czy trafnością osądów: są po to, by naprawiać krzywdy wyrządzone jeszcze przez Olivera Cromwella i generała Dyera podczas masakry

---

[1] Ron Atkinson, były angielski piłkarz i menedżer, zasłynął m.in. rasistowską wypowiedzią w jednym z programów sportowych, którą wygłosił będąc przekonanym, że właśnie zszedł z anteny. Robert Kilroy-Silk, brytyjski polityk i prezenter telewizyjny, w 2004 roku w „Sunday Express" opublikował artykuł, który uznano za rasistowski. Patrz również przypis 6 na s. 59.

w Amritsar, i by roztrząsać te wszystkie mało znaczące
zagadnienia, które umknęły Inspektoratowi Bezpieczeństwa i Higieny Pracy.

O tak... Inspektorat Bezpieczeństwa i Higieny Pracy...
W jednym z naszych programów, każdy z prowadzących
kupił samochód za cenę poniżej stu funtów. Sfilmowali-
śmy serię testów, które dowodziły, że takie samochody
są sprawne i niezawodne. W scenie końcowej chcieliśmy
pokazać ich solidność wjeżdżając z prędkością 50 km/h
w ścianę z cegieł.

Czy widzicie w tym jakiś problem? Bo ja nie. Przecież
nie żądaliśmy od Murzynów czy Irlandczyków, żeby na
nasze życzenie mieli wypadek. To uzasadnienie nie obe-
szło jednak politruka, który zadzwonił do Inspektoratu
BHP, gdzie z kolei pomyśleli, że chyba „robimy sobie jaja".

Przyrzekliśmy, że nie wytoczymy nikomu procesu
w przypadku, gdybyśmy odnieśli jakieś obrażenia. Nasze
żony obiecały, że w razie naszej śmierci nie podadzą nikogo do sądu. Załatwiliśmy list od dyrektora działu bezpieczeństwa w Volvo, który stwierdzał, że absolutnie nic nam
nie grozi. Rozmawialiśmy też z kaskaderem występują-
cym w filmach z Jamesem Bondem, który przyznał nam
rację. Ale Inspektorat wcale nie był tym zainteresowany.
Wiedzieli swoje – przeczytali o tym w „Guardianie" – że
rozbicie samochodu o ścianę przy prędkości 50 km/h niesie z sobą niebezpieczeństwo. Dlatego nalegali, żebyśmy
wydali 8000 funtów – waszych pieniędzy, spieszę dodać –
na przesunięcie zbiorników paliwa, zaangażowanie personelu medycznego i zakup kołnierzy ortopedycznych.

Świetnie. Gdybyśmy na tym etapie wycofali się z realizacji programu, stracilibyśmy zainwestowane już pieniądze.

Gdybyśmy zdecydowali się na kontynuację, wydalibyśmy jeszcze więcej na absurdalne zabezpieczenia, które – jak stwierdziłby każdy ekspert – są po prostu zbędne.

Zaproponowałem więc, że zderzenia ze ścianą nagramy poza godzinami pracy, a ekipę kamerzystów wynajmę osobiście. Powiedziałem, że nagranie odstąpię później telewizji BBC za darmo. Ale politruk zerknął do swojej małej czerwonej książeczki i uśmiechając się w okrutny, typowy dla ludzi z KGB sposób, powiedział: „Nie".

Koniec końców, zdecydowaliśmy się kontynuować i rozbić samochody zgodnie z zaleceniami politruka, czego wynikiem był brak pieniędzy na realizację innych pomysłów. Efekt końcowy: program, podczas którego nikomu nic się nie stało. Oraz program, którego nikt nie chce oglądać.

Jest jeszcze gorzej. Dziś, przed transmisją czegokolwiek, trzeba wypełnić formularz o zgodności z normami, który stwierdza, że podporządkowujecie się wszystkim nonsensownym zaleceniom poprawności politycznej, nieważne jak głupim i banalnym. Problem w tym, że gdy to zrobicie, oraz gdy wypełnicie jeszcze inny formularz BHP, nie starczy wam już czasu na nakręcenie programu.

Tak naprawdę, to nie macie czasu nawet na wypełnianie tych formularzy, ponieważ zazwyczaj jesteście na kursie, gdzie pokazują wam filmy o bezpieczeństwie, na których Anthea Turner staje w płomieniach[2]. Na początku myślałem, że ten film to zwiastun wspaniałego programu

---

[2] Anthea Turner, gwiazda brytyjskiej telewizji, zajęła się ogniem podczas jednej z prowadzonych przez siebie transmisji telewizyjnych. Urywek tej transmisji włączono do wewnętrznego filmu szkoleniowego telewizji BBC na temat bezpieczeństwa. Można go również zobaczyć w youtube.com.

telewizyjnego pod tytułem *Wypalające się gwiazdy TV*, ale najwyraźniej miał nam zademonstrować, co może się stać, gdy coś pójdzie źle.

Mój najnowszy plan jest taki, by wziąć udział w syjamskich wyścigach gruchotów. Ścigacie się parami, bo wasz samochód przykuty jest łańcuchem do samochodu waszego partnera. Wiedziałem, że Inspektorat BHP dostanie ataku padaczki, ale na długo zanim zdążył wkroczyć do akcji, mój pomysł został zakwestionowany przez politruków.

– Niepokoi nas użycie słowa „syjamski" – powiedzieli. – Czy mógłby pan nazywać to „wyścigiem połączonych ze sobą gruchotów"?

Nie sądzę. Nie.

Niedziela, 9 maja 2004 r.

Hałasy w tle mogą zmienić człowieka w mordercę

W czwartek grupa fanatyków gorącego powietrza wypuściła nad centrum Birmingham siedem ogromnych balonów i jak tylko zaczęło świtać, pogrążyła miasto w rzęsistych dźwiękach muzyki skomponowanej specjalnie po to, by zmienić tradycyjny sposób spania.

Już sobie wyobrażam, jak gruntowna była ta zmiana. Jest wysoce prawdopodobne, że zamiast powoli budzić się o siódmej czy ósmej, dwumilionowa populacja mieszkańców miasta została wyrwana z łóżek o 6:30 i zaczęła się zastanawiać, co za obłąkaniec o ptasim móżdżku wydał zezwolenie na coś podobnego.

To, że ci baloniarze dożyli lądowania, dowodzi niezwykłej tolerancji mieszkańców Birmingham. Bo gdyby taka podniebna orkiestra zbombardowała o świcie tym „dźwiękowym pejzażem" mój dom, powystrzelałbym jej muzyków jak kaczki.

Nie mam nic przeciwko wytwarzaniu hałasu, gdy wykonujemy coś praktycznego czy użytecznego. Uważam na przykład, że ludzie, którzy kupują domy w pobliżu Heathrow, a potem biadolą na hałas samolotów, powinni zostać wychłostani.

Do rozpaczy doprowadzają mnie też ludzie narzekający na nisko przelatujące odrzutowce Królewskich Sił Powietrznych. Pewien walijski rolnik miał powyżej uszu dźwięku tego stworzonego przez człowieka grzmotu i na dachu swojego domu napisał „spieprzać stąd, pilociki". Potem, na szczęście, każdy z nich przelatywał tamtędy właśnie po to, by na ten napis rzucić okiem.

A teraz kilka słów do gościa, który narzekał, że w zeszłym tygodniu próba Paula McCartneya w Kopule Millenium była zbyt głośna: daj spokój, facet. Możesz sobie narzekać ile wlezie na jego piosenkę *Ebony and Ivory*, ale nie narzekaj na imprezę, która tchnie życie w tę olbrzymią, martwą inwestycję Tony'ego Blaira.

To samo dotyczy hałasu generowanego przez ruch uliczny i zgiełku, jaki wytwarzają rolnicy, gdy nadchodzi czas żniw. Po prostu są to efekty uboczne nowoczesnej ery. Nie mam nawet nic przeciwko dźwiękom komórek, pod warunkiem, że ich właściciele nie korzystają ze standardowego dzwonka Nokii.

Nie mogę jednak znieść ludzi, których hobby polega wyłącznie na tym, by hałasować. Mówię tu o nawiedzonych motocyklistach, którzy w pogodne niedziele zjeżdżają się na wieś, by tam wytwarzać tyle hałasu, ile wlezie. Pewnego dnia uciszę to towarzystwo rozpinając w poprzek drogi drut do cięcia sera.

Mówię tu również o dzwonnikach, którzy tylko czekają na moment, kiedy cała okolica zaczyna leczyć monumentalnego kaca, by właśnie wtedy zbezcześcić spokój poranka dźwiękami dzwonów z piekła rodem.

Po co? Jeśli Bóg uważa, że wykorzystywanie garstki brodaczy wydzwaniającej o siódmej nad ranem *Home Sweet Home* na sześciu tonach mosiądzu, to rozsądny sposób na wzywanie swojej trzódki, to lepiej niech sobie odpuści. Fajnie, że to wszystko można uzasadnić trując o pokoju i miłości, ale to, czego potrzebuję w niedzielny poranek, to odrobina ciszy i spokoju.

Nie miałbym nic przeciwko dzwonom, ale wspólnoty kościelne są dziś tak małe, że wszyscy parafianie zmieściliby się do forda fiesty pastora. No więc dlaczego nie objedzie on parafii i nie zabierze każdego z wiernych osobiście? Ale po cichu! A nie opierając się o klakson, tak jak taksówkarze, którzy czekają na klienta – wielkie dzięki.

Myślę, że trzeba by również zrobić coś z małymi samolotami sportowymi. Jasne, że odrzutowiec Królewskich Sił Powietrznych jest o wiele głośniejszy, ale gdy będziecie sadowić się z powrotem na krześle, on będzie już strącał innych w Kornwalii. Natomiast takiemu samolocikowi sportowemu lot sprawia niezwykłą trudność nawet przy najłagodniejszej bryzie, tak więc praktycznie przez cały dzień wisi nad waszym ogrodem.

Rozumiem, że to frajda mieć własny samolot, ale ja wprowadziłbym tam na górze ograniczenie prędkości minimalnej, ustalając ją, powiedzmy, na 900 km/h. To zmniejszyłoby niewygody na jakie jesteśmy narażeni przebywając na ziemi.

To rozwiązanie jest proste. Natomiast nie ma prostej odpowiedzi na to, co mam zrobić z kosem, który zagnieździł się w okapie dachu, zaledwie 15 centymetrów od mojej poduszki.

Dzisiaj rano jego pisklęta obudziły mnie o 5:20 i kolejne dwie godziny spędziłem usiłując wymyślić, co można by na to poradzić.

Moja żona sugeruje, żeby wziąć kota, ale to niemożliwe, bo nie znoszę widoku kocich tyłków – wyglądają ohydnie. Ale przede wszystkim nie znoszę tego, że od kotów dostaję astmy, a ta nie pozwoliłaby mi spać jeszcze bardziej niż ptaki.

Byłoby o wiele łatwiej roznieść to gniazdo wraz z całą jego zawartością na strzępy za pomocą mojej 12-milimetrowej strzelby. Mimo wszystko jakoś nie mogę się do tego zmusić. I nawet nie jestem pewny, czy byłoby to legalne.

Legalne jest najprawdopodobniej delikatne usunięcie gniazda i umieszczenie go w koszu na śmieci. Ale to też wydaje mi się nie w porządku. Dziwne, prawda? Cieszyłbym się pozbawiając głowy motocyklistę, ale nie mogę się przemóc, by odebrać życie pięciorgu pisklętom kosa.

Myślałem, że wezmę przykład z podniebnej orkiestry z Birmingham i nocą zbombarduję małe kosy starym prog-rockiem z walkmana Sony w nadziei, że dzięki temu będą spały w dzień.

Powiedziano mi jednak, że pisklęta kosów nie zachowują się jak niemowlaki i że mój sposób nie zadziała. W takim razie nie pomogłoby też pewnie mleko zaprawione heroiną.

W związku z tym zamierzam karmić je dużą ilością ziarna, aż do chwili, gdy staną się naprawdę grube.

Potem zanurzę je w armaniaku. Następnie, po tym jak spędzą w piekarniku osiem minut, wsadzę je do ziemniaków pieczonych w łupinie i zjem ze smakiem.

To nazywa się odwet. I jeśli mój odwet faktycznie zadziała, zrobię to samo z dzwonnikami.

Niedziela, 16 maja 2004 r.

Przez przeładowane magazyny dla panów czuję się obnażony

Kobiety mają łatwo. W dworcowym kiosku mogą kupić praktycznie dowolne czasopismo, jakie wpadnie im w oko, ze spokojną świadomością faktu, że w trakcie zbliżającej się podróży będą je mogły przeczytać.

„Kobieta i Dom". „Dom i Ogród". „Ogród i Fryzura". „Fryzura i Piękno". „Piękno i Odchudzanie". „Odchudzanie i Odchudzające się". „Szczupłe Kobiety". „Szczupły Dom". „Szczupły Ogród". „Szczupła Fryzura".

Wszystkie te czasopisma są naprawdę w porządku.

Mężczyznom już nie jest tak łatwo. Wiemy, że aby sprawiać wrażenie mądrych i wrażliwych, powinniśmy wybrać tygodnik „The Spectator" i książkę na temat poezji wiktoriańskiej. Ale tak naprawdę chcemy spędzić całą podróż wpatrując się w nagich australijskich surfingowców, w szczególności wtedy, gdy są ofiarami ataku rekina.

A to oznacza zakup magazynu dla panów, co dawniej było jak najbardziej w porządku. Lecz teraz, niestety, nie jest to już możliwe – na pewno nie wtedy, gdy zamierzacie czytać taki magazyn publicznie.

Gdy po raz pierwszy zobaczyłem zdjęcie kogoś, kto został dziabnięty przez rekina, byłem pod wielkim wrażeniem. Za drugim razem też sprawiło mi to przyjemność. Ale teraz, dzięki istnemu wysypowi magazynów dla panów, południowoafrykańscy ratownicy pozbawieni tułowi śmiertelnie mnie nudzą.

Zdjęcia z atakami rekinów były główną pożywką tych czasopism od momentu, gdy 10 lat temu pojawiły się na scenie. Lecz równolegle z ukazaniem się i niewątpliwym sukcesem magazynów „Zoo" i „Nuts", które są tygodnikami, stare miesięczniki musiały trochę podbić stawkę.

„FHM" ukazuje się w nakładzie 600 000 egzemplarzy, jest najlepiej sprzedającym się magazynem dla panów i ma przez to najwięcej do stracenia. Z tego powodu, przeglądając numer z bieżącego miesiąca, można napawać się widokiem krowy, której wyrastają z szyi dwie dodatkowe nogi, i faceta, który urodził się z głową obróconą tyłem do przodu. Ponadto znajdziemy tam chłopca, który wygląda jak koń, gościa z jądrami wielkości nagrodzonych na wystawie rolniczej dyni i mężczyznę z czymś, co przypomina worek czerwonych ziemniaków wyrastający z twarzy.

Świetnie, tylko że to wszystko nie nadaje się do pociągu. No bo trudno delektować się zdjęciami gościa chorego na słoniowaciznę, gdy obok ciebie siedzi jakiś nieznajomy, dajmy na to siostra zakonna.

Obracając stronę też nie unikniemy problemów, bo – o kurczę! – następne dwie zajmuje zdjęcie modelki Abi Titmuss, która ma na sobie wyłącznie lśniący olejek dla niemowląt.

Tu dochodzimy do kolejnego problemu. Na początku istnienia magazynów dla panów, znalezienie kogoś z jakiejś opery mydlanej albo z listy przebojów muzyki pop, kto za niewielkie honorarium pojawiłby się w kostiumie kąpielowym na rozkładówce, nie było wcale trudne. A teraz, ponieważ paparazzi grasują na wszystkich plażach świata, prasa brukowa i poświęcone gwiazdom magazyny ilustrowane mogą w pełni zaspokoić nasze pragnienie obejrzenia zdjęć podrzędnych sław w stringach. I to właśnie dlatego magazyny dla panów muszą posuwać się coraz dalej.

To z kolei odstrasza poważne aktorki z telenowel *Casualty*[1] czy *Coronation Farm*[2]. Jesteśmy zatem skazani na gapienie się na panienki, które kiedyś pokazały się z kimś, kto sprzedał psa komuś, kto mieszka obok Richarda i Judy[3]. Na przykład w tym tygodniu „Zoo" wydrukowało zdjęcie tyłka Lisy Snowdon. Kim jest Lisa Snowdon, o tym nie mam bladego pojęcia. W tym samym czasie w „Nuts" ukazały się zdjęcia Anoushki i Steph, które, jak zostaliśmy poinformowani, są prezenterkami MTV.

Czy w pociągu przeglądalibyście „Azjatyckie Panienki"? Czy wyciągnęlibyście rozkładówkę „Playboya" i z uznaniem skinęli głową? No właśnie.

Podobnie jest z Anoushką i Steph, pomimo to, że – jak się okazuje – bawiły się na czterdziestych urodzinach samego Shane'a Richiego[4].

Tak więc nadal stoimy przed kioskiem na dworcu i wciąż mamy dylemat, co kupić.

Magazyn „GQ" publikuje felietony Borisa Johnsona[5] i Petera Mandelsona[6], co nadaje mu poważny charakter czasopisma z górnej półki, ale również i w nim znajdują

---

[1] Brytyjska telenowela, odpowiednik polskiego serialu *Na dobre i na złe*.

[2] Clarkson przekręca tytuł najdłużej nadawanej brytyjskiej opery mydlanej *Coronation Street*, łącząc go z tytułem *reality show The Farm*, w którym gwiazdy są pozostawione samym sobie na wiejskim gospodarstwie.

[3] Richard Madeley i Judy Finnigan – małżeństwo prezenterów telewizyjnych cieszących się w Wielkiej Brytanii ogromną popularnością.

[4] Brytyjski komik, aktor, piosenkarz i prezenter.

[5] Ekscentryczny polityk Partii Konserwatywnej, dziennikarz i historyk.

[6] Jeden z czołowych polityków Partii Pracy.

się wizualne pułapki. Przewracasz stronę spodziewając się artykułu o głodzie w Afryce, a zamiast niego pojawiają się cycki Kate Winslet, na widok których zakonnica rzuca złowrogie spojrzenie.

A może tygodnik „New Statesman"? No dobrze, ale on z kolei gwarantuje, że obudzicie się dopiero w Wakefield, 200 mil od stacji, na której zamierzaliście wysiąść, ze śliną cieknącą z kącika ust.

Czasopisma specjalistyczne z pewnością mają swoje plusy. Wsiądźcie do pociągu z magazynem „What Computer?" lub „Autocar", a możecie być pewni, że nikt nie zajmie miejsca obok was. Minusem jest niestety to, że będziecie musieli czytać „What Computer?" lub „Autocar".

Wszystkie czasopisma specjalistyczne zakładają, że czytelnik wie o danym temacie tyle samo co redakcja. Ostatnio kupiłem magazyn poświęcony kinu domowemu i nie było w nim ani jednego słowa, które mogłoby oznaczać coś sensownego.

Z towarzyskiego punktu widzenia można by kupić magazyny „Arena" czy „Wallpaper*", ale trudno jest się zorientować, o czym one tak naprawdę są. Wydaje się, że w przeważającej części wypełnione są zdjęciami dość modnie ubranych ludzi w parkowych alejkach, wspartych o swoje rowery. To nie jest coś, co można uznać za zabawne. I ta właśnie myśl prowadzi mnie do rozwiązania naszego dylematu.

Jako Brytyjczycy i mężczyźni zarazem, może i lubimy czytać o ogrodnictwie czy jedzeniu. Może i mamy nadzwyczajny apetyt na gazety z programem telewizyjnym.

Ale to, co lubimy najbardziej, to cholernie dobrze się pośmiać.

Co oznacza, że gdy zjawiam się na dworcu, zawsze kupuję dwa najśmieszniejsze na świecie magazyny. „Viz"[7] i „Private Eye"[8].

Niedziela, 23 maja 2004 r.

---

[7] Humorystyczny brytyjski komiks dla dorosłych.
[8] Satyryczny magazyn pod redakcją Iana Hislopa.

Telefony komórkowe, które robią wszystko – tylko nie działają

Gdy Margaret Thatcher ogłosiła, że będzie prywatyzować wodę, myślała pewnie, że na sprzedaż nie pozostało już nic. A jednak. Było jeszcze powietrze.

Tony Blair i Gordon Brown szybko zdali sobie z tego sprawę i w 2000 roku sprzedali je na aukcji grupie międzynarodowych firm za olbrzymią sumę 22 miliardów funtów.

A teraz ci „międzynarodowcy" odsprzedają nam to samo powietrze pod postacią telefonów komórkowych trzeciej generacji (3G), dzięki którym można sprawdzić ceny na włoskiej giełdzie papierów wartościowych, przesłać e-mailem zdjęcia rozebranych wietnamskich panienek, obejrzeć wiadomości telewizji BBC i przypomnieć sobie, że w przyszłą sobotę jest rocznica naszego ślubu.

Zasadniczo rzecz biorąc, jeśli kupimy jeden z takich telefonów, otrzymamy terminarz, telewizję, kino, internet, komputer, kamerę wideo i album fotograficzny. Świetnie, ale czy to wszystko jest nam potrzebne?

Mój znajomy z salonu z telefonami komórkowymi powiedział mi, że obecnie – zgodnie z jego wyliczeniami – tylko 3 procent klientów wykorzystuje posiadane przez siebie telefony do przesyłania zdjęć. Tak więc któż, oprócz Rebecci Loos[1], chciałby mieć telefon 3G, który pozwala na

---

[1] Była asystentka Davida Beckhama, która w 2004 roku przyznała się do romansu z nim, upubliczniając m.in. swoją osobistą korespondencję

rozmowę twarzą w twarz za pośrednictwem połączenia wideo?

Dawno temu, w programach z cyklu „Świat jutra", Raymond Baxter mówił, że w przyszłości coś takiego będzie możliwe. Mówiła o tym również Judith Haan. I Philippa Forrester[2]. Ale telefoniczne rozmowy wideo nigdy się nie przyjęły, bo telefonu używamy głównie po to, by kłamać, a gdy się jest obserwowanym, znacznie trudniej wciskać kit.

Dlaczegóż więc, skoro nie chcemy wideotelefonów w domach, mielibyśmy je zabierać ze sobą, gdy wychodzimy? I jak myślicie, jak długo w takich telefonach trzymałaby bateria?

Co gorsza i tak nie moglibyście z nich korzystać jak ze zwykłych telefonów, bo od zawsze z komórkami – oprócz Nokii 6310 – jest tak, że ludzie po drugiej stronie brzmią jak chrypiące roboty i na chwilę przed tym, jak chcecie zakończyć rozmowę, zrywa się połączenie. Musicie więc dzwonić jeszcze raz tylko po to, by powiedzieć „do usłyszenia".

Nietrudno zauważyć, o co tu chodzi. Po wydaniu fortuny wielkości budżetu NASA na fale radiowe, które mogą poradzić sobie z transmisją tych wszystkich danych, telefonia komórkowa próbuje swoich sił w podróżach kosmicznych, nie umiejąc nawet poruszać się pieszo.

Gdy wynaleziono samochód, ludzie nie rozsiedli się wygodnie i nie zaczęli zastanawiać się, jak można by z tyłu

---

SMS-ową. Wciąż robi wszystko, by podtrzymywać swoją popularność.

[2] Raymond Baxter, Judith Haan, Philippa Forrester – kolejni prezenterzy popularnonaukowego serialu BBC „Świat jutra" (*Tomorrow's World*) nadawanego na antenie BBC od 1965 roku nieprzerwanie przez 38 lat.

dodać automatyczną pralko-suszarkę. Zamiast tego, do-
szlifowali go i udoskonalili. I dopiero teraz, po tym jak
minęło 100 lat, widzimy jak do samochodów trafia dodatkowe wyposażenie, takie jak ekrany telewizyjne i nawiga-
cja satelitarna.

Oczywiście w przypadku telefonów komórkowych tak
nie jest. W zeszłym roku kupiłem mojej żonie Sony Erics-
sona Jakiegośtam za około milion funtów. Telefon okazał
się znakomitym notatnikiem elektronicznym i konsolą do
gier, ale do rozmów telefonicznych żona mogłaby z rów-
nym powodzeniem używać nogi od krzesła.

– A, tak – powiedział sprzedawca, gdy zwróciłem się
do niego z reklamacją. – Ten model faktycznie nie jest
zbyt udany.

Nie jest zbyt udany! Przez ostatnie 12 miesięcy, kiedy
żona dzwoniła do mnie, mnóstwo razy wrzeszczeliśmy
na całe gardło „coooo?!", a gdy nieświadomie oddalała
się na więcej niż dwa cale od stacji bazowej, zrywało się
połączenie.

Mam Motorolę wyposażoną w kilka tysięcy funkcji,
które z pewnością są niesamowicie przydatne. Tyle, że
głośnik w tym telefonie jest tak cichy, że nie jestem w stanie usłyszeć nawet trzasków i szumów generowanych
przez Sony mojej żony. W tym cholerstwie Brian Blessed[3]
brzmiałby jak chomik.

Muszę się pozbyć tego telefonu, a to oznacza, że dwie
godziny, które spędziłem czytając instrukcję obsługi,
były stratą czasu. Teraz muszę spędzić kolejne dwie, przeglądając katalog w poszukiwaniu czegoś, na co mógłbym
ten telefon wymienić. Ale nie mam na to czasu, bo jestem

---

[3] Aktor brytyjski o słusznej posturze i bardzo donośnym głosie.

w połowie książki o moim bezprzewodowym internecie. I szczerze mówiąc, to jest wszystko, co obecnie czytam – księgi z instrukcjami do gadżetów, które nie działają.

To, czego wymagam od kuchenki, to funkcja gotowania jedzenia. To, czego żądam od pralki, to funkcja prania ubrań. A to, czego chcę od telefonu, to funkcja rozmawiania z drugą osob, i to tak, żeby ta osoba nie myślała, że jestem dzieckiem zrodzonym z niezwykłego związku Stephena Hawkinga z satelitą Telstar.

Potrzebuję telefonu napakowanego technologią telefoniczną, a nie jakimiś aparatami i internetami. Chcę, by był to telefon bez bajerów, coś w stylu linii lotniczych Ryanair. Potrzebuję narzędzia do komunikowania się, które tak jak produkty firmy Ronseal, będzie „robiło dokładnie to, co napisano na puszce"[4]. Innymi słowy, nie chcę, by telefon przestawał działać za każdym razem, jak tylko schowam się za drzewem.

Wcale nie żartuję. Mój telefon się rozłącza – przynajmniej tak mi się wydaje, bo ogólnie jest tak cichy, że i tak nie jestem tego pewien – w miejscu, gdzie spotykają się autostrady M40 i M25. A nie jest to przecież środek pustyni Gobi. Ani dno Rowu Mariańskiego.

Jak można się było spodziewać, ten problem związany jest z BHP. To, że nasze telefony jako środek komunikowania się są tak mało użyteczne, wynika z faktu, że gdyby były mocniejsze, usmażyłyby nam głowy.

No dobrze, zgoda. Cóż więc nam pozostało? Gdy wyjeżdżamy za granicę, nasz telefon zgłasza się w sieci, która na danym obszarze ma najsilniejszy sygnał. Dlaczego więc

---

[4] Firma Ronseal, producent farb do drewna i konserwantów, znana jest z powyższego hasła reklamowego.

nie można tego samego zrobić tu, na miejscu? Gdy przebywam w Devon, gdzie najsilniejszy jest sygnał Orange, chcę rozmawiać przez Orange; gdy jestem w Londynie, gdzie najlepszy zasięg ma Vodafone, chcę rozmawiać przez Vodafone. Czy to jest niemożliwe?

Z technicznego punktu widzenia odpowiedź brzmi: to jest możliwe. Ale z finansowego punktu widzenia to jest „trudne", tak więc jesteśmy skazani na telefony, które trzekszzzz krszzzzz szzzzłają. Halo! Haloo! Halooo!...

Niedziela, 30 maja 2004 r.

Od tatuaży musimy się naprawdę odciąć grubą kreską!

Gdy zbliżał się Puchar Świata w Rugby, Jonny Wilkinson znacznie podkręcił intensywność swojego treningu. Spędzał na boisku po dwanaście godzin dziennie przez sześć dni w tygodniu, tak więc gdy nadszedł ten wielki dzień, po prostu nie mógł chybić. I faktycznie – nie chybił.

David Beckham, przygotowując się do nadchodzących Mistrzostw Europy w Piłce Nożnej, Euro 2004, przyjął – jak się wydaje – całkiem inną strategię. Zamiast tracić czas na zgrupowania, zafundował sobie nowy tatuaż. Najprawdopodobniej już dziesiąty z rzędu.

Niestety, najwyraźniej nie za bardzo mu to pomogło, bo w zeszłym tygodniu Anglia zremisowała jeden do jednego z zabawną drużyną małych piłkarzyków z Japonii.

Z drugiej strony trudno zrozumieć, jak tatuaż mógłby poprawić czyjeś umiejętności piłkarskie.

Tak naprawdę to w ogóle trudno zrozumieć sens tatuaży.

Pamiętam, jak w późnych latach 1970., będąc dziennikarzem lokalnej gazety, w następstwie jakiegoś tam strajku pisałem artykuł o bezrobociu. Jeden z moich rozmówców powiedział mi, że posiada wszystkie wymagane predyspozycje, ale odrzucają go po każdej rozmowie kwalifikacyjnej. Nie mógł zrozumieć dlaczego. Ja mogłem. Na twarzy miał wytatuowaną ogromną pajęczą sieć.

Były takie czasy, kiedy tatuaż oznaczał, że siedzieliście w mamrze bądź służyliście w marynarce, ale dziś już prawie każdemu, kogo widuję, spod spodni wystaje motyw Harleya-Davidsona.

Ciekawe, czy Camilla Parker-Bowles ma na plecach wytatuowanego olbrzymiego orła, który siedząc na ludzkiej czaszce pożera węża? Wcale bym się tym nie zdziwił.

Nie, chwila. Właśnie, że zdziwiłbym się. To dlatego, że pomijając godne uwagi wyjątki w postaci Lorda Lichfielda, który na ramieniu ma wytatuowanego konika morskiego i matki Sir Winstona Churchilla, której wokół nadgarstka wił się wąż, tatuaże są wciąż domeną prostaków. Mają je najczęściej tancerki na rurze i ludzie, którym na antenach samochodów łopoczą flagi Anglii. Abs, były członek boysbandu Five, ma tatuaż na sutku i sądzę, że to mówi samo za siebie.

Oczywiście, gdy miałem 16 lat, podobał mi się pomysł wykłucia sobie na stałe małej, czerwonej gwiazdki w stylu Che Guevary na moim lewym pośladku.

Nie zrobiłem tego z dwóch powodów. Po pierwsze, prawo mówi, że nie można zrobić sobie tatuażu, gdy jest się trzeźwym. I właśnie dlatego wiek, od którego jest to dozwolone, to osiemnaście lat.

Po drugie, kiedyś pewien tatuażysta przejechał mi igłą po przedramieniu, by pokazać, że to wcale nie jest bolesne. Kłamał. Czułem się tak, jakby ktoś w zwolnionym tempie dźgał mnie nożem.

Czym mogłoby się to dla mnie zakończyć? Pewnie złapałbym AIDS i miałbym dziś na tyłku rozmazaną plamę. Gdzie tu jest sens? Po co znosić ból i wydatek, by mieć coś, czego i tak nie będziecie oglądać? To tak, jakbyście olbrzymi dywan z Buchary transportowali pieszo przez całą drogę z Uzbekistanu, a potem umieścili go na pod- łodze strychu.

Widujecie takich ludzi, i to zazwyczaj w magazynie „Heat", a patrząc na pół metra kwadratowego ich pleców pokrytych gotycką symboliką, myślicie sobie: „A zasło- ny? Czy też wieszacie je wzorem do okna, by mogli po- dziwiać go sąsiedzi?".

Zwróćmy też uwagę na inne aspekty tego zjawiska. Tatuaże istniały co prawda od zarania dziejów, ale jeśli przyjrzymy się twórczości wszystkich wielkich artystów – Leonarda da Vinci, van Gogha, Moneta – to okaże się, że swoje umiejętności i twórczą sprawność przelewali na niemal każdy rodzaj powierzchni: na ściany, na sufity, na płótno i papier. Ale nie na ludzkie ciało.

Constable[1] nigdy nie pomyślał: „Już wiem, namaluję *Wóz na siano* na tyłku Turnera[2]".

Tatuaże są bez wyjątku ohydne. David Beckham już dziś zaczyna przypominać okładkę płyty Iron Maiden. Ale z drugiej strony, zobaczcie jak to jest z tatuażystami.

Być może, gdyby moje dzieci były przetrzymywane jako zakładnicy, dopuściłbym do siebie Tracey Emin[3] z igłami, ale nie łysego, ważącego 110 kilogramów członka gangu motocyklowego z nosem przekłutym większością asortymentu Castoramy.

---

[1] John Constable (1776–1837), angielski malarz pejzażysta. *Wóz na siano* to jeden z jego najbardziej znanych obrazów.

[2] Joseph Mallord William Turner (1775–1851), angielski malarz epoki ro- mantyzmu, prekursor angielskiego impresjonizmu.

[3] Brytyjska artystka awangardowa.

To nie jest mój problem, ale chcę powiedzieć, że większość prawdziwych artystów spędza całe tygodnie myśląc o swoim dziele i o tym, jak należy do niego podejść. To, co otrzymacie od członka gangu, to pięciominutowa konsultacja. To, z czym od niego wyjdziecie, to bazgroły. Co więcej, artyści, którzy odnieśli największe sukcesy, uczyli się swego rzemiosła zakładając beret i przechadzając się wzdłuż brzegu rzeki. Goście od tatuaży nauczyli się swojego zawodu malując tuningowane vany.

Jedyna dobra wiadomość jest taka, że jeśli ktoś umiera, umierają z nim jego tatuaże. Z wyjątkiem Japonii, gdzie można kupić wytatuowane trupy i przerobić je na meble. Ciekawy pomysł: ozdobne poduszki „Yakuza".

Wątpię, czy ktokolwiek da wiarę, że miłość mojej znajomej do Ferrari była tak wielka, że zrobiła sobie tatuaż brykającego konika tuż nad stringami. Teraz, za każdym razem, gdy się pochyla, ludzie pytają: „A dlaczego ktoś namalował ci osiołka na plecach?".

Jej tatuaż jest beznadziejny, a ma go już na zawsze. Tak, wiem, że istnieje dziś wiele sposobów usuwania tatuaży, ale one sporo kosztują i przede wszystkim bolą jeszcze bardziej niż przeszczep skóry w miejsce tego cholerstwa.

A czy te sposoby chociaż działają? Cóż, wystarczy przyjrzeć się upstrzonym i zabazgranym wagonom londyńskiego metra, które poddano usuwaniu graffiti, by przekonać się, że odpowiedź brzmi: „Nie. Nie działają".

Niedziela, 6 czerwca 2004 r.

Życie samo z siebie jest obraźliwe, więc przestańcie się uskarżać

W następstwie dwóch skarg oburzonych przywódców muzułmańskich, billboard, na którym występowały cztery młode panie ubranie wyłącznie w stringi marki Sloggi, zniknął z miejsc sąsiadujących z meczetami.

Niewiele trzeba, by się na to zezłościć. Pojawią się ci, którzy stwierdzą, że jeśli muzułmanie nie chcą, by ich dzieci oglądały zdjęcia panienek w bieliźnie, powinni byli zostać w Uzbekistanie. A ci, którzy używają argumentów w stylu „Daily Mail", zwrócą uwagę na fakt, że jeśli obywatel Wielkiej Brytanii przeprowadziłby się do Francji i zaczął narzekać na serwowane w tamtejszej kafejce końburgery, od razu pokazaliby mu drogę do wyjścia.

Pojawiają się też inne problemy. Chrześcijanie twierdzą, że od lat składają skargi na „nieskromne billboardy" do biura Brytyjskiego Kodeksu Reklamowego, a efekt jest znikomy albo wręcz żaden. Wystarczy jednak, by jakiś mułła podniósł w gniewie brew, a stringi marki Sloggi od razu dostają nakaz eksmisji.

Sloggi oczywiście utrzymuje, że trudno jest reklamować bieliznę nie pokazując jej. Chociaż z drugiej strony mogliby wziąć przykład z Supermana i kazać modelkom założyć majtki na spodnie.

Mój problem z tym związany nie ma jednak nic wspólnego ani z dyskryminacją rasową, ani z dyskryminacją

pozytywną[1], ani nawet z Brytyjskim Kodeksem Reklamo-
wym. Nic z tych rzeczy. Problemem są dla mnie obłudni,
świętoszkowaci – ba, świętsi od samego papieża, niedoce-
nieni przez życie kretyni, od których płyną wszystkie te
skargi.

Pamiętacie te billboardy z napisem „Cześć, chłopaki!",
reklamujące staniki push-up firmy Wonderbra? W tym
przypadku wpłynęło 150 skarg.

Potem były reklamy papieru toaletowego Velvet ze slo-
ganem „Pokochaj swoją pupę" – zebrały 375 skarg. 500
razy biadolono z powodu logo FCUK. 275 osób doprowadziło się do histerii z powodu kampanii agencji turystycznej Club 18-30 pod hasłem „Odkryjcie swoje strefy
erogenne".

Musicie wziąć pod uwagę fakt, że wszystkie te osoby
musiały zadzwonić na informację telefoniczną by zapytać
o numer do biura Brytyjskiego Kodeksu Reklamowego,
zdobyć jego adres, napisać list, kupić znaczek i przespacerować się do skrzynki pocztowej.

Nie byłoby jeszcze tak źle, gdyby ci ludzie chcieli jedynie wyrazić swoją dezaprobatę, ale ponieważ poczynili
już tyle starań, zawsze żądają podjęcia zdecydowanych
kroków i ostatecznego rozwiązania sprawy.

W dodatku nie dotyczy to tylko świata reklamy. Całkiem niedawno, bo w tym tygodniu, w programie „Punkty
widzenia" na kanale BBC1, na producenta Top Gear spadł
rzęsisty deszcz skarg dotyczących nadmiernej prędkości
i tego typu rzeczy. Zapytano go, czy w świetle tych listów
wpłynie na prezenterów programu, by jeździli z poszano-

---

[1] Ograniczenie praw pewnej grupy społecznej w imię niedopuszczania do
dyskryminacji innej.

waniem ograniczeń prędkości. Całe szczęście, że producent miał na tyle odwagi, by uśmiechnąć się i powiedzieć:
– Nie.

Wyobraźmy sobie jednak przez chwilę, że powiedział „tak". Wyobraźmy sobie, że żyjemy w świecie, w którym garstka ludzi mogłaby zmieniać coś lub zakazywać czegoś przez samo napisanie w liście: „Bardzo mi się to nie podoba i chcę, by było to zabronione".

Mógłbym wtedy wystosować pismo do Instytutu Standaryzacji Dzwonów Kościelnych. W wyniku mojej skargi natychmiast zakazano by dzwonienia. Po moim drugim liście wszyscy amerykańscy turyści lądujący na Heathrow byliby zawracani do domu. Jak myślicie, jak długo w takim świecie mógłby zabierać głos Bill Oddie[2]?

I nie tylko on. Jestem przekonany, że Królowa, mieszkająca w pałacach i otoczona służbą, gdzieś tam kogoś wkurza i irytuje, więc zdelegalizujmy ją i to razem z jej rodziną. A skoro już przy tym jesteśmy, to znam grupkę ludzi, którym nie podoba się ten nowy, przypominający korniszon londyński wieżowiec[3], więc zrównajmy go z ziemią, i to razem z gmachem British Library i miastem Preston.

Koty przyprawiają mnie o astmę i uważam, że ich tyłki obrażają moje uczucia, więc wszyscy będą musieli

---

[2] Brytyjska osobowość telewizyjna, pisarz, kompozytor, muzyk, w ostatnich czasach znany jako prezenter programów o ochronie środowiska naturalnego i jej orędownik, czym z pewnością naraża się wyzłośliwiającemu się na jego temat Clarksonowi, patrz też s. 131.

[3] Chodzi o wybudowany w latach 2001–2004 szósty co do wysokości budynek w Londynie przy St Mary Axe 30, znany również pod nazwami The Swiss Tower, The Swiss Re Building (lub, ze względu na swój kształt, po prostu „Korniszon").

wsadzić swoje ukochane kocurki do worka i roztrzaskać im łby młotkiem do krykieta.

Naturalnie pod warunkiem, że przedtem nikt nie stwierdzi, że irytuje go krykiet. W takim wypadku należałoby użyć zamrożonego jagnięcego udźca. Albo, co bardziej prawdopodobne – wegetariańskiego kotleta z orzeszków. Nie, chwila. Przecież takie kotlety wywołują u niektórych obrzęki. Widzicie więc, że wpuściliśmy się w kanał. Nasz kot już siedzi w worku, ale nie ma sposobu, by go ukatrupić.

Naprawdę, z wielką trudnością przychodzi mi do głowy coś, co mogłoby być dozwolone w świecie, w którym wszystko jest zakazane, bo kogoś obraża. Samochody. Prezerwatywy. Chrześcijaństwo.

Z tego wszystkiego trzeba będzie zrezygnować. No może oprócz Michaela Palina[4] i Davida Attenborough[5].

Myślicie pewnie, że to głupie, ale obawiam się, że wcale nie. Dziś, gdy jesteście w kinie, zanim zdąży zaryczeć lew z Metro-Goldwyn-Mayer, prezentowane jest streszczenie filmu.

„Niniejszy film zawiera sceny, w których występuje migające światło i ostry język, jest też trochę umiarkowanej przemocy w scenie, gdy niemieckie gogle zalewają się keczupem. A, i jeszcze jest też odrobina nagości w chwili, gdy na ekranie pojawia się Susannah York[6] w pończochach. Przykro nam, ale w filmie występuje też pies Blackie". To na wypadek, gdyby wśród widzów znaleźli się jacyś obłąkani wegetarianie.

---

[4] Brytyjski aktor komediowy, należał do grupy Monty Pythona.

[5] Jeden z najbardziej znanych popularyzatorów wiedzy przyrodniczej.

[6] Urodzona w 1939 roku aktorka brytyjska.

Pamiętajmy jednak, jak się to wszystko zaczęło. Odpowiadając na zaledwie dwie skargi – podkreślam: dwie, nie dwa miliony – biuro Brytyjskiego Kodeksu Reklamowego zwróciło ludziom z firmy Sloggi uwagę, by w przyszłości byli bardziej ostrożni przy wyborze miejsc na billboardy, na których dziewczyny eksponują bieliznę.

Na szczęście nasz wielki przywódca, Tony Blair, jest wciąż jak przewodnie światło w mrokach tego obłąkanego świata. Milion ludzi, i to osobiście, wniosło skargę dotyczącą jego planów zbombardowania Iraku, a on nie zwrócił na to najmniejszej nawet uwagi. Wszyscy powinniśmy brać z niego przykład.

Niedziela, 13 czerwca 2004 r.

Zostaw w spokoju guzik alarmowy i spokojnie się oddal

W zeszłym tygodniu zadzwonił do mnie znajomy zaniepokojony tym, że jego podatek wyniósł nieco więcej, niż się spodziewał. Następnie jadłem lunch z osobą, która przez cały posiłek zadręczała się wyborem najlepszej szkoły dla swojej córki.

W tym samym czasie, w Lambeth Palace, Arcybiskup Canterbury, chodząc tam i z powrotem po swoim salonie, zastanawiał się, czy powinien przyjąć zaproszenie do wystąpienia w *Simpsonach*[1]. To zagadnienie nie dorasta do pięt problemom Thomasa à Becketa[2], prawda?

Kłopot polega na tym, że po czterech milionach lat spędzonych na zamartwianiu się tygrysami szablastozębnymi, dżumą, groźbą wyrwania serca przez fanatyków religijnych i bombardowaniami Niemców, dziś nie jesteśmy już w stanie przestać się martwić, mimo że właściwie wszystko jest w porządku.

Obecnie martwimy się początkami łysienia i cellulitu tak samo intensywnie, jak ludzie w 1665 roku martwili

---

[1] Obecny Arcybiskup Canterbury, Rowan Williams, znany jest ze swojego zamiłowania do tego serialu. Z tego powodu otrzymał nawet propozycję gościnnego wystąpienia w jednym z odcinków.

[2] Arcybiskup Canterbury w latach 1162–1170 i kanclerz Anglii. Zginął zamordowany z polecenia króla Anglii Henryka II w wyniku sporu dotyczącego przywilejów duchowieństwa angielskiego.

się wielką zarazą. Dzisiaj na przykład pięknie świeci słońce, niebo jest błękitne, termometr wskazuje 24 stopnie,
otrzymałem nieoczekiwany przypływ gotówki z firmy
dystrybuującej filmy wideo, na weekend mam zaplanowa-
ny udział w trzech przyjęciach, a moje dzieci są zdrowe.
Mimo to właśnie siedzę i martwię się ilością śmieci krążą-
cych w przestrzeni kosmicznej. Całkiem niedawno fran-
cuska rakieta uległa zniszczeniu wlatując w nadgryzione-
go hamburgera pozostawionego na orbicie przez jakiegoś
koleżkę Neila Armstronga. A może był to płat farby.

Podobno wokół Ziemi wiruje aż 100 000 rupieci i, jak
twierdzą eksperci, wkrótce ktoś zginie, gdy jego statek kosmiczny zderzy się z kluczem pozostawionym tam jeszcze w 1969 roku przez jakiegoś niezdarnego Rosjanina.

Martwię się również, że moja córka nosi za krótkie
spódniczki, że być może Nigella Lawson[3] zamienia się
w faceta i że olbrzymie ilości dietetycznej coca-coli, jakie
codziennie pochłaniam, spowodują u mnie raka zębów.
A przecież i tak nie czytam „Daily Mail".

„Daily Mail" dostrzega zagrożenie i cierpienie właściwie w każdym aspekcie dzisiejszego życia. Uśmiercą cię
płatki kukurydziane, chyba że imigrant z Albanii dorwie
cię pierwszy. Hodowlany łosoś sprawi, że twoim dzieciom zgniją oczy, genetycznie modyfikowana pszenica
napadnie na twój ogród i pożre twoje zwierzątka domowe, i niech niebiosa mają w opiece tych, którzy nie dbają
o higienę jamy ustnej. Ponieważ wkrótce wyrosną im
z dziąseł śmiercionośne grzyby.

Z chęcią oskarżyłbym gazety, że to one spowodowały, iż
nasze geny zamartwiania splątały się w nierozwiązywalny

---

[3] Patrz przypis 6 na s. 56.

węzeł, ale obawiam się, że prawdziwym winowajcą jest każdy, kto przekroczył 40 lat.

Ja na przykład brnę przez wiek średni z przekonaniem, że idealny świat w którym żyliśmy, powiedzmy, około roku 1976, jest nam zabierany i niszczony. Nie widzę potrzeby ustawiania progów zwalniających i noszenia kolczyków w pępku, i nie rozumiem, dlaczego mówią na mnie Jezza.

Codziennie czytam gazety z narastającym przeświadczeniem, że kontrolę nad tym całym wariatkowem przejęli obłąkani i że dosłownie wszystko, począwszy od Protokołu z Kioto, a skończywszy na niekończących się zakazach używania środków chwastobójczych, ma na celu uwstecznienie świata.

To smutne, ale starsi ludzie zawsze uważają, że życie było lepsze, gdy byli młodsi. Słuchając opowieści mojej mamy o jej młodości, czuję się jak w ciepłej kąpieli z Enid Blyton[4]. Brzmią one jak jedna wielka historyjka o Noddym, w której rumiani posterunkowi ścigają obdartusów za podkradanie jabłek.

Jednak rzecz w tym, że jej matka roztoczyłaby równie sielską wizję swojego dzieciństwa i tak dalej. Tymczasem pod dokładnie każdym względem, życie w tej właśnie sekundzie jest lepsze i wygodniejsze, niż kiedykolwiek wcześniej w historii ludzkości.

Słyszymy, że poziom rozrywki jest coraz niższy, ale nawet *Big Brother* jest lepszy od siedzenia w salonie i przyglądania się, jak dziadek bierze kąpiel w blaszanej wannie. Być może moją babcię bawiły harce w słońcu na wozie

---

[4] Enid Blyton (1897–1968) – brytyjska autorka książek dla dzieci, m.in. o drewnianym pajacyku Noddym.

z sianem rodem z „Jabłecznika i Rosie"[5], ale kiedy bolał ją ząb, musiała udać się do miejscowego cyrulika, który walił w niego młotkiem. Kiedy jej mąż stracił pracę, rodzina głodowała. A kiedy jej przyjaciółka miała przodujące łożysko, zmarła.

Ale wtedy nie trzeba było się martwić egzaminami wstępnymi córki ani długością jej spódniczki, ponieważ istniało spore prawdopodobieństwo, że córka zmarła na jakąś nieznaną chorobę mając cztery latka. A nawet jeśli udało się jej dożyć kilkunastu lat, nie wpuszczono by jej do szkoły ani do lokalu wyborczego.

Patrzę dziś na ludzi występujących w programie *Oprah* i słucham, jak szczebioczą o katuszach swojego życia uczuciowego. Nie mogę się wtedy powstrzymać, by nie pomyśleć: „Owszem, na pewno nie było ci przyjemnie po powrocie do domu zastać syna w damskiej bieliźnie, ale wcale nie tak dawno temu mogłeś wrócić do domu i znaleźć go w paszczy tygrysa szablastozębnego".

Poza tym, dysponujemy dziś całą armią doradców od walki ze stresem, którzy zawsze są pod ręką by rozprasować nasze emocjonalne wgniecenia pozostałe po jakimś mało znaczącym incydencie w pracy. Wciskają nam, że życie w dwudziestym pierwszym wieku jest bardziej skomplikowane, niż kiedykolwiek wcześniej, ale to nieprawda.

Przez to, że jesteśmy zachęcani do roztkliwiania się nad niegroźnymi urazami, kawałkami międzynarodowych stacji kosmicznych spadającymi nam na głowy i zagrożeniem, jakie istnieniu rasy ludzkiej niesie hodowlany łosoś,

---

[5] Książka autorstwa Lauriego Lee, opowiadająca o jego dzieciństwie w angielskiej wiosce, wkrótce po pierwszej wojnie światowej.

płatki kukurydziane oraz to cholerne globalne ocieplenie, będziemy wszyscy zupełnie nieprzygotowani na dzień, w którym na scenę wkroczy Arabia Saudyjska. Wtedy dopiero będziemy mieli prawdziwy powód do zmartwienia.

Niedziela, 4 lipca 2004 r.

Owszem, dawniej na północy było ponuro – teraz jest jeszcze gorzej

Nie trwało to długo. Zaledwie parę dni po ukazaniu się raportu, że przepaść pomiędzy północną a południową częścią Wielkiej Brytanii pogłębiła się, komentatorzy wszelkiej maści rzucili się do piór, by dowodzić, że wcale tak nie jest.

Bill Deedes, autorytet z gazety „Daily Telegraph", uzasadniał, że życie na północy w latach trzydziestych XX wieku było o wiele cięższe niż dzisiaj, pośrednicy w handlu nieruchomościami wskazywali na rosnące ceny, a Ken Morrison, głównodowodzący supermarketów, ogłosił, że pracownicy wykładający towar na półki na północy mają więcej roboty niż ci na południu.

Słyszymy, że Corby, leżące w strefie zasięgu Londynu, ma najwyższy odsetek pracowników niewykwalifikowanych, a w Peterborough, położonym zaledwie o 50 minut drogi od stacji King's Cross w Londynie, bankrutuje więcej przedsiębiorstw, niż w jakiejkolwiek innej miejscowości w kraju.

Tak więc, mieszkańcy Richmond-upon-Thames[1], możecie się wyluzować. Głód nie zmusza utrudzonych życiem mieszkańców Sheffield[2] do sprzedawania swoich dzieci na eksperymenty medyczne, więc nie musicie się

---

[1] Południowo-zachodnie przedmieście Londynu.
[2] Miasto na północy Wielkiej Brytanii.

pogrążać w poczuciu winy. I w najbliższym czasie nie ma niebezpieczeństwa, że aby utrzymać północ przy życiu, zostanie wprowadzony, na wzór niemiecki, podatek zjednoczeniowy.

Jednak nie byłbym tego taki pewien. Myślę, że czeka nas naprawdę poważny problem. Otóż uważam, że północ jest w prawdziwych tarapatach. Kiedy dorastałem w Doncaster, wycieczki do Londynu nie stanowiły szoku kulturowego. Owszem, miasto było duże, ale jedzenie było tak samo podłe, obsługa tak samo beznadziejna, a dywany tak samo wzorzyste.

W tamtych czasach ludzie z Doncaster wydobywali węgiel, pracowali w elektrowniach i produkowali pociągi i traktory. Jasne, nie zarabiali tak dużo, jak ludzie prowadzący banki w Tunbridge Wells[3], ale przepaść nie była aż tak głęboka. Teraz już jest. Spędziłem ostatnie parę tygodni w moim rodzinnym mieście i odniosłem wrażenie, że nikt w wieku powyżej 40 lat nie miał zębów, a jedynie sterczące gdzieniegdzie kikuty w kolorze czarnej lawy. Co gorsza, ci poniżej czterdziestki, którzy prosili o autograf, nie mieli bladego pojęcia, jak przeliterować swoje nazwisko.

Przyjemnie jest stwierdzić, że rynek nieruchomości przeżył ostatnio boom, ale domy, o których mowa, zaledwie cztery lata temu kosztowały 500 funtów. To że obecnie kosztują 750 funtów w żadnym razie nie oznacza, że przepaść pomiędzy północą a południem się zmniejsza. Następnie mamy kwestię miast. Deedes mógł malować posępną wizję życia na północy w czasie wielkiej recesji,

---

[3] Miasto na południu Wielkiej Brytanii.

ale z całego serca zachęcam go, by przyjrzał się, jak dziś wygląda na przykład Conisborough[4]. Żadne inne miejsce na północy – absolutnie żadne – nie wywiera tak przygnębiającego wrażenia.

Po pierwsze, we wtorkowy poranek w czasie roku szkolnego wszędzie pełno było dzieci, z których każde próbowało coś mi sprzedać – koła, radia samochodowe, alarmy, cokolwiek. Widziałem coś takiego w Czadzie, w Indiach i na Kubie, ale teraz mówię o miejscu, które leży w odległości zaledwie 240 kilometrów na północ od Marble Arch.

Oczywiście, że w Londynie są uboższe miejsca – na przykład Hackney – ale w Hackney biedota stanowi tylko część mieszanki. W Conisborough nie ma Hoxton Square, gdzie można by troszeczkę odetchnąć. To po prostu mila za milą wybitych szyb i to cholerne Centrum Ziemi[5].

Gdyby dzisiaj dziecko z Doncaster przyjechało do Londynu, dostałoby palpitacji serca. Zobaczyłoby, że wszyscy mają zęby, Land Rovery i umieją pisać. Spojrzałoby na skąpany w ksenonowym blasku świat restauracji stolicy i zaczęłoby zastanawiać się, co u licha ci ludzie wkładają do ust. A co pomyślałoby o torebce Lulu Guinness?

Oczywiście wiem, że miejscowe dzienniki na północy kraju, przy poparciu mieszkańców Harrogate i Altrincham, podważą to, co piszę, jako perorowanie zepsutego pedzia z mediów z południa. Ale lepiej nie bądźcie tacy drażliwi, ponieważ wtedy wszyscy będą nadal myśleć, że u was wszystko jest w porządku. A nie jest.

---

[4] Poprawnie: Conisbrough, miasteczko leżące niedaleko od Doncaster.

[5] Wątpliwa atrakcja turystyczna regionu Doncaster, obecnie już zamknięta, patrz też s. 255.

Wiem, że ludzie na północy są przyjaźni. Wiem, że w miejscach takich jak Conisborough panuje duch wspólnoty. Znam twardą determinację tych ludzi. Wiem o przepięknych krajobrazach. Ale co wybralibyście: zęby czy ładny widok?

Niektórzy urzędnicy ze stukniętej armii Tony'ego mają zostać przeniesieni na północ. Mówiło się też o tym, że BBC ma przenieść część swojego serwisu poza stolicę. Ale myślę, że chodzi tu o Amersham[6].

To wszystko nie wystarczy. W minionym stuleciu południowy wschód wykazywał zaledwie śladowe przyciąganie grawitacyjne dla tych z północy, ale teraz wsysa ich jak czarna dziura. Ostatnie badania wykazują, że jeśli obecne tempo migracji utrzyma się, to za 40 lat na północy nie będzie już nikogo.

Aby potwierdzić te przypuszczenia, wystarczy się przyjrzeć mojemu drzewu genealogicznemu. Od 1780 roku każdy z moich przodków urodził się i żył w Yorkshire. Daje to po pięć pokoleń ze strony ojca i matki – jakieś 2000 osób – z których wszyscy urodzili się, pobrali i zostali pochowani w promieniu 20 kilometrów.

Dziś mieszkam już gdzie indziej i to samo dotyczy wszystkich moich kuzynów. Nawet moja mama, po 70 latach spędzonych w Doncaster, w zeszłym tygodniu spakowała manatki i przeniosła się na południe. Jest wiele rzeczy, które można by zrobić, żeby ponownie zjednoczyć Zjednoczone Królestwo, ale zamiast prawić na ten temat kazania, usiadłem i zastanowiłem się, co takiego byłoby potrzebne, by skusić mnie do powrotu na północ.

---

[6] Miasto położone zaledwie 20 km na północ od Londynu.

Obawiam się, że taka lista byłaby długa i pierwszym jej punktem byłby „milion funtów". A jak to jest z wami? Czy też jesteście byłymi mieszkańcami północy? Co mogłoby skłonić was do powrotu? Dajcie mi znać.

Niedziela, 11 lipca 2004 r.

Utrzymywanie się gwiazd przy życiu zabija rock and rolla

Muszę wyznać, że gdy usłyszałem o zamiarze Morrisseya, który chciał reaktywować zespół New York Dolls na koncert w Londynie tego lata, odrobinę ściągnąłem brwi.

Gdy Dollsi spotkali się we wczesnych latach 1970., nie dysponowali absolutnie żadnymi muzycznymi umiejętnościami. Żaden z nich nie umiał śpiewać, żaden z nich nie umiał na niczym grać i być może właśnie dlatego żadna z wypuszczonych przez nich płyt nie okazała się czymś, co można by określić mianem komercyjnego sukcesu.

Jednak dziś wielu postrzega ten zespół jako jeden z najważniejszych elementów rockandrollowej układanki.

W skrócie, przypisuje się im rolę pomostu między glam a punk rockiem – to oni zapłodnili twórczo grupy takie jak Sex Pistols i Clash w Anglii oraz Ramones i Television w Ameryce.

Byli punkami zanim wynaleziono punk rock, tak więc namawiając ich do występu w pełnym składzie, Morrissey postępował ze wszech miar słusznie i właściwie. Intrygowało mnie jednak, jak zamierza tego dokonać, bo, mówiąc wprost, większość Dollsów już nie żyje.

Pierwszym, który odszedł, był perkusista Billy Murcia. Występując z zespołem, który był supportem podczas angielskiego tournée Roda Stewarta, doszedł do wniosku, że byłoby fajnie zrobić sobie koktajl z szampana i metakwalonu. Gdy był nieprzytomny, jego fani zanurzyli go w zimnej kąpieli i wlali mu do gardła tyle kawy, że się po prostu utopił.

Niezrażeni tym faktem Dollsi zastąpili go gościem o nazwisku Jerry Nolan, który faktycznie umiał grać na perkusji. To jednak doprowadziło do tylu awantur, że Nolan opuścił zespół i przeprowadził się do Szwecji, gdzie zmarł na zapalenie opon mózgowych.

Tymczasem, pogrążony w narkotykowej zamieci, ducha wyzionął gitarzysta Johny Thunders, co znów przywiodło mi na myśl występ w Londynie w reaktywowanym składzie. Kto tak naprawdę miałby wyjść na scenę?

Okazało się, że na scenę wyszedł Arthur „Killer" Kane, który w zespole od początku grał na basie, ale ledwo się trzymał na nogach. Był zupełnie łysy i najprawdopodobniej pod wpływem silnych środków odurzających. Uznano to za normalne. We wczesnym okresie działalności zespołu, Kane często bywał tak bardzo pijany, że musiał udawać nawet swój brak umiejętności grania na basie, podczas gdy jego partię wykonywał pracownik techniczny ukryty za kolumną głośników.

Występ Kane'a nie był jednak normalny. Niestety, „Killer" był chory na białaczkę i w zeszłym tygodniu również i on przeniósł się na tamten świat.

Na kanale ITV pokazują często programy dokumentalne z cyklu „Najniebezpieczniejsze zawody świata", trudno jednak wyobrazić sobie zajęcie bardziej ryzykowne od bycia członkiem zespołu New York Dolls. Tak naprawdę, to w porównaniu z graniem w jakimkolwiek zespole w latach 1960. i 1970., dziewiętnastowieczne prace przy drążeniu tuneli wydają się całkiem bezpieczne. Zespół

The Who stracił basistę i perkusistę, a The Beatles gitarzystę i twórcę piosenek. Może te dwie grupy powinny się połączyć i utworzyć zespół The Whotles, albo lepiej: The Hootles[1]. Jest to pewien pomysł.

Odeszli też Phil Lynott, Janis Joplin, Jimi Hendrix, John Bonham, Jim Morrison, Marc Bolan, Eddie Cochran, Brian Epstein, Duane Allman, większość grupy Lynyrd Skynyrd, Cozy Powell, Alex Harvey, Ricky Nelson, Pete Ham i Tom Evans z AC/DC, połowa zespołu Grateful Dead, Chas Chandler, Johnny Kidd, Rory Gallagher, James Honeyman-Scott i Pete Farndon z grupy Pretenders, John Belushi, Elvis, Patsy Cline, Brian Jones, Stevie Ray Vaughan, Terry Kath z Chicago oraz Sid Vicious. Nawet Carpentersi nie stanowili spokojnej przystani.

Spośród 321 znanych muzyków, którzy w epoce świetności rock and rolla przedwcześnie zmarli, 40 na tamten świat zabrały narkotyki, 36 popełniło samobójstwo, a powalająca liczba 22 rozbiła się w samolotach bądź helikopterach. Trzydziestu pięciu zginęło w wypadkach samochodowych, 18 zamordowano, 9 utopiło się we własnych wymiocinach, a 5 we własnych basenach. Chwytając za gitarę w 1972 roku w Londynie narażano się na większe niebezpieczeństwo niż chwytając za karabin w 1942 roku w Stalingradzie. Wtedy, przychodząc do domu po lekcjach i oznajmiając, że zamierzasz zostać kierowcą formuły jeden, wywoływałeś u mamy westchnienie ulgi: „Bogu dzięki, że nie chcesz grać w jakimś zespole".

Dziś jednak wygląda to inaczej. Pomijając godny odnotowania i szlachetny zarazem przypadek Kurta Cobaina, który za pomocą strzelby rozbryzgał po całej ścianie

---

[1] W wolnym tłumaczeniu: „Niewygwizdywalni".

wszystko, co siedziało w jego głowie, oraz Michaela Hut-chence, który wybrał się na spotkanie ze swoim Stwórcą z pomarańczą w ustach, współczesne gwiazdy rocka naj-wyraźniej cieszą się całkiem niezłym zdrowiem.

O ile się orientuję, żaden z członków Duran Duran jeszcze nie umarł i gdy ostatnio oglądałem Busted, wszy-scy wciąż żyli. Pink też jest w formie. Nawet gościom z Oasis udaje się trzymać z dala od własnych basenów.

Być może na tym polega problem współczesnej muzy-ki. Być może zmniejszająca się liczba słuchaczy Radio 1 i kurcząca się sprzedaż płyt mają coś wspólnego właśnie z brakiem takiego ryzyka. Dawno temu, w 1975 roku, pędziłem co tchu, by zobaczyć jakiś zespół na żywo, częściowo dlatego, że pociągała mnie energia wyzwalana podczas koncertów, a częściowo – być może podświado-mie – z powodu przeczucia, że do końca następnego ty-godnia wszyscy grający w nim muzycy będą już martwi. I na ogół byli.

Tego wszystkiego nie można się spodziewać po Willu Youngu[2]. Widziałem jego występ na festiwalu muzyki w Cornbury w zeszłym tygodniu i mimo że jego piosenki były bardzo udane, wcale nie sprawiał wrażenia, że następ-nego dnia będzie można go znaleźć w hotelowym pokoju pełnym dziwek i kokainy.

Postrzegam go jako wzór do naśladowania dla mojej 10-letniej córki. Ale i tak myślę, że wolałaby, żeby naćpał się heroiną i wleciał swoim prywatnym odrzutowcem w jakąś rafinerię.

Niedziela, 18 czerwca 2004 r.

---

[2] Brytyjski piosenkarz wylansowany w brytyjskim *Idolu* w 2002 roku.

Rozcieńczona czerwona linia Hoona mierzy w złą stronę

300 lat temu Europa uwikłała się w niezwykle skomplikowany konflikt, zwany hiszpańską wojną o sukcesję. Nie mam pojęcia, o co tam poszło – pewnie o Boga – ale wiem, że Wielka Brytania wyszła z rozmów pokojowych dzierżąc w garści nowiutką, błyszczącą kolonię – Gibraltar. Dziś 30 000 mieszkańców trzymających się kurczowo tej skalistej wychodni jest w pełni oddanych Wielkiej Brytanii, i właśnie z tego powodu, w celu uczczenia trzechsetlecia ich wyzwolenia spod rządów Hiszpanii, Królewskie Siły Powietrzne wysyłają tam... orkiestrę dętą. Po ostatnich cięciach budżetowych Ministerstwa Obrony to chyba wszystko, co im pozostało.

Marynarka chciała posłać myśliwski okręt podwodny, ale ten został przetopiony na prasowalnice do spodni firmy Corby. A piechota? Piechota zasłoniła się wymówką, że w chwili obecnej jest zajęta.

Geoff Hoon – cóż dobrego może wróżyć imię Geoff w przypadku ministra obrony! – twierdzi, że jego drastyczne cięcia lepiej dopasują nasze siły zbrojne do zagrożeń, jakie niesie obecny wiek, i oczywiście ma rację. Po co przeznaczać miliardy funtów na kosztowną kwestię bezpieczeństwa ojczyzny, skoro kraje, które są w stanie nas zaatakować, nie chcą tego robić, a te, które nie mogą, i tak tego nie zrobią?

Ludzie mówią, że nasza flota jest mniejsza niż flota Jasia Żaby. I co z tego? Już dawno temu zdaliśmy sobie sprawę, że nie musimy walczyć z Francuzami o panowanie w Gaskonii. Wystarczy znaleźć jakiegoś przyzwoitego pośrednika w handlu nieruchomościami i ją kupić.

Nowy socjalistyczny rząd Hiszpanii jest wściekły w związku z sytuacją na Gibraltarze, ale jedyna armada, jaką dziś może tam wysłać, jest wyposażona w sieci rybackie.

Wiemy, że do wojennych okropności skorzy są Niemcy, ale tak szczerze mówiąc, to czy możecie sobie ich wyobrazić, jak w najbliższym czasie z wściekłością odpalają swoje czołgi? To samo dotyczy Holendrów, którzy są zbyt zajęci kupowaniem Kuby, by stanowić zagrożenie. Na Falklandach też panuje spokój.

Tak więc wszystko, czym powinniśmy się martwić, to kilku zrażonych do nas algierskich młokosów i, mówiąc wprost, wysyłanie atomowego okrętu podwodnego do Sidi Bel Abbes[1] przeciwko zbuntowanemu nastolatkowi sprawia wrażenie przesady.

Niestety, nie patrzymy dalej niż czubek własnego nosa. Hoon dostosowuje kształt sił zbrojnych do zadań i zagrożeń, jakie jest w stanie dostrzec w chwili obecnej, ale kłopoty nadciągają zazwyczaj z najmniej spodziewanej strony. Któż w 1918 roku, gdy świętowaliśmy nasze zwycięstwo nad Niemcami, mógłby przypuszczać, że zaledwie 21 lat później powrócą po jeszcze więcej?

Co więcej, któż w 1970 roku mógłby podejrzewać, że kolejnymi trzema krajami, które zmierzą się z brytyjską potęgą militarną będą Islandia, Argentyna i Irak? Kto

[1] Miasto w północno-zachodniej Algierii.

mógł przewidzieć, że w latach 1990. Kanada i Hiszpania odstawią na środkowym Atlantyku spektakl polityki zastraszania?[2]

Skąd Hoon może wiedzieć, kto będzie następny? Może Belgia? Jest całkiem prawdopodobne, że Sudan, ale może to być Kambodża albo – tu możecie głośno przełknąć ślinę – Rosja.

Łatwo jest mówić, że rozpadło się sowieckie imperium, ale czy nie oglądaliście *Fatalnego zauroczenia*? Myśleliście, że Glenn Close nie żyje, odetchnęliście z ulgą, a tu nagle podnosi się z wanny, trzymając ten wielki, ostry nóż.

Hoon najwyraźniej myśli, że Rosja mimo wszystko nie stanowi zagrożenia. To dlatego poddał w wątpliwość sens zamawiania setek myśliwców Eurofighter – był przekonany, że ten niezwykły samolot został zaprojektowany, aby stawiać czoła niebezpieczeństwu, które już nie istnieje.

Na początku chcieliśmy mieć 232 Eurofightery, ale ostateczne zamówienie opiewa na 55 sztuk. Co więcej, Hoon polecił, żeby te myśliwce przekonfigurować tak, by nadawały się bardziej do atakowania celów naziemnych niż do walk w powietrzu. Algierskie młokosy nie latają na Migach-29, podobnie zresztą jak sudańska milicja Janjaweed i prezydent Zimbabwe, Robert Mugabe. To, czym dysponują, to kwatery główne, które trzeba roznieść w pył z odległości setek kilometrów.

---

[2] Chodzi o tzw. „wojnę turbotową". 9 marca 1995 roku Kanada, twierdząc, że Hiszpania przekracza normy połowu turbotów, przechwyciła u wybrzeży Nowej Fundlandii hiszpański trawler „Estai". Wywołało to ostrą reakcję Hiszpanii i Unii Europejskiej, która działania Kanady nazwała „aktem piractwa". Hiszpania posunęła się nawet do wysłania okrętu wojennego, który ochraniał należące do niej trawlery. Ostatecznie Hiszpania, Unia Europejska i Kanada osiągnęły porozumienie 16 kwietnia tego samego roku.

Niestety, Eurofighter nie był pomyślany do realizacji takiego zadania. Został skonstruowany do walki powietrznej z Iwanem. Został zaprojektowany tak, by wygrać pojedynek na noże w budce telefonicznej. Próba przekształcenia tego samolotu w coś innego jest tak samo głupia, jak kupienie pralki i używanie jej w roli tostera.

Nie przeszkadzałoby mi to zbytnio, ale Hoon postanowił wyłączyć z brytyjskiego arsenału powietrznego myśliwce Jaguar, nie zważając na fakt, że dopiero co przeszły szalenie drogi program modernizacyjny, polegający na wprowadzeniu lepszego radaru, lepszego uzbrojenia i lepszych urządzeń wyświetlających dla pilotów.

Ciężko jest więc stwierdzić, jakie uzbrojenie zostało Królewskim Siłom Powietrznym. W zeszłym tygodniu czytałem, że w ujściu rzecznym The Wash znaleziono stary samolot Mosquito[3]. Mimo iż jest cień nadziei na to, że uda się przywrócić życie jego potężnym silnikom Merlin, jego kadłub z balsy po 60 latach spędzonych w oceanie jest już w znacznym stopniu przegniły.

Oczywiście, że dziś można się spierać, czy Wielka Brytania w ogóle potrzebuje jakichkolwiek sił zbrojnych – jesteśmy przecież niewiele więksi od ptaszka wożącego się na grzbiecie nosorożca, którym jest Ameryka. My wyjadamy pchły, które żyją na jego skórze, a w zamian potężne siły zbrojne Stanów Zjednoczonych wtykają swój róg we wszystko, co uznają za zagrożenie.

W porządku, tylko co się stanie, jeśli nasz nosorożec przestanie być godną zaufania demokracją? Co będzie, gdy pewnego dnia wybierze na swojego prezydenta kogoś z ilorazem inteligencji 92 i ten ktoś postanowi wdać się

---

[3] Brytyjski samolot bojowy z okresu drugiej wojny światowej.

w wojnę z jakimś rozległym, ale raczej nieszkodliwym bliskowschodnim państwem?

Będziemy musieli się za nim wlec. Będzie to nas tak drogo kosztowało, że Królewskie Siły Powietrzne zostaną zmuszone do poważnego zastanowienia się nad odsprzedaniem puzonów swojej orkiestry.

Niedziela, 25 lipca 2004 r.

Hurra! Na moim drzewie genealogicznym rośnie złote jabłko!

W zeszłym tygodniu ogłoszono, że główną atrakcją jesiennego programu telewizji będzie serial pokazujący 10 osób, których nikt z nas nie spotkał, odtwarzających swoje drzewa genealogiczne. Dowiemy się wszystkiego o praprababce Moiry Stuart[1], oraz że Bill Oddie[2] ma siostrę, o której istnieniu nie miał pojęcia.

Wygląda to na nudziarstwo, prawda? Byłem dokładnie tego samego zdania, gdy w zeszłym roku producenci tego programu zwrócili się do mnie z prośbą o uczestnictwo.

Na początku odmówiłem. Własne drzewo genealogiczne to coś w rodzaju osobistej wersji „Historii Wielkiej Brytanii" Simona Schama, i to jest w porządku. Ale cudze? Miało by to tak małe znaczenie, jak „Historia Malezji" Simona Schama. A oglądanie tego w telewizji? To jak oglądanie nagrania wideo z wakacji jakiegoś nieznajomego.

Oczywiście, doskonale rozumiem, dlaczego ludzie szukają śladów swoich przodków, i dlaczego strona WWW ze spisem ludności z roku 1901 roku uległa tak spektakularnej awarii parę lat temu, gdy została zamieszczona w internecie. Powód jest taki sam, jak w przypadku naukowców badających czarne dziury. Chęć poznania, skąd się wzięliśmy, odróżnia nas od zwierząt.

---

[1] Pierwsza czarnoskóra prezenterka wiadomości w brytyjskiej telewizji.

[2] Patrz przypis 2 na s. 109.

Przez lata myślałem czasem o przyjrzeniu się historii mojej rodziny, ponieważ, tak jak każdy, łudziłem się, że byli w niej Jan z Gandawy[3], następnie Warwick the Kingmaker[4], no i ja.

Ale prawda jest taka, że pochodzimy z długiej linii cymbałów, więc nigdy nie chciało mi się tym zajmować. I naprawdę nie mogłem zrozumieć, dlaczego historia mojej rodziny miałaby być podstawą programu telewizyjnego trwającego godzinę. Chyba, że miałby być zatytułowany „Najnudniejszy człowiek Wielkiej Brytanii".

Tak naprawdę, mógłby się nazywać „Najbardziej rdzenny człowiek Wielkiej Brytanii", ponieważ wstępne badania wykazały, że od 1780 roku wszyscy moi przodkowie – a było ich około 2000 – urodzili się w promieniu 20 kilometrów od siebie. To prawdziwy cud, że nie mam tylko jednego oka i wady wymowy.

Tłumaczyłem i tłumaczyłem, że nie ma sensu prowadzić jakichkolwiek dalszych poszukiwań, ponieważ nikt z tych ludzi nigdy nie zrobił niczego choć trochę interesującego. Zmieniłem jednak zdanie, kiedy producenci programu ujawnili, że moja babka ze strony matki nazywała się z domu Kilner. A w dziewiętnastym wieku Kilnerowie byli multimiliarderami. Posiadaczami bogactwa większego, niż śniło się skąpcom. Właścicielami młynów, statków i połowy składów nad Tamizą. Producenci zapytali mnie, czy nie jestem choć odrobinę ciekawy, co stało się z tymi pieniędzmi?

---

[3] Diuk Lancaster, trzeci syn króla Anglii, Edwarda III.

[4] „Twórca królów", Richard Neville (1428–1471) – wpływowy arystokrata, uważany za faktycznego władcę Anglii podczas wojny Dwóch Róż.

Oczywiście, że byłem. Dlatego przez ostatnie sześć miesięcy, napędzany wyłącznie chciwością, jeździłem tam i z powrotem autostradą M1, rozwikłując epicką opowieść o błyskawicznym powstaniu i katastrofalnym upadku brytyjskiego przemysłu wytwórczego.

Bill Oddie odkrył, że ma siostrę, o której nic nie wiedział, a ja odkryłem, że jestem spokrewniony z aktorem Keithem Barronem. Więc będziesz musiał jakoś to przełknąć, brodaczu.

W miarę jak upływały miesiące coraz bardziej dziwiło mnie, jak łatwo jest w tym kraju wydobyć historię na światło dzienne. Miałem do dyspozycji grupę naukowców, którzy wskazywali mi właściwy kierunek, ale dajmy na to w Skandynawii, nawet to na nic by się nie przydało. Tam wszystkie dawne dane zostały zgromadzone w drewnianych kościołach, które na przestrzeni lat spaliły się. To oznacza, że tych danych już nie ma.

Mogłem wejść do publicznej biblioteki w Huddersfield i bez problemu dostać się do oryginalnych zapisów sądowych z procesu o zanieczyszczenie środowiska, który został wytoczony przeciwko mojej rodzinie w 1870 roku. Następnie udałem się na Uniwersytet w Warwick i przeczytałem wszystko na temat strajków, które nawiedziły rodzinne młyny w roku 1880. Znalazłem nawet ślad po wycieczce wędkarskiej, podczas której założyciel dynastii Kilnerów odkrył miejsce na swoją pierwszą fabrykę.

Można napisać do Urzędu Spadkowego z prośbą o kopię testamentu swojego prapradziadka, a w Archiwach Narodowych dowiedzieć się, gdzie mieszkał. Następnie udać się tam – obecni właściciele zazwyczaj mają zdjęcia ludzi, których dzieje badasz.

Znalazłem zdjęcie mojego prapradziadka z roku 1901. Siedział w samochodzie, który sobie kupił, co dziś jest równoważne z posiadaniem odrzutowca biznesowego Gulfstream V. Dlatego nic go nie obchodziło środowisko naturalne i był maniakiem samochodowym...

Oczywiście genealogia najeżona jest trudnościami, wśród których największą jest internet. Niektórzy twierdzą, że jest to nieocenione źródło informacji, ale jedyni Kilnerowie, jakich udało mi się znaleźć w Google, byli członkami amerykańskiej szkolnej drużyny baseballowej. Wydaje się, że nie ma to związku z moimi poszukiwaniami. W cyberlandzie jest wiele firm, które obiecują dowieść, że jesteście prawowitym Diukiem Devonshire, ale kiedy im zapłacicie, dostajecie w zamian tylko jakiś kiepski, głupkowaty herb, który dowodzi jedynie tego, że daliście się wycyckać.

Nawet w rzeczywistym świecie życie tropiciela historii jest ciężkie, ponieważ osiemnasto- i dziewiętnastowieczna pisownia oraz pismo odręczne były do chrzanu. Spędziłem jedno popołudnie czytając o czymś, co wziąłem za historię wytwórstwa szkła, a co mogło być przepisem na lody zapiekane w cieście.

Ponadto, mimo że w Wielkiej Brytanii podejście do akt urzędowych było zawsze bardzo skrupulatne, ludzie zostali zobowiązani do zgłaszania urodzeń dopiero w 1875 roku. Co gorsza, można wydać tysiące funtów i przejechać tysiące kilometrów aby dowiedzieć się, że pochodzi się z rodu odwiecznych pracowników farmy. Albo, jak w najgorszym horrorze, że jest się zaginioną siostrą Billa Oddie'go.

Niedziela, 1 sierpnia 2004 r.

Winę za kolejki na lotniskach ponoszą tępi Darren i Julie

Domyślam się, że w czasie ostatnich paru tygodni każdy z nas był na lotnisku; domyślam się też, że tak jak to jest wymagane, wszyscy pojawiliśmy się tam dwie godziny przed planowanym odlotem. Dlaczego? Dawniej wystarczała jedna godzina, więc dlaczego teraz są dwie?

Zewsząd słychać, że lotniska potrzebują więcej czasu, ponieważ w następstwie wydarzeń z 11 września konieczne było wprowadzenie rygorystycznych kontroli bezpieczeństwa. Ach tak. 11 września. Wymówka, która działa świetnie w absolutnie każdym przypadku.

Jasne, zamach na WTC w Ameryce spowolnił naszą szybkość przebywania lotniska do tego stopnia, że teoretycznie jesteśmy klasyfikowani jako osoba zaginiona.

To wszystko dlatego, że przed atakami Amerykanie traktowali samoloty tak, jak my traktujemy autobusy. Na przykład linie lotnicze nie musiały nawet przyporządkowywać bagażu do pasażera. Poziom bezpieczeństwa był tak niski, iż jestem zaskoczony, że samobójczy dżokeje bin Ladena ograniczyli się do noży do wykładziny. Spodziewałbym się, że mogli wejść na pokład obwieszeni kałaszami i z pudełkiem rakiet pod pachą.

Teraz jednak wahadło przechyliło się w zupełnie przeciwną stronę. Amerykanie nie wpuszczą cię do samolotu, jeśli wcześniej nie zniszczą ci laptopa, a pół tuzina spanieli nie obwącha dokładnie twoich butów.

Natomiast tu, w cywilizowanym świecie, gdzie mamy Czerwone Brygady i grupę Baader-Meinhof[1], o porywaniu samolotów od 30 lat wiemy wszystko. Dlatego nasze lotniska zawsze działały jak instytucje prowadzące badania jądrowe. Zawsze podczas odprawy atakowano nas gradem pytań. Zawsze zanim wystartował samolot, bagaże musiały zostać przyporządkowane do pasażerów. A policjanci zawsze byli ubrani jak Vin Diesel.

O ile mi wiadomo, w rzeczywistości jedyna różnica między europejskimi podróżami lotniczymi sprzed 11 września i po 11 września polega na tym, że teraz przed wejściem na pokład trzeba wyrzucić wszystkie sztućce do wielkiego kosza na śmieci. Po co więc te dwie godziny wymagane na odprawę?

Jest to źródłem wielkich napięć małżeńskich w moim domu. Moja żona zawsze nalega, by pojawić się na lotnisku wtedy, kiedy każą, tymczasem ja uważam, że 40 minut to i tak mnóstwo czasu.

Lubię przechodzić odprawę jako ostatni, ponieważ walizki załadowane do luku jako ostatnie zostaną wyładowane jako pierwsze, i lubię być witany na pokładzie samolotu przez stewardesę, która cmoka z niezadowoleniem i często spogląda na zegarek.

A teraz gwóźdź programu: nigdy nie spóźniłem się na samolot.

W głębi duszy zawsze przypuszczałem, że wymóg dwóch godzin na odprawę wynika tylko z tego, że kierownictwo lotniska wykorzystuje katastrofę World Trade Center jako pretekst, byśmy spędzali w ich sklepach

---

[1] Inaczej Frakcja Czerwonej Armii, lewicowa organizacja terrorystyczna, działająca w Niemczech od lat 1970. do roku 1998.

dodatkową godzinę, wydając więcej na konwertery walut, ostrygi i dmuchane poduszki.

Moja żona, która gdy to piszę pakuje się już na nasz wyjazd wielkanocny, mówi, że jestem cyniczny. No dobra. Jeśli środki bezpieczeństwa pozostają te same i nie ma to nic wspólnego z terapią sklepową przed odlotem, to dlaczego wymagają od nas tych dwóch godzin? Dlaczego ktoś sądzi, że przejście z jednej strony budynku na drugą zajmuje aż tyle czasu?

Może ma to coś wspólnego z otyłością? Czy jesteśmy już wszyscy tak olbrzymi, że przemieszczamy się z prędkością buldożerów? Ponieważ mamy na lotniskach tyle ruchomych chodników, raczej nie sądzę. Więc dlaczego? Przez dwie godziny można by odpakować i przebudować wszystkie urządzenia elektroniczne jakie mam w walizce, dokonać operacji endoskopowej na moim brzuchu, przeprowadzić szczegółowe dochodzenie na temat wszystkich moich krewnych i wciąż jeszcze zostałoby mi wystarczająco dużo czasu na zakup 200 fajek i puszki tych obrzydliwych kruchych ciasteczek z Harrodsa. W ciągu dwóch godzin mógłbym zaparkować na Gatwick i zdążyłbym złapać samolot odlatujący z Manchesteru.

Podejrzewam, że odpowiedź na to pytanie można z powodzeniem znaleźć, gdy przeanalizuje się system klas w samolotach. Jeśli leci się klasą pierwszą albo biznesową, można zameldować się do odprawy 60 minut przed odlotem. Tylko ludzie z klasy turystycznej proszeni są o przybycie dwie godziny wcześniej.

Pozornie wydaje się to głupie. Ludzie z pierwszej klasy też muszą przecież odebrać kartę pokładową. Ich walizki także muszą zostać załadowane do samolotu. I nie mówcie mi, że ruchome chodniki w części „dla wybranych" poruszają się choć trochę szybciej, niż 400 chodników dla zwykłych śmiertelników – bo zapewniam was, że tak nie jest.

Dlaczego więc pasażer z kartą klubową miałby być w stanie dostać się do samolotu w godzinę, podczas gdy ludzie siedzący z tyłu potrzebują na to dwóch? Czy szefowie lotniska sugerują, że ci drudzy nie potrafią odczytywać tablic ze wskazówkami i często się gubią? Czy twierdzą, że ludzie z klasy turystycznej nie potrafią przejść obok punktu z hamburgerami nie mogąc oprzeć się pragnieniu napchania się frytkami? Czy mamy rozumieć, że gorzej sytuowani nie znają się na zegarku?

Zastanówmy się. To zawsze ludzie o imionach Darren i Julie muszą być wzywani przez głośniki. I to jedynie ci o nieświeżym oddechu, ubrani w futbolowe T-shirty przez pół godziny stoją w kolejce do bramki do wykrywania metalu i dopiero na miejscu wyjmują z kieszeni nożyczki i scyzoryki. A kiedy po raz ostatni widzieliście, jak jakiś biznesmen grzebał w poszukiwaniu paszportu dopiero przy okienku odprawy?

Może o to właśnie chodzi. Chcą, żebyśmy zjawiali się na lotnisku dwie godziny wcześniej, ponieważ w Bezmózgiej Brytanii wszyscy są zbyt tępi, by zdążyć do samolotu w krótszym czasie.

Może rozwiązaniem tego problemu mógłby być narodowy standard inteligencji. Ludzie z Mensy mogliby być odprawiani na dwie minuty przed odlotem. Zaś ci o niepokojąco długich ramionach musieliby się pojawić na lotnisku nieco wcześniej.

Niedziela, 22 sierpnia 2004 r.

Ozżmy się pisać nowocześnie, tak jak nasze dzieci

Gdy w zeszłym tygodniu zapytano amerykańskiego studenta, którego lot został opóźniony o 12 godzin, co myśli o chaosie, jaki zapanował na Heathrow, odrzekł:
– Jestem obecnie tak wyczerpany, że… no wiesz…
To ciekawe. W tym roku wybrałem się na wakacje z dwiema trzynastoletnimi dziewczynkami. Chwila, wróć. Sformułujmy to jaśniej. Wybrałem się na wakacje, na których były też dwie trzynastoletnie dziewczynki. Jedna z nich, nieustannie bombardowana SMS-ami od niedoszłego adoratora, powiedziała do tej drugiej:
– To jak… no wiesz…
W świecie mojej córki prawie wszystko jest „no wiesz…".
Brzydka pogoda jest… no wiesz. Początek nowego półrocza w szkole jest… no wiesz. 37-kilometrowy maraton, w którym pobiegała Paula Radcliff[1] jest… no wiesz. Jednak co najdziwniejsze, Led Zeppelin jest… „cool".
Jestem pewny, że wasze dzieci mówią tak samo. Jestem też przekonany, że dłuższe zdania wypowiadają płaskim, monotonnym głosem, kończąc je intonacją, która zagina się ku górze jak ogon skorpiona.
Podejrzewam, że ten niewiarygodnie irytujący sposób wypowiadania się dzieci podchwyciły oglądając australijskie programy telewizyjne w zbyt dużej dawce.

[1] Brytyjska biegaczka długodystansowa.

Połączmy te wzorce wymowy z „no wiesz", które przyszło do nas z pewnej doliny w Los Angeles, wypełnionej wyłącznie blondynkami i różem, a dojdziemy do zaskakującego wniosku. Dziewczynka urodzona w Londynie i wychowana w hrabstwie Oxford, mówi z akcentem pochodzącym gdzieś ze środka Oceanu Spokojnego. Tak, dzięki telewizji satelitarnej, moja córka mówi po polinezyjsku.

To jeszcze nie koniec świata, bo kiedyś z tego wyrośnie, tak samo jak wy i ja po pewnym czasie przestaliśmy nazywać zespół Emerson, Lake and Palmer „awangardowym" a trance'owy styl Goa – „modnym".

Może jednak nie wyrosnąć z silnego przekonania, że „trzymaj się" jest pisane przez „3" na początku, a „odwal się" jakimś dziwnym trafem ma w sobie cyfrę „2". Ten nowy język przelał się teraz z jej telefonu komórkowego do jej listów z podziękowaniami i do zadań domowych.

Puryści rodem z „Daily Telegraph" uważają, że txt spk[2] oznacza koniec poprawnej angielszczyzny i wściekają się z tego powodu, ale tak naprawdę ciężko jest pojąć dlaczego.

Tylko pomyślcie. Gdy pismo obrazkowe i hieroglify zostały zastąpione literami i cyframi, czy ludzie malowali zielonym atramentem na ścianach jaskiń gniewne rysunki, przedstawiające „nowe pismo" jako szatański wymysł? „Wyobraźcie sobie, że musicie»napisać«do gzty o tym, że usłyszeliście śpw jskłki. O ile prościej jest ją narysować…"

Przez całe wieki wybitni ludzie pracowali nad słowem pisanym, modyfikując w nieskończoność litery tak, by mogły być jeszcze szybciej przenoszone na papier i jeszcze

---

[2] Właściwie „text speak" – język stosowany w korespondencji SMS-owej. Polega na pisaniu skrótami, opuszczaniu niektórych samogłosek (głównie) i spółgłosek oraz zastępowaniu części słów podobnie brzmiącymi cyframi.

łatwiej odczytywane. Nikt nie narzekał, na przykład, na wprowadzenie minuskuły karolińskiej. Po prostu używano jej aż do czasu, kiedy postanowiono, że lepiej sprawdzi się kanciasty gotyk. I wtedy zaczęto używać gotyku. Również i alfabet zmieniano bez końca, dostosowując go do bieżących potrzeb. Do czasu wynalezienia kanapy i regulatora jasności oświetlenia, w wyniku czego powstał podręcznik Nancy Mitford[3] informujący co przystoi, a co nie, wydawało się, że litera „U" jest zupełnie niepotrzebna. Nie wcześniej niż w piętnastym wieku otrzymaliśmy do dyspozycji „J". Mimo że „W" pojawiło się już w dziesiątym wieku, współcześni Niemcy najwyraźniej radzą sobie znakomicie stosując zamiast niego „V". Poza sytuacją, kiedy dyrektor naczelny Astona Martina w Niemczech usiłuje wymówić „vanquish"[4].

Geoffrey Chaucer zamiast „nostrils" – nozdrza, pisał „nosethriles". Szekspir w każdym z pięciu przypadków, o których wiadomo, że osobiście się podpisał, inaczej literował swoje nazwisko. Pisownia nie była problematyczna zanim nie pojawiła się szkoła, a wraz z nią potrzeba wypełniania dzieciom czasu czymś więcej niż nauką o płodozmianie.

Obecne czasy obfitują w czynności rozpraszające. Trzeba zlokalizować sygnał dla swojego telefonu BlackBerry, ściągnąć trochę muzyki garage na iPoda, a oprócz tego wciąż trzeba mieć czas na pracę, gotowanie, sprzątanie domu i skopanie czyjegoś tyłka na PlayStation. Tak więc szybkie pisanie to cholernie dobry pomysł.

---

[3] Powieściopisarka (1904–1973), wprowadziła podział na język wyższy i potoczny (*U* i *non-U English*, U pochodzi od *upper-class* – klasa wyższa).

[4] Model Astona Martina, w tłumaczeniu: „pogromca".

W college'u na dziennikarstwie uczono mnie pisma stenograficznego i mimo że nie byłem z tego przedmiotu zbyt dobry – na egzaminie końcowym oszukiwałem: przyniosłem ze sobą magnetofon, a pod długimi włosami ukryłem słuchawkę – to i tak zdaję sobie sprawę z tego, że stenografia sprawdza się o wiele lepiej niż tradycyjny, fonetyczny alfabet.

Niektórzy, nawet bez pomocy długich włosów i słuchawek, wesoło pisali sobie 110 słów na minutę, czyli przeszło dwa razy więcej niż można było osiągnąć pisząc „poprawnie". Dlaczegóż więc, skoro stenografia tak dobrze działa, wciąż uparcie trwamy przy ABC, przy języku gęsiego pióra?

Zmieniliśmy sposób pisania, gdy ptasie pióra zostały wyparte przez te z cienką stalówką. Dlaczego nie zmienić go również i teraz, gdy silikonowe impulsy wypierają długopis? Na tradycyjnej klawiaturze nie można stenografować, ale można pisać w stylu txt spk. Wszystko będzie doskonale czytelne: „dziś pszdłm do lkrza, ktr pwdzł, że moje ciśn krw jst cłkm w porzo". Którego fragmentu tekstu nie możecie zrozumieć? No cóż, język bez samogłosek. Walijczykom jakoś to nie przeszkadza.

Uznanie txt spk za nowy alfabet oznaczałoby, że co tydzień mógłbym na tym małym, pogniecionym skrawku gazety zmieścić dla was więcej treści. A ponieważ płacą mi od słowa, też bym na tym lepiej wyszedł. To byłoby „cool". Byłoby zabawnie, gdyby księgowi gazety musieli odrzucić moją prośbę o podwyżkę, mówiąc, że to jest... no wiesz...

Niedziela, 29 sierpnia 2004 r.

Odkryłem najwyższą formę życia: osy

W zeszłym tygodniu w środowiskach naukowych wiele się mówiło o pochodzeniu i znaczeniu międzygwiezdnej wiadomości radiowej wychwyconej przez teleskop w Puerto Rico.

Dla niewprawnego ucha brzmi ona jak Clanger rozmawiający z Soup Dragonem[1], ale dla osób biorących udział w programie SETI poszukującym pozaziemskiej inteligencji, mógł to być „pierwszy kontakt", pierwszy prawdziwy dowód, że nie jesteśmy sami we wszechświecie.

Kusi mnie by zapytać: „Skąd wiemy, że ta wiadomość była przeznaczona dla nas? A co wtedy, jeśli była skierowana do jakiegoś innego gatunku zamieszkującego Ziemię? W jaki sposób zachowałby się nadawca wiadomości, gdyby odkrył, że ktoś przechwycił jego międzygalaktycznego e-maila?". Mam przerażające przeczucie, że jego prawdziwym adresatem mogą być osy, których ilość w tym roku jest większa niż kiedykolwiek. Na pewno musieliście zauważyć, że odkąd odebrano ten sygnał, nie da się wyjść z domu nie natykając się na bzyczenie.

Istnieje mnóstwo dowodów na to, że osy nie pochodzą z tego świata. W przeciwieństwie do wszystkich innych

---

[1] Bohaterowie brytyjskiego serialu dla dzieci *The Clangers* z lat 1970., opowiadającego o istotach pozaziemskich, porozumiewających się za pomocą specyficznych gwizdów.

zwierząt, z ewentualnym wyjątkiem sowy i Australijczy-
ka, są do niczego nieprzydatne. Nie wchodzą w skład łańcucha pokarmowego, nie umieją wytwarzać miodu i nie są
puchate. Natura ma w zwyczaju eliminować swoje najbardziej nieprzydatne eksperymenty. Dinozaury przeniosły
się na tamten świat po tym, gdy stały się zbyt duże, a ptaki
dodo, gdy niewłaściwie pokierowały rozwojem skrzydeł.

Ale ci spiczaście zakończeni i zadziwiająco nieprzydat-
ni żołnierze wciąż istnieją. Dlaczego?

To jeszcze nie wszystko. Osy potrafią wyczuć miseczkę-
kę cukru z odległości ośmiu kilometrów. W jaki sposób?
Przecież cukier nie pachnie. Co więcej, potrafią organizo-
wać trasy przelotowe ze swoich gniazd do znanych źródeł
pożywienia. Znów pojawia się pytanie: w jaki sposób to
robią? Czyżby zostały przeszkolone w zawiłościach kontroli ruchu lotniczego?

Oto kolejny argument: osy są mściwe. Prawie każda
żywa istota atakuje, gdy jest głodna lub zagrożona, tymczasem osa atakuje, jeśli się ją w jakiś sposób rozzłości.
Samorządy lokalne, zazwyczaj pełne kochających zwierzęta ludzi o mentalności proekologicznej, do znudzenia
produkują ulotki ukazujące osę jako łagodny aspekt brytyjskiego lata – coś w stylu latającej pokrzywy – zapomi-
nając zapewne, że każdego roku osy zabijają więcej ludzi,
niż rekiny, aligatory, pioruny, skorpiony, meduzy i pająki
razem wzięte.

A co powiecie na to: osa potrafi złożyć jaja wewnątrz
gąsienicy, wiedząc, że gdy wylęgną się z nich małe osy,
będą mogły zjeść to stworzenie od środka. Ale najlepsze
przed nami. W normalnym przypadku układ odporno-
ściowy gospodarza zniszczyłby jaja, zanim coś zdążyłoby

się z nich wykluć. Osy omijają ten problem: ich jaja pokryte są wirusem, który modyfikuje genetycznie gąsienicę, tak że ignoruje ona inwazję. Innymi słowy, osa potrafi zmodyfikować samą istotę innej istoty.

Biologowie zbadali tego wirusa i odkryli, że nie istnieje on nigdzie indziej na Ziemi. Stwierdzili również, że pochodzi sprzed ponad 100 milionów lat... czyli z czasów, w których została wysłana owa niezwykła wiadomość radiowa.

Być może zainteresuje was fakt, że osy zjadają meble ogrodowe. Przeżuwają drewno, mieszając je ze śliną, aby wytworzyć masę papierową, z której budują swoje gniazda. A my myślimy, że to delfiny są inteligentne. Ponadto osy są w dużej mierze niezniszczalne. Mam elektryczną rakietę tenisową, która sztukę zabijania insektów zamienia w sport. Zamiast z katgutu, struny zrobione są z metalowych linek podłączonych do silnej baterii. Jedno dotknięcie zabija wszystko, z dużym psem włącznie, ale osy? Te po prostu sobie siedzą, kręcąc się tam i z powrotem, do czasu, aż zdejmiesz palec z przycisku, kiedy to odlatują jakby nigdy nic.

Zupełnie niedawno, celując – muszę to przyznać – cholernie dobrze, przeciąłem osę dachową na pół przy pomocy noża do mięsa. Tak miażdżący cios natychmiast zabiłby delfina Flippera – ale nie osę. Jej głowa wciąż żyła i kołysała antenką, być może nadając w przestrzeń kosmiczną informację o moim położeniu.

W tym miejscu musimy przejść do obyczajów godowych osy, które są co najmniej dziwaczne. Gdy lato zbliża się ku końcowi, męskie osobniki wytwarzają olbrzymią kołderkę ze spermy, w której królowa zapada w sen zimowy. Gdy budzi się na wiosnę, wykorzystuje spermę do zapłodnienia jaj i cały cykl się powtarza.

Ten proces skłania do zadania paru pytań. Na przykład, w jaki sposób osa wytwarza spermę. W grę musiałaby wchodzić masturbacja, a ciężko to sobie wyobrazić: 10 000 os w gnieździe, z których każda rozpędza pikarda. Wiemy, że produkują papier do budowy gniazd, ale do czego jeszcze go używają? Drukują na nim pisemko „Napalone Rudawe Osy"? „Dobra, dawaj już tę rozkładówkę z naszą królową".

Wydaje się to mało prawdopodobne. Wydaje się to jeszcze mniej prawdopodobne, gdy okazuje się, że po lecie spędzonym na gromadzeniu białka dla młodych, wraz z nadejściem jesieni, dorosłe samce os mogą do woli obżerać się gnijącymi jabłkami. To sprawia, ze stają się grube, leniwe i pijane.

Może to właśnie dlatego zarejestrowano tę wiadomość radiową. Może obce istoty, które sprowadziły osy na Ziemię, kontaktują się z nimi by ustalić, dlaczego nie osiągnęły jeszcze dominacji nad światem. Wątpię, czy będą zadowolone dowiadując się, że ich armia została zwyciężona przez jabłka odmiany „Granny Smith".

Niedziela, 5 września 2004 r.

Czyhają na mnie lekarze

Wczorajsze popołudnie spędziłem prawie nago, w zaciemnionym pokoju, podczas gdy atrakcyjna blondynka
nakładała masę ciepłego żelu nawilżającego na większą
część mojego miękkiego podbrzusza. Brzmi to jak niezła
frajda. Niestety – było to badanie USG, stanowiące część
badań lekarskich, jak na razie czwartych w tym roku.

Zostałem wyssany do dna, napompowany i zgięty
wpół. Zadano mi szereg pytań tak bezczelnych, że przy
nich nawet Paxman[1] wypada blado. Byłem sondowany,
uderzany, łaskotany, zrobiono mi wymazy i prześwietlenia i zapomniałem, jak to jest robić siusiu w ubikacji.
Ostatnimi dniami oddaję mocz jedynie do małych, plastikowych fiolek.

Problem polega na tym, że zanim towarzystwa ubez-
pieczeniowe wystawią klientowi polisę, chcą być zupełnie pewne, że ten nie spodziewa się wizyty kostuchy. Co
z pewnością przypomina trochę zaglądanie w karty roz-
dającego zanim zrobi się zakład.

Co gorsza, ubezpieczenie w żadnym razie nie jest jedynym powodem, dla którego przechodzi się badania lekar-
skie. Trzeba je zrobić do prawa jazdy kategorii C, przed

---

[1] Brytyjski prezenter telewizyjny, słynący z bezpardonowego stylu prze-
prowadzania rozmów z gośćmi swojego programu.

wzięciem hipoteki i do pracy. I dosłownie każda organizacja nalega, by przejść jej indywidualny tok badań.

Doszło do tego, że mój miejscowy lekarz zatrudnia osobę, która spędza połowę każdego tygodnia zajmując się wyłącznie ludźmi, którzy chcą wziąć kredyt na pięć kawałków, aby rozbudować kuchnię. A przeze mnie nawet tym nie jest w stanie porządnie się zająć. Ponieważ mam tyle kontraktów z tak wieloma osobami i ponieważ wiecznie wsiadam do myśliwców, zostałem Najczęściej Badanym Człowiekiem Świata. Dzięki temu jestem teraz wiodącym ekspertem w sprawach medycznych.

Kiedy zaczynałem szkołę, lekarz chwycił mnie za jądra i kazał zakaszleć. Równie dobrze mógł sprawdzić, że moje odruchy były w porządku lekko uderzając mnie w kolana małym młoteczkiem, ale uwaga – to była szkoła prywatna, więc huzia do moich spodni.

Żeby to było tak proste również i teraz! Dziś zaraz na początku słyszy się pytanie:

– Czy ma pan AIDS?

Cóż, jeśli nie można tego złapać wylegując się przed telewizorem, ani chodząc na przyjęcia w Cotswolds, to szczerze wątpię.

Drugie pytanie dotyczy tego, czy ma się słabość do odrobiny seksu z osobą tej samej płci. Chciałbym tu wyjaśnić pewną rzecz. Wiem, że w mediach nie występują ludzie głosujący na Partię Konserwatywną, ale pojawia się wielu heteroseksualnych i ja jestem jednym z nich. I nie, nie spałem nigdy z prostytutką z Afryki Wschodniej, a jedyną igłą, jaką widziałem przez ostatni tydzień jest ta, którą zaraz wbijecie mi w ramię, by sprawdzić, że nie kłamię.

Fakt, że wypalam 60 papierosów dziennie i jeżdżę jak wariat, wydaje się nie robić na nich wrażenia. Dopóki nie dotrzemy do 442 strony formularza.

Kiedy są już zupełnie pewni, że nie jesteś pochodzącą z Glasgow, naćpaną heroiną męską prostytutką, której dziewczyna pochodzi z Nairobi, przechodzą do pomiaru ciśnienia tętniczego krwi. Moje wynosi 100/60, tak samo jak w zeszłym tygodniu, gdy ubezpieczyciel Norwich Union kazał mi przeprowadzić te same bzdurne badania.

Następnie sikam do kolejnego pojemniczka, a później siedzę, podczas gdy pielęgniarka próbuje wydobyć ze mnie ostatnie resztki krwi pozostałe po tym, co towarzystwo inwestycyjne Scottish Widows pobrało w zeszłym miesiącu. Po tych wszystkich badaniach krwi, jakie zrobiłem w tym roku, nie mógłbym być jej dawcą nawet dla zranionej myszy polnej. Nic dziwnego, że mam takie niskie ciśnienie: jestem pusty.

Gdy zbadane zostaną wszystkie moje płyny, lekarz zwykle wsadza całą swoją głowę do mojego tyłka. W każdym razie coś takiego czuję. „Aaaaaaaaaaaa" – mówię na ogół, dopóki doktor nie wydostanie się z niego, by wyjaśnić, że był tam tylko jego palec.

Potem prowadzą mnie na wagę, która w gabinetach lekarskich zawsze ustawiona jest tak, by zawyżać wynik. Ważę 95 kilogramów, minus parę kilo krwi i moczu, które ze mnie wyssano. Ale w gabinecie lekarskim zawsze ważę tyle, co Latający Szkot[2]. Jest to korzystne z punktu widzenia towarzystwa ubezpieczeniowego. Czy ktoś słyszał kiedyś o otyłym narkomanie? I co więcej, otyli są *ipso facto*

---

[2] Patrz przypis 2, s. 57.

nieatrakcyjni, a więc jest mniej prawdopodobne, że będą mieli coś wspólnego z seksem faceta z facetem.

Pod koniec sesji, po tym, jak wszyscy w poczekalni zmarli już na wszystkie możliwe choroby, które ich tam zaprowadziły, zostaniesz zapytany o medyczną historię całej twojej rodziny, od połowy osiemnastego wieku począwszy.

Po co? Nawet po tym, gdy doktor stuknie cię w łokieć swoim młoteczkiem i poprosi cię o przeczytanie znaczków na tablicy, wciąż nie będzie wiedział, czy w mózgu nie masz guzów wielkości kasztanów, ale mimo to wypełni formularz.

I będziesz mógł wyruszyć w drogę do kolejnego gabinetu.

Wszystko to jest kompletną stratą czasu. Moich badań jeszcze nie skończyłem, ponieważ zawsze na pewnym etapie całej procedury lekarz ogólny wykrywa coś, co wymaga dalszej diagnostyki. To oznacza wyprawę do szpitala, a tam człowiek gubi drogę.

Tak było w moim przypadku. W ten sposób znalazłem się na łóżku w zaciemnionym pokoju, gdzie piękna blondynka smarowała mnie żelem KY. Następnie pojeździła głowicą ultrasonograficzną po całym moim brzuchu, po czym włączyła światło i przekazała mi radosną nowinę. Nie jestem w ciąży.

Niedziela, 12 września 2004 r.

Zróbmy naszej armii firmowe naszywki

W tym tygodniu wszedł do sklepów nowy typ buta. Jest szary, wyprodukowano go w Wietnamie i kosztuje 39 i pół funta. Albo 79 funtów, jeśli chcecie kupić drugiego do pary.

Można by się spodziewać, że w świecie, w którym rządzą buty sportowe z systemem Motion Control Air Sprung firmy Nike, ten raczej nieciekawy i drogi produkt okaże się komercyjną klapą. Ponieważ jednak owe buty testowane były przez kogoś, kto ma kumpla w siłach zbrojnych, na ich pudełkach widnieją wojskowe emblematy. Dzięki temu te buty stały się „obuwiem sportowym Armii Brytyjskiej", co daje im siłę przebicia o jakiej Nike może tylko pomarzyć.

Pogoń za marką osiągnęła już takie stadium, że w ogóle nie liczy się sam produkt. Ważne jest tylko logo. Można obecnie skorzystać z oferty rozpinanych swetrów z logo JCB[1] i wyskoczyć do sklepu monopolowego po wódkę Kałasznikow – celny strzał w głowę gwarantowany. Ile jeszcze czasu upłynie zanim Cadbury zwiąże się z romansami, a Louis Vuitton z przemysłem samochodowym?

Nawet najmniej ciekawe i zupełnie nieprzydatne produkty można ożywić przez wybór odpowiedniej marki. Hotel, na przykład, może podnieść swoje ceny, jeśli wprowadzi

---

[1] Producent ciężkich maszyn budowlanych, rolniczych i przemysłowych.

do łazienek szampony firmy Gilchrist & Soames. Co to za firma, ten Gilchrist & Soames? Bóg jeden raczy wiedzieć, ale samo brzmienie tej nazwy, w stylu „niania dobrze wie, co najlepsze", jest już pociągające. Czujemy, że takie kosmetyki roztoczą poświatę czystości w okolicach naszych miejsc intymnych.

Ja nie mam z tym problemu. Gdy jestem w sklepie i mam do wyboru dwa rozpinane swetry, które wyglądają na podobne, wybieram ten z logo JCB. To z powodu podprogowego założenia, że właściciel tej firmy, Anthony Bramford, osobiście doglądał owiec, z których pochodzi wełna na ten sweter, a jego żona, Carole, zrobiła go na drutach. Z pewnością w takich przypadkach pojawia się też sugestia, że firma nie chce marnować pięćdziesięciu lat swojej ciężkiej harówki i przyczepiać swojej metki do byle czego.

Prestiżowe logo niezdecydowanym klientom daje dobre samopoczucie i przekonanie, że ich pieniądze nie poszły na jakąś tandetę.

Idealnie byłoby więc mieć garnitur z logo Knight, Frank & Rutley[2], telefon komórkowy Boeinga, samochód firmowany przez Bausch & Lomb, meble Holland & Holland[3], przybory kuchenne z Mercedesa-Benza, dzieci z Umy Thurman, włosy pod pachą od tajemniczego producenta Gilchrist & Soames i, co najlepsze, buty Armii Brytyjskiej.

Po raz pierwszy w historii wojsko patronuje produktowi komercyjnemu i nie ulega wątpliwości, że czyniąc to, wkracza na pole minowe. Pułkownik Robert Clifford,

---

[2] Doradca i pośrednik na rynku nieruchomości.

[3] Brytyjski producent broni palnej.

dowódca Królewskiej Lekkiej Brygady Sponsoringu, powiedział w tym tygodniu: „Musimy być wyjątkowo uważni, z czym wchodzimy w związek". I to jeszcze jak, chłopie!

Prawdopodobnie można by sobie pozwolić na firmowanie przez Armię Brytyjską Land Rovera albo lornetki w kolorze khaki – przecież Armia Szwajcarska od lat sponsoruje scyzoryki. Podejrzewam, że również i piwo Armii Brytyjskiej byłoby warte spróbowania.

Myślę jednak, że „wojskowym" pierogom z mięsem i „wojskowym" fryzurom groziłoby ogromne fiasko. Najprawdopodobniej nie byłbym zainteresowany spędzeniem „wojskowych" wakacji. To mogło być ciekawe 100 lat temu, gdy nasza armia stacjonowała na Cejlonie i na połowie Karaibów, ale dziś żołnierze jeżdżą już tylko do Belfastu, do Belize i do Basry.

Tu napotykamy na problem.

Niewielki przychód wygenerowany ze sprzedaży land roverów, lornetek i piwa w żaden sposób nie zrównoważy głosów protestu sprowokowanych przez takie właśnie posunięcia reklamowe.

A gdyby taki układ zadziałał na odwrót? Zamiast patronować komercyjnym produktom, armia mogłaby otrzymać wsparcie od ich wytwórców.

Każdy zadziera głowę gdy na niebie pojawia się śmigłowiec bojowy Apache, dlaczego więc nie sprzedać przestrzeni reklamowej na jego bokach? Jasne, podczas wojen trzeba by zasłaniać logo Pepsi, bo jest trochę krzykliwe, ale w czasie pokoju – czemu nie?

Do tej akcji powinny się przyłączyć wszystkie rodzaje wojsk. Mielibyśmy wtedy *easy*-niszczyciele i samoloty transportowe „Lastminute.com". Marlboro, jestem tego pewny, zapaliłoby się do współpracy z Czerwonymi Strzałami[4]. Lokalne firemki też mogłyby się na to załapać, sponsorując indywidualnych żołnierzy. „Sierżanta Briana Griffithsa sponsoruje firma Cartwright & Jones, dostarczająca twojej rodzinie mięso nieprzerwanie od 1897 roku".

Łatwo mówić, że to absurdalny pomysł, ale co byście woleli? Mieć okręt wojenny HMS „Persil" czy nie mieć okrętu wojennego wcale? Bo niewykluczone, że niedługo staniemy przed takim właśnie wyborem. I nie powtarzajcie w kółko argumentu, że sponsoring podminuje godność najbardziej zwycięskiej armii w historii cywilizacji.

Czy ta godność polega na tym, że żołnierzowi pozwala się zużyć maksymalnie 10 magazynków ostrej amunicji rocznie? Czy ta godność polega na tym, że nie stać naszej marynarki na wypłynięcie okrętami w morze? I na pływaniu na jednym silniku, jeśli już się tam znajdzie? Czy ta godność polega na lataniu myśliwcem bez uzbrojenia, bo nie stać na nie Ministerstwa Obrony? W wiadomościach słyszymy, że nasi żołnierze w Iraku korzystają ze swoich własnych telefonów komórkowych, bo należący do armii sprzęt radiowy nie może złapać nawet Terry'ego Wogana[5]. Przykro mi, ale to też nie wygląda na godność.

Nie sugeruję, by żołnierz, który rzuca się do ataku, wyglądał jak kierowca wyścigowy formuły pierwszej. Istnieje tu pewien rozsądny kompromis. Jako wzór przychodzą mi na myśl małe, dyskretnie umieszczone logo, w stylu

---

[4] Zespół Akrobacyjny Królewskich Sił Powietrznych. Nazwa pochodzi od biało-czerwonych barw samolotów tej formacji.

[5] Prezenter stacji BBC Radio 2.

tych dopuszczonych podczas Wimbledonu: niewiel-
ka naszywka na naramiennik munduru, która byłaby widoczna w obiektywach kamer i pozwoliłaby
stwierdzić, że ten, kto ją nosi, jeździ Audi.

Niedziela, 19 września 2004 r.

Idź do szkoły, poznaj świat

Wydaje mi się, że każdego ranka otwieram gazetę po to, by moim oczom ukazało się zdjęcie kolejnej opalonej dziewczyny, która mając rok przerwy przed studiami i „świat u swych stóp", została zamordowana podczas wypadu do jakiejś zapadłej dziury po niewłaściwej stronie równika.

Gdybym to ja był rodzicem współczesnego nastolatka, poradziłbym mu, żeby podczas swojej rocznej przerwy został w domu i poeksperymentował z heroiną. Byłoby to o wiele bezpieczniejsze.

Na szczęście moje dzieci są o wiele za małe, by mogły zostać zadźgane w australijskim buszu. Na jeszcze większe szczęście, do czasu, gdy dorosną, odbędą już tyle egzotycznych wycieczek szkolnych, że dzikie obszary świata przestaną je kusić. „O nie, tylko nie znów pustynia Kalahari! Byłam tam w drugiej klasie!"

Dawno temu, w latach 1970., wycieczki organizowane przez moją szkołę nie były ani trochę egzotyczne. No dobrze, kiedyś zabrano nas do uzdrowiska Matlock Bath i rozdano po wafelku Penguin, ale to był wyjątek.

W większości przypadków ładowano nas do autobusu szkolnego prowadzonego przez licencjonowanego wariata, wieziono do parku narodowego Peak District, a tam zmuszano do ośmiokilometrowej wędrówki przez torfowiska i przyglądania się wychodniom gruboziarnistego piaskowca.

– W geologii – warczał ten psychopata – wychodnią nazywamy odsłonięty układ piaskowców, żwiru i konglomeratów, spoczywający bezpośrednio na wapieniu z epoki karbonu...

– Acha – myśleliśmy wszyscy. – Ale czy wychodnie są wystarczająco duże, by ukryć się za nimi i wypalić peta?

Były jeszcze Zjednoczone Siły Kadetów[1] – tej nazwy używaliśmy w szkole jako synonimu ludobójstwa.

Byliśmy masowo wywożeni w kompletnie zdezelowanych wojskowych ciężarówkach na tereny Yorkshire Dales, gdzie, nie bacząc na śmiertelne niebezpieczeństwo, kazano nam zeskakiwać z klifów i maszerować w kółko z wychodniami gruboziarnistego piaskowca na plecach, aż padaliśmy z przegrzania.

Każdy, kto rzeciwiście już nie żył, musiał zostać za karę po lekcjach.

Dziś najwyraźniej wygląda to nieco inaczej. Co prawda moje dzieci chodzą dopiero do szkoły podstawowej, ale już rozmawiają o tym, gdzie wolałyby się wybrać: na polowanie na niedźwiedzie na Alasce, czy na narty w góry Ural. Albo może w obydwa te miejsca.

– O rany, tato, daj spokój... Aramoktawencja i Febocja jadą... Dlaczego ja nie mogę?

Cóż, jeden z powodów jest taki, że my, rodzice, odkładamy na czesne nie uświadamiając sobie, że tak naprawdę będziemy potrzebowali dodatkowo jeszcze połowę z tego na wiatrówki, które dzieci zabiorą na Islandię, na wynajęcie koni w Argentynie i Unimoga na biegunie południowym. Poważnie, nim moja najstarsza córka skończy

---

[1] Oryg. Combined Cadet Force, młodzieżowa organizacja harcerska, sponsorowana przez brytyjskie Ministerstwo Obrony.

podstawówkę, w programie Air Miles będzie miała więcej punktów niż Henry Kissinger.

A szkoła średnia jest oczywiście o wiele, wiele gorsza. W dawnych czasach, czyli w latach 1980., w magazynach o tematyce szkolnej zamieszczano zdjęcia starannie wyszorowanych chłopców i dziewcząt przy biurkach uczących się algebry. Dziś magazyny te wyglądają jak foldery biura turystycznego Kuoni.

Są pełne zdjęć chłopców i dziewcząt konstruujących mosty żelbetowe w Południowej Afryce i czułe radioteleskopy w dżunglach Kostaryki. Nie jestem pewny, czy to dobry pomysł, bo jeśli dziecko spłynie rzeką Zambezi, uratuje 14 kolumbijskich plemion przed McDonald'sem i skolonizuje Marsa nim skończy 18 lat, to co mu zostanie?

Gdy byłem dzieckiem, na wakacje najczęściej jeździliśmy do Kornwalii, chociaż wydaje mi się, że pamiętam dwa tygodnie spędzone w cieniu gazowni na obrzeżach szkockiej mieściny o nazwie Jedburgh.

Gdy więc dorosłem, wpadłem w amok. Pieczątki w moim paszporcie zaczęły się mnożyć tak szybko, że musiałem mieć drugi, ale ponieważ ciągle mi go zabierano, by wpinać do niego wizy, musiałem postarać się o trzeci. Na przestrzeni 10 lat odwiedziłem ponad 80 krajów i spędziłem co najmniej jedną noc w każdym ze stanów Ameryki Północnej. Hemingway wyglądał przy mnie jak chory na agorafobię, a Alan Whicker[2] – jak próżniak.

Zaraz jak tylko Chiny uchyliły nieco drzwi, zacząłem biegać po Zakazanym Mieście z moim Nikonem. Tak samo było w przypadku Wietnamu i Kuby. Pojechałem też do Norwegii, po prostu dlatego, że był to jedyny

---

[2] Brytyjski dziennikarz, korespondent wojenny i reporter.

zachodnioeuropejski kraj, którego jeszcze nie zwiedziłem. Wchłonąłem też wyspy Morza Śródziemnego jak pies wchłaniający okruchy po urodzinowym przyjęciu pięciolatka.

Jednak w końcu mrówki w moich majtkach uspokoiły się nieco i zdałem sobie sprawę, że mimo iż świat może zaoferować wiele pięknych i cudownych wrażeń, dom jest tam, gdzie przyjaciele. I że żadne z doświadczeń nie daje tyle satysfakcji, co przebywanie w pełnej ciepłych uczuć atmosferze, na łonie rodziny.

Dlatego teraz wzdycham i snuję się po domu z ramionami na kształt pogiętego wieszaka na palto, nawet jeśli mam pojechać tylko do Oksfordu. Ale to dobrze. Mam 44 lata, a to odpowiedni wiek, by odłożyć na miejsce korkowy hełm, wziąć do rąk sekator i zakosztować odrobiny lekkiego ogrodnictwa.

18 lat?

Mam okropne przeczucie, że po ukończeniu szkoły moje dzieci zamiast być przygotowane do życia na tym świecie, będą go miały dość. Z pewnością będą zbyt zmęczone, by kontynuować edukację, ale mniejsza o to, bo do tego czasu uniwersytety i tak będą mogły przyjmować już tylko dzieci klasy robotniczej. To oznacza, że moje dzieci nie będą też miały roku przerwy przed studiami i że nie zostaną zadźgane na śmierć w Sudanie.

Zamiast tego, wrócą do domu po egzaminie maturalnym mając na koncie zbyt wiele dokonań w zbyt młodym wieku. Kolejne 10 lat swojego życia spędzą więc jedząc chipsy, pijąc piwo i strzelając do obcych na PlayStation.

Niedziela, 26 września 2004 r.

Kosmiczne dziewice potrzebują spadochronów

Gdyby ktoś zamierzał skonstruować wycieczkowy pasażerski statek kosmiczny, czy polecielibyście nim? Oczywiście, że tak. Chyba że jesteście zwierzęciem hodowlanym albo A.A. Trzęsącym Portkami Gillem[1].

Pozwólcie, że zadam to pytanie nieco inaczej. Gdyby to Richard Branson[2] zamierzał skonstruować wycieczkowy pasażerski statek kosmiczny, czy polecielibyście nim? Hm...

W latach dziewięćdziesiątych XX wieku nie było chyba ani jednego tygodnia, by nie fundowano nam mało budującego spektaklu, podczas którego ratownicy wyławiali tę małą, szczurzą twarz Bransona – na nasz koszt – z bezkresnych przestworów oceanu. Jego łodzie wyścigowe wciąż wpływały w jakieś kłody, a jego balony były zawsze zbyt ciężkie, by nadawać się do długotrwałych lotów.

– Ogól swoją twarz z tego grzyba, brodaczu! To ci rozjaśni we łbie! – krzyczałem za każdym razem, gdy jego kapsuła raz po raz, jak śliwka w kompot, wpadała do oceanu.

Mimo to, w skrytości ducha zawsze miałem do Jego Bransonowskości małą słabość.

Pomijając jego Virgin Colę, która uwłacza wrażliwości każdej żyjącej w dwudziestym pierwszym wieku istoty,

---

[1] Patrz przypis na s. 15.
[2] Właściciel koncernu Virgin.

podoba mi się, jak udało mu się wejść w biznes, i to bez garnituru w paski i bez wyraźnie demonstrowanego upodobania do golfa i wolnomularstwa. Mimo jego katastrofalnych często prób przebycia Oceanu Spokojnego na małym kucyku czy zdobycia Mount Everestu siedząc w pralce, naprawdę bardzo podoba mi się to, że Branson wciąż czegoś próbuje.

Są tacy, którzy twierdzą, że jest potworem głodnym rozgłosu. Ale przecież sami wiecie, że istnieją łatwiejsze sposoby, by gazety wydrukowały zdjęcie czyjejś gęby, niż prucie przez Atlantyk z prędkością 50 węzłów. Branson, na ten przykład, mógłby usiąść w środku dżungli, a dwa skrzaty z północy mogłyby wsypywać mu do uszu jakieś robactwo. Dajmy więc spokój temu biednemu gościowi i przyjrzyjmy się z większą uwagą jego programowi kosmicznemu.

Branson twierdzi, że za trzy lata będzie mógł zaoferować miejsca na statku kosmicznym w cenie 150 000 funtów od osoby. Najwyraźniej podróż nie będzie obarczona większym ryzykiem, niż wczesne loty pasażerskich odrzutowców.

Jeśli pamiętacie brytyjski odrzutowiec Comet, to wiecie, że będzie to szalenie niebezpieczne, a w katastrofie zginie wielu bogatych ludzi.

A gdy już pogrzebiemy to, co zostanie z Eltona Johna i Billa Gatesa, dojdzie do głosu ekonomia skali – wkrótce również i biedni będą mogli ginąć w przejmującej zimnem, radioaktywnej pustce przestrzeni kosmicznej. Pomysł, by wysłać w kosmos zwykłą klientelę, został zainspirowany nagrodą Ansari X w wysokości 10 milionów dolarów dla pierwszej prywatnej firmy, która zdoła dwukrotnie w ciągu dwóch tygodni wysłać pasażerski statek kosmiczny na wysokość 100 kilometrów nad Ziemię.

Ponieważ wszyscy zdążyliśmy się przyzwyczaić do tego, że NASA pochłania więcej funduszy niż trzeci świat, pomysł, że jakaś prywatna firma mogłaby po niższej cenie wyruszyć w przestrzeń kosmiczną, wydawał się tak niedorzeczny jak zestaw „zrób to sam" do neurochirurgii. A jednak w czerwcu bieżącego roku statkowi o nazwie SpaceShipOne, sfinansowanemu częściowo przez jednego z założycieli Microsoftu, udało się pokonać tę stukilometrową granicę.

Zastosowano eleganckie rozwiązanie. Najpierw, z przymocowanym do kadłuba statkiem kosmicznym, wzbił się w powietrze konwencjonalny samolot. Potem, na wysokości 14 000 metrów, gdzie powietrze jest już bardzo rozrzedzone i paliwożerna część podróży została już załatwiona, wystartował statek kosmiczny, a jego silnik rakietowy wystrzelił go poza atmosferę. Statek następnie poszybował w dół i wylądował na Ziemi, gotów do następnego startu.

Nie od razu, bo pilot zgłosił kilka anomalii, z których najważniejszą był donośny huk, który wystąpił w połowie lotu. Odszukanie przyczyny tej usterki i jej wyeliminowanie – co sprowadziło się do pomalowania jednego z paneli na biało, by odbijał ciepło – doprowadziło do tego, że drugi lot został opóźniony i odbył się dopiero w tym tygodniu. Pierwsze doniesienia sugerują, że wszystko przebiegło bezproblemowo, pomijając niebezpieczny korkociąg, w jaki wpadł statek matka po separacji rakiety.

A oto teraz pałeczkę przejmuje Branson, twierdząc, że najpóźniej w 2007 roku jego firma Virgin Galactic, korzystając z większych wersji statku SpaceShipOne, będzie przewoziła klientów z wypchanymi portfelami. Jestem tym trochę zaniepokojony i to nie ze względu na niebezpieczne korkociągi, głośnie huki czy uprzednie fiaska Bransona. Nie. Moim głównym zmartwieniem jest to, że pasażerowie dostosują się do jego luzackiego sposobu bycia i będą mogli latać ubrani w sweterki i w sztruksy.

Ja, gdybym zdecydował się polecieć, zażądałbym pełnego kombinezonu *à la* maskotka Michelin, z akwalungiem i spadochronem.

I wcale nie zgłupiałem!

Dawno temu, w sierpniu 1960 roku, amerykański pilot, Joe Kittinger, wsiadł do otwartej gondoli zawieszonej pod balonem o nazwie Excelsior III i wzniósł się w niej na wysokość 31 300 metrów. Z miejsca odległego o ponad 30 kilometrów od powierzchni Ziemi, które z technicznego punktu widzenia stanowi już przestrzeń kosmiczną, skoczył w dół.

Kilka chwil później stał się pierwszym człowiekiem, który przekroczył barierę dźwięku i to nie korzystając z samolotu. Był to, i nadal jest, najwyższy skok spadochronowy, który w dodatku pokazał, że można „opuścić statek" nawet w przestrzeni kosmicznej.

Spotkałem się z Kittingerem kilka lat temu. Uparcie twierdzi, że gdyby załoga Challengera została wyposażona w spadochrony, kilku jej członków wciąż pewnie by żyło.

Branson powinien to wziąć pod uwagę. To świetnie, że promuje usługi w luzackim stylu. Ale jego pasażerowie będą wyglądać dość głupio, gdy znajdą się w otwartej przestrzeni kosmicznej ubrani w swetry z dekoltem do szpica i luźne spodnie.

Co więcej, spadochronowy skok z wysokości 100 kilometrów połączony z piekłem wejścia w atmosferę z pewnością dodałby splendoru temu, co w przeciwnym razie mogłoby się okazać jednorazowym życiowym doświadczeniem.

Niedziela, 3 października 2004 r.

I to nazywacie rankingiem najlepszych filmów?

Kolejny dzień. Kolejny ranking najlepszych brytyjskich filmów, jakie kiedykolwiek nakręcono.

Ostatnim razem, gdy go przeglądałem, Brytyjski Instytut Filmowy wykoncypował sobie, że numerem jeden jest coś, co zatytułowano *Trzeci człowiek*. Za nic w świecie nie mogłem pojąć dlaczego – ten film opowiadał o facecie, który wybrał się by odwiedzić przyjaciela, który już nie żył.

Na drugim miejscu znajdował się film *Spotkanie*, w którym mężczyzna spotyka kobietę na dworcu kolejowym, a na trzecim – *Lawrence z Arabii* Davida Leana, opowiadający o homoseksualiście, który najpierw jeździ po pustyni na wielbłądzie, a potem rozbija się na motocyklu i ginie.

Nie potrafię zaakceptować Davida Leana. Po pierwsze, ma o wiele za duże uszy, a po drugie, we wszystkich jego filmach występują rzesze miejscowych w przepaskach na biodrach i jest tam zbyt wiele kurzu.

Jeśli zaś chodzi o *Most na rzece Kwai*, to… Boże drogi. Jezus umierał krócej niż Alec Guiness.

Jednak w zeszłym tygodniu magazyn „Total Film" stwierdził, że najlepszym brytyjskim filmem wszech czasów jest *Dopaść Cartera*, w którym Michael Caine zakłada płaszcz przeciwdeszczowy i udaje się na północ.

Inne wybitne dzieła z listy *Top 20* to *Kult*, gdzie oglądamy kogoś, kto udaje Britta Eklanda łomoczącego w ścianę;

Mechaniczna pomarańcza, film, który był idiotyczny, oraz *Jeżeli*, o którym zawsze myślałem w kategoriach naukowego eksperymentu, mającego sprawdzić, czy z nudów rzeczywiście można umrzeć.

Jedynym Bondem, który stanął na wysokości zadania i uplasował się na dziewiątym miejscu, były *Pozdrowienia z Rosji*. Jak to? Przecież pomijając *Moonrakera*, ten wczesny obraz z Seanem Connerym, to najgorszy ze wszystkich odcinek przygód Agenta 007.

Oczywiście zdaję sobie sprawę, że takie podsumowania mają za zadanie wywołać dyskusję w pubach. Jestem świadomy, że rankingi 10 najbardziej odlotowych wiatraków czy 10 najbardziej pociesznych zwierzaków są pomyślane jako początek polemiki, a nie jej koniec.

Ale jeśli chodzi o brytyjskie filmy, to nie powinno być żadnej debaty, bo bez cienia wątpliwości najlepszym filmem wszech czasów jest *The Long Good Friday*. Obraz, którego magazyn „Total Film" nie umieścił nawet wśród pierwszej dwudziestki piątki.

Krytycy doceniają Michaela Caine'a za geniusz, jaki objawił w filmie *Dopaść Cartera*, ale jeśli chodzi o prawdziwą, kipiącą brutalność, nie ma mocnych na Boba Hoskinsa i jego kultowe powiedzenie: „wkładałem forsę we wszystkie wasze kieszenie". Jedną z zasad, do których stosuję się w życiu, jest ta, że oglądam ten film co najmniej raz w miesiącu.

Drugim w kolejności najlepszym brytyjskim filmem jest *Biznesmen i gwiazdy*. Grali w nim aktorzy, o których nigdy nie słyszeliście, z wyjątkiem Burta Lancastera, który w scenerii północnej Szkocji wypadł wprost olśniewająco.

Pojawiło się kilka (naprawdę niewiele) śmieszniejszych filmów niż ten, ale żaden z nich nie był aż tak wzruszający.

Gdy obejrzałem go po raz pierwszy i wyszedłem z kina, zaraz zawróciłem i wszedłem tam z powrotem, by znów go zobaczyć.

Na trzecim miejscu plasują się *Pola śmierci*, film o... no cóż, film praktycznie o wszystkim. O nienawiści, wojnie, przyjaźni, nadziei, rozpaczy, złu, nieudolności, ludobójstwie, dziennikarstwie, platonicznej miłości mężczyzn... A to wszystko wciśnięte jest w 141 urzekających minut.

Davidowi Leanowi 141 minut zajęło pokazanie, jak wielbłąd Petera O'Toole'a przechodzi z jednej pustynnej wydmy na drugą. Alec Guiness dłużej spadał na dźwignię detonatora.

Tak jak w przypadku wielu brytyjskich filmów, *Pola śmierci* przygotowano starannie przy udziale aktorów znanych z małego ekranu. Występował tam Bill Paterson z serialu komediowego *Auf wiedersehen, Pet*, i Patrick Malahide, który grał sierżanta Chisholma z wydziału dochodzeniowo-śledczego w komedii kryminalnej *Minder*. W normalnej sytuacji coś podobnego nadwerężyłoby wiarygodność filmu, ale ten tak mnie wciągnął, że nie przeszkadzałoby mi nawet, gdyby w kadrze pojawił się któryś z aktorów *Klanu*.

Tak naprawdę to mógłbym stwierdzić w sposób prawie niepodważalny, że *Pola śmierci*, razem z *Biznesmenem i gwiazdami* oraz *The Long Good Friday* to nie tylko najlepsze brytyjskie filmy wszech czasów, ale najlepsze filmy na świecie.

Z pewnością w Ameryce nakręcono wiele wspaniałych filmów, ale ogólnie rzecz biorąc, produkcje z Hollywood przeznaczone są dla piętnastolatków z Północnej Dakoty, którzy, jeśli chodzi o intelekt, nie odstają poziomem od zwierzęcia z brytyjskiego zoo. Efektem tego są przeważnie filmy, które pokazują zbyt wiele eksplozji, a poza tym wszyscy, którzy w nich występują, mają zbyt białe zęby.

Przejdźmy teraz do kina francuskiego, które polega na tym, że w czarno-białym filmie mężczyzna spotyka kobietę. Spędzają dwie godziny patrząc na siebie nad filiżanką kawy. Później ten mężczyzna odchodzi z innym mężczyzną i uprawia z nim wyrafinowany seks.

Nigdy nie będę się upierał, że wszystkie filmy brytyjskie są lepsze niż wszystkie filmy zagraniczne. Najczęściej jest tak, że nasi reżyserzy i scenarzyści są finansowani przez FilmFour Productions, odchodzą z dotychczasowej posady w gazecie „The Guardian" i zaczynają pracę nad czymś, co przypomina film instruktażowy dla pracowników opieki społecznej.

Oczywiście to coś zawsze zbiera entuzjastyczne recenzje od krytyków z kręconymi włosami i od tych, którzy tworzą rankingi najlepszych filmów w historii kina, ale publiczność w Ameryce nie jest przecież zainteresowana losami ćpuna z Manchesteru. Wolałaby, żeby Manchester po prostu wyleciał w powietrze. Takie filmy są więc prawie zawsze skazane na klapę.

Klapy uniknął *Trainspotting*, a to dlatego, że autor scenariusza pamiętał o tym, by znalazła się tam jakaś fabuła.

Nawiasem mówiąc, *Trainspotting* jest czwartym najlepszym filmem brytyjskim. A nad dalszym ciągiem tego rankingu możecie się zastanawiać nad kuflem piwa w porze lunchu.

Niedziela, 10 października 2004 r.

O włos od emerytury

Dawniej życie było proste. W wieku 65 lat przechodziło się na emeryturę, dostawało się ładny zegar do postawienia na kominku, szło się do domu i wydawało emerytalny grosz na rośliny doniczkowe i tytoń do fajek. A potem, po 10 latach, umierało się.

Teraz wygląda to zupełnie inaczej. Na emeryturę przechodzi się w wieku lat 63, idzie się do domu i wydaje się ją na lekcje kick-boxingu i kokainę. I w ogóle nie myśli się o śmierci.

A to, jak zapewne czytaliście w zeszłym tygodniu, ma dramatyczny wpływ na wysokość emerytur. Państwo może sobie pozwolić na zaopatrywanie seniorów w starą machorkę przez 10 lat, ale nie w kokę przez lat 30. Nie wtedy, gdy liczba emerytów przewyższa liczbę pracujących.

Z tego właśnie powodu, uprzedzono tych, którzy dziś są młodzi, by spodziewali się kilku radykalnych zmian. Będą mogli ze swojej pensji odłożyć dla siebie 30 procent, a 70 procent będą musieli oddać rządowi. Dlatego zostaną zmuszeni do pracy w kopalniach aż dobiją do 127 lat, a potem i tak umrą w nędzy, w kałuży własnych wymiocin.

Panowie o poważnych obliczach twierdzą, że jeśli starsi obywatele chcą cieszyć się tym samym standardem życia co teraz, to do 2050 roku państwo będzie musiało znaleźć dodatkowo 57 miliardów funtów na emerytury.

Brzmi to bardzo ponuro, ale te 57 miliardów funtów to tyle co nic. W zeszłym tygodniu dowiedzieliśmy się przecież, że rząd wydał 30 miliardów na komputeryzację publicznej służby zdrowia.

W ciągu kilku ostatnich miesięcy przyglądałem się, jak władze samorządowe hrabstwa Oxford wydawały kwotę, która musiała chyba wynosić 57 miliardów funtów, na ustawienie na drogach pachołków, utrudniających życie zmotoryzowanym, a potem na ich usunięcie i powtórne ustawienie.

Dzięki zmianom wprowadzonym przez Margaret Thatcher w 1979 roku, nie będziemy w stanie domknąć budżetu emerytalnego z zaledwie 5-procentowym deficytem. We Francji deficyt sięga 105 procent, w Niemczech – 110. No i są jeszcze Stany Zjednoczone.

Podczas tegorocznych wakacji przeczytałem książkę Nialla Fergusona. Zatytułowana jest *Colossus* i opowiada o amerykańskim imperium, wykazując, że już teraz przepaść między tym, co Ameryka ma, a tym, czego potrzebuje, by zaopatrywać swoich seniorów w hamburgery, to 45 bilionów dolarów.

Cóż, nie wiem, ile to jest bilion, ale wiem, że te 45 bilionów dolarów to 10 razy tyle, ile wynoszą majątki narodowe Niemiec, Francji, Włoch i Wielkiej Brytanii razem wzięte.

Wydaje się, że istnieją trzy sposoby wyrównania tego deficytu: Ameryka może podnieść podatki o 69 procent i to od razu, może obciąć świadczenia medyczne o więcej niż połowę, może też raz na zawsze skończyć z zakupami z puli federalnej. Jakoś nie zauważyłem, by John Kerry albo George W. Bush proponowali, by skorzystać z którejś z tych opcji. To zła wiadomość, bo sytuacja z dnia na dzień robi się coraz bardziej krytyczna.

Jeśli do 2008 roku nie zostaną podjęte żadne działania, podatki będą musiały wzrosnąć o 74 procent.

Oczywiście żaden amerykański prezydent nigdy nie zgodzi się na taki podatek, co oznacza, że Amerykę czeka los tak niechybny jak Titanica po jego zderzeniu z górą lodową – spektakularne bankructwo. Według autora *Colossusa* jest to nieuniknione następstwo faktów.

Jednak na długo zanim to się stanie, Ameryka przestanie się wywiązywać ze wszystkich swoich długów zagranicznych, co sprawi, że zbankrutuje cały świat, a to z kolei doprowadzi do głodu i być może nawet czegoś w rodzaju holokaustu. Jeśli więc spędziliście ostatnie 40 lat chomikując „na swoje stare lata" 30 funtów tygodniowo, to być może zachowywaliście się trochę jak frajerzy.

Na tym właśnie polega podstawowy problem z emeryturami. Odkładamy na przyszłość, której nie znamy. Troszczymy się o coś, co może w ogóle nie nadejść – o naszą starość. Możemy przez całe lata wieść oszczędne życie, a na dzień przed emeryturą może nas na śmierć stratować koń. Albo możemy wygrać 17 milionów funtów w totka. Możemy też przyglądać się, jak plajtują Stany, ciągnąc za sobą na dno Międzynarodowy Fundusz Walutowy i nasz fundusz emerytalny.

Co więcej, skąd wiecie, że ludzie, którym powierzyliście wasze oszczędności, będą rozsądnie nimi gospodarować? Skąd wiecie, że nie zrobią skoku na kasę, nie wydadzą wszystkiego na jacht, a później z niego nie wyskoczą?

Co wieczór komercyjne stacje telewizyjne zaśmiecane są kosztującymi miliony funtów reklamami funduszy emerytalnych. To wasze pieniądze, to te sumki, które odkładacie na czarną godzinę. A oni je wydają, by ściągnąć do siebie jeszcze więcej frajerów, dzięki którym będą mogli wybudować jeszcze wyższe i jeszcze bardziej lśniące biurowce. A siedząc w nich, będą mogli planować jeszcze więcej reklam.

Rząd wcale nie jest lepszy. Jeśli jego ministrowie zabierają nasze pieniądze i mówią, że możemy je dostać z powrotem, gdy będziemy starzy, skąd możemy wiedzieć, że nie oddadzą ich władzom samorządowym hrabstwa Oxford, by te mogły jeszcze raz usunąć pachołki i postawić nowe?

Wiara w to, że minister skarbu ma specjalny, odrębny fundusz, przeznaczony wyłącznie na emerytury, jest tak naiwna, jak przekonanie, że podatek drogowy jest wydawany na drogi. Bo nie jest. Jest za to wydawany na nowe komputery dla publicznej służby zdrowia i na cywilną administrację państwową, która zatrudnia więcej ludzi, niż wynosi liczba mieszkańców Sheffield.

Im oczywiście nic złego nie grozi. Wszyscy są członkami Towarzystwa Emerytalnego Zadowolonych z Siebie Pracowników Administracji Publicznej. A co z wami? Proponuję, żebyście kupili sobie coś głupiego, na przykład telewizor plazmowy i usiedli przed nim z dużym Twixem i paczką śmiercionośnych fajek.

Dlaczego, pytacie? A czy chcecie dokonać swych dni w biednym, zbankrutowanym świecie, pełnym pracowników administracji publicznej? Myślę, że nie.

Niedziela, 17 października 2004 r.

Oto jaki będzie koniec świata...

O rany! Zupełnie ni stąd, ni zowąd, Duńczycy obwieści-
li, że biegun północny jest ich własnością, a na wypadek
gdyby komuś zaczęło się wydawać, że jednak nie, właśnie
rozpoczynają serię badań, które tego dowiodą.

W ciągu kilku najbliższych lat planują wydać 13 milionów funtów, aby wykazać, że czubek Ziemi za pośrednictwem olbrzymiego podwodnego łańcucha łączy się
z Grenlandią, która jest jednym z terytoriów zależnych
od Danii, podobnie jak, hm...Wyspy Owcze i, hm...

Islandia. A nie, moment. Przecież ją stracili.

Może zastanawiacie się, dlaczego po dwóch wiekach
przesiadywania w saunie Duńczycy nagle postanowili
wybudować sobie imperium?

Otóż uznali, że dzięki globalnemu ociepleniu pokrywa
lodowa wkrótce się stopi, co umożliwi ludziom dostęp
do podziemnego jeziora pełnego czarnego złota. Świetnie. Dania zostanie europejskim odpowiednikiem Arabii
Saudyjskiej, a każdy mieszkaniec Kopenhagi będzie miał
wielkiego cadillaca.

Oczywiście pod warunkiem, że nie okaże się, iż jednak
nie ma tam ropy. Przewiduję również różne inne problemy,
wśród których najważniejszym jest zagadnienie, czy rzeczywiście państwa mogą uznawać, że jakiś teren należy do
nich tylko dlatego, że jest z nimi połączony specyficznie

uformowanym dnem. Przecież na tej podstawie Irlandia mogłaby rościć sobie prawo własności do Tunezji.

Jest jeszcze inna sprawa. Według (dość) nowej książki pod tytułem „Dzień zagłady nadchodzi", biegun północny nie zawsze znajdował się w tym miejscu, w którym jest teraz. I któregoś dnia, w ciągu najbliższych trzydziestu lat, znowu się przesunie. Według autora tej książki, Iana Nialla Rankina, ostatnia epoka lodowcowa wywołana została przez coś, co nazywa on „przesunięciem bieguna". Obecnie najwyraźniej zbliża się kolejne takie przesunięcie, ponieważ pole magnetyczne Ziemi zanika.

Obawiając się, że Rankin to wariat, sam to sprawdziłem i rzeczywiście, przez ostatnie 35 lat energia pola magnetycznego Ziemi zmniejszyła się o 235 miliardów megadżuli.

Nie wiem, co to jest megadżul, ale założę się, że można nim zasilić czajnik. Nie wiem także, ile megadżuli ziemskie pole magnetyczne miało na samym początku. Ale po godzinie spędzonej w miejskiej bibliotece dowiedziałem się, że w latach 1835–1965 moc pola magnetycznego spadła o 8 procent. Więc może Rankin ma rację. Może nie zostało nam już wiele czasu.

Co z tego wynika? Otóż, o ile dobrze rozumiem, ten stopiony kawałek w środku Ziemi przestanie się kręcić i nie zacznie na nowo, dopóki całkiem dosłownie cały świat nie stanie na głowie. W jakiś sposób – i naprawdę nie zamierzam zadawać sobie trudu by sprawdzić, w jaki – odbuduje to pole magnetyczne Ziemi i znowu wszystko będzie dobrze... oprócz pewnego szczegółu.

Nikt nie potrafi przewidzieć, gdzie znajdzie się nowy czubek świata. Nowy biegun północny może znaleźć się w Cardiff albo – oby – w Waszyngtonie, DC. Szkocja może znaleźć się na równiku, razem z Argentyną, co oznaczałoby, że biegun południowy wypadnie w odległości 320 kilometrów na zachód od Hawajów.

A może będzie to w samym środku Bagdadu. Wyobraźcie sobie, co za radość. Bush prowadzi swoją brudną wojenkę, aby zabezpieczyć całą ropę naftową, która tymczasem zostaje szczelnie przykryta trzykilometrową warstwą lodu.

Wszystko to stanie się nagle. Nie będzie łagodnego przejścia do nowego klimatu. Jeśli jutro po przebudzeniu zobaczycie, że Nuneaton leży w miejscu nowego bieguna północnego, możecie być pewni, że wasz samochód nie odpali. Temperatura natychmiast spadnie do –80 stopni Celsjusza i tak będzie przez kolejne osiem tysięcy lat czy coś koło tego.

Jeśli coś takiego już się kiedyś wydarzyło – a według Rankina tak właśnie było – stanowiłoby to wyjaśnienie tego, o czym Alan Titchmarsh[1] gadał przez ostatnie parę tygodni. W swoim cyklu programów zatytułowanym „Wyspy Brytyjskie" przechadzał się po uroczych zakątkach naszego kraju, opowiadając nam, że zanim nadeszła mżawka, było tu gorąco jak w dżungli i żyło tu mnóstwo hipopotamów, a później zrobiło się lodowato i pojawiło się mnóstwo niedźwiedzi polarnych.

Moje dzieci nie mogły tego pojąć. Na długo zanim nauczyły się, ile to jest dwa razy dwa, dowiedziały się, że generalnie człowiek, a szczególnie General Motors, są odpowiedzialni za zmianę klimatu. A teraz Alan z Północy pojawia się i mówi im, że od milionów

---

[1] Znany brytyjski ogrodnik i prezenter programów przyrodniczych.

lat świat sam z siebie ogrzewał się i wyziębiał. To tak jakby dowiedzieć się, że dwa razy dwa równa się Paryż.

Byłem tym zachwycony, ponieważ oto nie kto inny, jak sam Alan Titchmarsh wyrządził Protokołowi z Kioto więcej szkody, niż cała chmara elektrowni zasilanych węglem. Oglądałem ten program z włączonym silnikiem w aucie. Tak dla jaj.

Niestety, Alan nie wyjaśnił, dlaczego klimat Wielkiej Brytanii zachowuje się ostatnio tak dziwacznie, ale muszę przyznać, że teoria Rankina o przesunięciu bieguna brzmi przekonująco. Byłaby to dobra wiadomość dla Duńczyków, ponieważ jeśli rzeczywiście uda im się wykazać, że są właścicielami dna morskiego w miejscu obecnego bieguna północnego, być może nie będą musieli czekać, aż lód stopi się pod wpływem globalnego ocieplenia. Kiedy Ziemia przekręci się do góry nogami, być może skończą robiąc odwierty w tropikach.

Zła wiadomość jest taka, że kiedy Ziemia się przechyli, morze – i mam na myśli całe morze – zaleje cały ląd, uśmiercając w jednej chwili wszystkie żywe istoty. Oprócz tych, które będą akurat na szczycie Mount Everest albo w kopalni.

To oznacza, że zwrot kosztów wstępnych poniesionych przez Danię może zająć jeszcze trochę czasu. Co gorsza, oznacza to również, że świat będzie musiał zostać ponownie zasiedlony przez potomków Arthura Scargilla[2] i Chrisa Boningtona[3]. Jest to wizja równie niesmaczna, co nieprawdopodobna.

Niedziela, 24 października 2004 r.

[2] Patrz przypis 1 na s. 68.

[3] Brytyjski alpinista.

Walczcie z terroryzmem, ale dbajcie też o wygląd

No proszę – Parlament Brytyjski ma zostać otoczony kosztującym krocie stalowym ogrodzeniem, którego zadaniem będzie ochrona budynków przed terrorystami i włamywaczami.

Wszystkie projekty zabezpieczeń wyglądają na niezwykle zaawansowane technicznie, ale mogę was zapewnić, że nie spełnią swojej funkcji. Być może zakotwiczona na Tamizie pływająca zapora powstrzyma złych ludzi przed wpakowaniem krypy z materiałami wybuchowymi w parlamentarną herbaciarnię. Ale nie wtedy, gdy krypa okaże się wyjątkowo dużą barką. Albo poduszkowcem, który po prostu przeleci nad przeszkodą i eksploduje, wlatując prosto w nogawkę spodni Johna Prescotta.

Istnieją też propozycje umieszczenia kamer do monitoringu na fasadzie Pałacu Westminsterskiego.

Po co? Chyba tylko po to, by eksperci od ochrony mogli odtworzyć jak wyglądał zamachowiec samobójca, zanim stał się warstwą forniru na ścianach budynku.

Od zewnątrz cały budynek będzie otoczony elektrycznym płotem, ale możecie założyć się o wzrok waszych dzieci, że Inspektorat BHP zadba o to, by ogrodzenie nie zostało podpięte do śmiercionośnego napięcia czterech milionów woltów.

Jasne, niższe napięcie wystarczy, by zniechęcić brodaczy z Greenpeace'u i Otisa Ferry'ego do włamań w celu wyrażenia własnych poglądów[1], ale śmiem wątpić, czy „delikatne mrowienie" będzie przeszkodą dla kogoś, kto minione trzy lata spędził w jaskiniach, ukrywając się przed bombami BLU-82 i samolotami szturmowymi A-10.

Wywiad, jak wieść niesie, niepokoi się, że ktoś mógłby wjechać samochodem pułapką w wieżę zegarową, która runęłaby, przygniatając ważącym 13,7 tony Big Benem Tony'ego Blaira. Ale z drugiej strony, szpiedzy tego samego wywiadu niepokoili się Irakiem i jego bronią jądrową, tak więc możemy do zmartwień wywiadu odnosić się ze szczyptą rezerwy. W dodatku fakt, że Jego Blairowskość musiałby spędzić kilka kolejnych lat uwięziony pod ogromnym, mosiężnym dzwonem, nie oznaczałoby przecież końca świata.

Tak czy owak, przyjrzałem się Big Benowi i jeśli nosicie się z zamiarem zburzenia wieży, lepiej wlećcie w nią samolotem. Ponieważ Big Ben to nie WTC, sprawę w zupełności załatwi samolot Piper Cherokee.

Prawda jest taka, że te wszystkie nowe zabezpieczenia mogą zapobiec 100 atakom terrorystycznym. Ale gdy zawiodą przy 101 ataku, okażą się po prostu stratą czasu i pieniędzy.

Telewizja BBC – dajmy na to – strzeżona jest świetnie. Ochrona jest tak zaprogramowana, że nie wpuści nikogo i już. A jeśli rzeczywiście uda wam się przedostać w okolice elektrycznych drzwi obrotowych, te włączą się tylko wtedy, gdy przyłożycie do nich kartę identyfikacyjną z mikrochipem. By nie kłopotać się tym wszystkim, codziennie wchodzę do budynku przez magazyn na

---

[1] Syn muzyka Briana Ferry'ego, zapalony myśliwy, w ramach protestu wtargnął na posiedzenie Izby Gmin obradującej nad ustawą o polowaniach.

przesyłki pocztowe. I jestem przekonany, że na lotnisku Heathrow jest podobnie. Zgadzam się, trudno jest przemycić pół kilo semtexu przez terminal, ale założę się, że można dostać się na pas startowy, a co za tym idzie do samolotów, czekając, aż zapadnie noc i przechodząc przez plac budowy piątego terminala.

Jeśli zaś chodzi o budynki Parlamentu, to ochrona może przedsięwziąć tyle kroków, ile się jej tylko podoba, a i tak nie pomyślą o wszystkim – pewnego dnia znajdzie się ktoś, kto zrobi to za nich. Tym większym niepokojem napawa wygląd wszystkich tych zabezpieczeń.

Widzieliście może ostatnio ambasadę amerykańską na Grosvenor Square? Otoczona jest ohydnymi barierkami zabezpieczającymi i betonowymi blokami. Te bloki, jak wiem z własnego bolesnego doświadczenia, można zepchnąć z drogi małym peugeotem. Jest więc mało prawdopodobne, żeby mogły zatrzymać ciężarówkę z naczepą.

Każdy, kto chce wejść do środka tego budynku, musi przejść przez coś w rodzaju szopy z prefabrykatów, której spodziewalibyśmy się raczej na placu budowy w miasteczku Nuneaton.

Podejrzewam, że coś musi przemawiać za tym, że środki bezpieczeństwa przygotowuje się tak, by sprawiały wrażenie prowizorki. Po prostu inaczej ludziom mogłoby przyjść do głowy – niech Pan Bóg broni! – że ta cała afera z Bliskim Wschodem będzie się ciągnąć przez całe lata. Ale czy naprawdę to wszystko musi aż tak paskudnie wyglądać?

Pałac Westminsterski jest jednym z najbardziej znanych i najczęściej fotografowanych budynków świata. Może jednak stracić swoją renomę, gdy zezwolimy skąpiącej grosza administracji państwowej, by upstrzyła go działami przeciwlotniczymi, minami i betonowymi pułapkami na ludzi.

Zdaję sobie sprawę, że z finansami jest krucho. Wiem, że artyści muszą za darmo oddawać swoje obrazy do galerii Tate i że 400 000 funtów, jakie co godzinę od firmy BP otrzymuje Ministerstwo Finansów, idzie na siódmą z kolei willę jakiegoś parlamentarzysty. Lecz czy nie nadarza się właśnie okazja, by wygrzebać jakieś oszczędności?

Czy nie można by zatrudnić Richarda Rogersa[2], by zaprojektował ogrodzenie łączące w sobie tradycyjny styl budowli Sir Charlesa Barry'ego[3] z nowoczesnym światem walki z terroryzmem? A zamiast pływającej zapory, unoszącej się na samym środku Tamizy, może moglibyśmy sprawić sobie wyszukaną wysepkę, taką, jaką wybudowano na morzu niedaleko Dubaju?

Mamy jeszcze kwestię rajstop strażników odpowiadających za porządek w parlamencie. Zakomunikowano nam, że takie umundurowanie nie spełnia swojej roli i że musi zostać zastąpione kamizelkami kuloodpornymi w stylu Vin Diesela. Dlaczego? Czy dyktator mody Paul Smith nie mógłby zaprojektować surduta w dziewiętnastowiecznym stylu, tyle że z kaburą na pistolet maszynowy?

Ten gest byłby zupełnie bezwartościowy, ale przynajmniej naszą wojnę z terroryzmem moglibyśmy przegrać z klasą. A nie wychylając się zza ohydnego kloca ze zbrojonego betonu.

Niedziela, 31 listopada 2004 r.

---

[2] Znany architekt brytyjski, autor m.in. Centrum Pompidou w Paryżu i Kopuły Millenium w Londynie.

[3] Architekt brytyjski, jego najbardziej znany projekt, to przebudowa budynków Parlamentu Brytyjskiego.

Charytatywne zdzierstwo w Cheshire

Czy te pieniądze idą na cele charytatywne, czy na opłacenie ludzi, którzy przygotowali to okropne jedzenie?

Przeczytałem ostatnio, że szacowni mieszkańcy Cheshire[1] przeznaczają na cele charytatywne więcej niż ktokolwiek inny. Znając jednak mieszkańców Cheshire od tej strony, od której znam ich ja, wysokość ofiarowanych przez nich datków może być powodem do zmartwień.

Podejrzewam, że gdyby istniało coś takiego jak Wielka Orkiestra Cheshire'skiej Pomocy, wcale nie dążyłaby do tego, by przekazywać ekonomicznie upośledzonym tego świata zboże czy sprzęt rolniczy. Promocyjny, zrealizowany z rozmachem spot takiej organizacji przedstawiałby inny obraz: „To skromne gospodarstwo rolne w Sudanie było pozbawione wody. Jednak dzięki naszej wytężonej pracy – spójrzcie – powstał w nim basen i jacuzzi w kształcie cadillaca".

W bieżącym wydaniu magazynu „Życie w Cheshire", wydawcy ogłosili konkurs, w którym czytelnicy mogą wygrać „kolejną lodówkę pełną szampana" i obawiam się wpływu, jaki coś takiego może mieć na tychże czytelników. W którym miejscu będzie dla nich przebiegać granica ubóstwa? „Ta biedna afrykańska wioska pozbawiona była

---

[1] Hrabstwo Cheshire słynie z bardzo zamożnych mieszkańców, których najwięcej mieszka w takich miejscach jak Alderley Edge czy Wilmslow.

dosłownie wszystkiego. Lecz dzięki wysiłkom kwestujących w Wilmslow i Alderley Edge, ma teraz elektrycznie otwierane bramy. Co więcej, wszyscy mieszkający tam ludzie byli brązowi. A teraz, jak widać, są jasnopomarańczowi".

Jasne, 400 kartonów kremu do twarzy, którego używa Dale Winton[2] i pół miliona litrów chlorowanej wody basenowej, to lepsze niż nic. Bo według mnie, właśnie na to zwykle kwestuje się podczas imprez charytatywnych.

Myślę, że każdy z nas wziął kiedyś udział w tego typu wieczorku towarzyskim. Oczekują tam od ciebie, że będziesz kupował losy loteryjne po 20 funtów za sztukę, a potem, podczas kolacji, w momencie, gdy właśnie zamierzasz zakończyć swoją opowieść puentą, pojawią się dziewczyny w „charytatywnych" T-shirtach, zachęcając do wrzucenia kolejnych dwudziestofuntowych banknotów do swoich koszyczków. Jeszcze później, gdy rozpocznie się aukcja, zaczną się dobierać do twojej karty kredytowej.

Wszystkie te aukcje są w dużej mierze takie same. Ktoś wygłasza płynący prosto z serca, wyciskający łzy apel o zbiórkę pieniędzy, a potem pojawia się jakaś przepocona i lekko wstawiona, podrzędna gwiazda, której znajomy zasiada w komitecie organizacyjnym imprezy. I zwykle jestem nią ja.

Pierwsza rzecz na sprzedaż, którą na ogół jest weekend dla dwojga w zapomnianym przez Boga i ludzi hotelu dla golfistów, idzie za 60 000 funtów, bo ktoś rozpaczliwie próbuje wywrzeć na wszystkich siedzących z nim przy stole wrażenie swoją kasą i tym, jak gorąco pragnie zostać

---

[2] Znany brytyjski prezenter radiowy i telewizyjny.

kawalerem Orderu Imperium Brytyjskiego za rozdawanie jej potrzebującym.

Kiedyś na jednej z takich fet sprzedałem rok używania Jaguara za kwotę przewyższającą wartość samego samochodu, a to dlatego, że dwóch gości na sali postanowiło za wszelką cenę udowodnić, że jeden z nich jest znacząco bogatszy od tego drugiego.

Co więcej, kiedyś sprzedałem weekend na jachcie w Monte Carlo za 250 000 funtów, a facet, który tak bardzo chciał wszystkim zaimponować, wręczył mi czek i powiedział, że nie chce mu się tam jechać. Tak więc wystawiłem to jeszcze raz i dostałem kolejne 200 000.

Siedząc tam z odchudzonym portfelem i z brzuchem wypełnionym mikroskopijnymi kanapkami, czujesz się biedny i głodny do tego stopnia, że zaczynasz się zastanawiać, czy to nie ty powinieneś stać się adresatem jakiejś akcji charytatywnej. Ale przymykasz oczy na całe to prostactwo, bo – oczywiście – zebrane pieniądze pomogą jakiemuś niewidomemu nastolatkowi z Rwandy, którego całą rodzinę wyrżnęli w pień trawieni przez AIDS terroryści.

Czyżby? A może te pieniądze pójdą na opłacenie kelnerów, ludzi, którzy przygotowali to okropne jedzenie, którzy wydrukowali zaproszenia, na kwiaciarnię, orkiestrę i na właścicieli tego paskudnego, wiejskiego hotelu, w którym odbywała się impreza?

Za każdym razem pytałem przedstawicieli organizatorów tych charytatywnych spotkań, ile pieniędzy spodziewają się zebrać i za każdym razem otrzymywałem odpowiedź, że nie spodziewają się zebrać ani centa. Być może pojawi się wzmianka o imprezie w lokalnym magazynie ilustrowanym, a może, jeśli organizatorom dopisze szczęście i na aukcji pojawią się jakieś gwiazdy z serialu *Holby City*, magazyn „Hello!" poświęci na relację nawet i pół strony.

Cóż dobrego może z tego wyniknąć? Jak małe zdjęcie jakiejś podrzędnej gwiazdy, takiej jak ja, obejmującej piersiastą, skąpo ubraną aktorkę opery mydlanej, może przynieść jakiekolwiek korzyści ślepym i cierpiącym na raka sierotom w Rwandzie?

Problem jest tym większy, że urządza się teraz tyle imprez charytatywnych – sam mam na kominku 23 zaproszenia – że konkurencja pomiędzy ich organizatorami, którzy dążą do coraz większego przepychu, jest naprawdę zaciekła. Niektórzy zatrudniają nawet firmy PR, które regularnie dzwonią do mnie i proponują duże pieniądze – w tysiącach funtów! – bym zjawił się na nich i wypił z nimi szampana Krug. To znaczy, że kwoty licytowane na aukcji muszą być skalkulowane tak, by zwróciły się przynajmniej koszty samej imprezy.

Wkrótce będą nam proponować licytowanie weekendu dla dwojga na atomowym okręcie podwodnym tylko po to, by móc zapłacić brazylijskim połykaczom ognia, którzy przybyli na imprezę opuszczając się na linach ze śmigłowca bojowego.

Myślę, że będzie lepiej, jeśli w tym miejscu powiem, że na niektórych imprezach charytatywnych rzeczywiście zbiera się pieniądze. Moja żona z pewnością chciałaby, żeby podać do informacji fakt, że koszty organizowanej przez nią corocznej imprezy całkowicie pokrywa Honda, Ford lub Audi i że każdy zebrany na niej pens trafia do miejscowego dziecięcego hospicjum.

To, jak sądzę, podsuwa nam pewne rozwiązanie. Gdy macie wybierać, na jakie imprezy się udać, nie pytajcie, jacy piłkarze tam będą i jaki gatunek pawia zostanie użyty do przystrojenia pieczonego łabędzia. Zapytajcie tylko o to, jaka część zebranych pieniędzy zostanie przekazana na cele charytatywne.

A jeśli będziecie w Cheshire, to zapytajcie jeszcze o to, na co te pieniądze zostaną wydane.

Niedziela, 7 listopada 2004 r.

Jestem teraz sztucznym hipsterem

Jeden z moich przyjaciół poradził mi, abym unikał opierania się o kaloryfery, kiedy już wstawią mi sztuczne biodra.

Wiem, że w ostatnich paru dniach odeszli od nas Howard Keel[1], Jasir Arafat i Emlyn Hughes[2].

Wiem również, że Amerykanie mają problemy w Al--Falludży i że ktoś z serialu Holby Enders[3] został przyłapany z nosem w kokainie. Ale wszystko to staje się nieważne w porównaniu z wieścią, że zaczynam się rozpadać.

Po tym, jak przez całe życie byłem potężnym hipochondrykiem, gdy każde przeziębienie postrzegałem jako zakażenie ebolą, a każdy lekki siniec jako zmiażdżenie części ciała, zostałem w zeszłym tygodniu poinformowany, że wreszcie dorobiłem się prawdziwej, porządnej choroby.

Mniej więcej rok temu zaczęło mnie boleć lewe biodro. Wychodząc więc z założenia, że to rak kości, postanowiłem nic z tym nie robić. Uznałem, że lepiej jest obudzić się pewnego poranka nieżywym, niż iść do lekarza i dowiedzieć się, kiedy konkretnie ten poranek nastąpi.

Jednak z czasem było mi coraz trudniej wsiadać i wysiadać z samochodu, co stanowi pewną komplikację, jeśli

---

[1] Amerykański aktor, występujący w musicalach, głównie w latach 1950.

[2] Angielski piłkarz, w latach 1970. kapitan klubu Liverpool FC.

[3] Zlepek tytułów brytyjskich seriali: Holby City i East Enders.

jest się gospodarzem programu, który w dużej mierze wymaga wsiadania i wysiadania z samochodu. Dlatego z ciężkim sercem udałem się do lekarza.

– Mam raka – obwieściłem tonem Kłapouchego. Ale lekarz nie był przekonany i po krótkich oględzinach stwierdził, że wygląda to raczej na chorobę zwyrodnieniową stawów, tłumacząc, że moje stawy biodrowe mogły po prostu ulec zużyciu.

Wydawało się to mało prawdopodobne. Moje biodra nic nigdy nie robiły. Nie jestem tancerzem *ceroc* ani narciarzem zjazdowym, a jedyne ćwiczenia, jakie kiedykolwiek wykonuję, to przeżuwanie jedzenia i pisanie na maszynie.

Ale zdjęcia rentgenowskie, które zrobił mi lekarz, przyszły już z Boots'a i – a niech mnie! – lekarz miał rację. Naprawdę mam zwyrodnienie bioder i dlatego będę potrzebował plastikowych protez.

Najwyraźniej jest to zabawne. Dowiedziawszy się o tym, jeden z przyjaciół poradził mi, że po wszczepieniu protez powinienem unikać opierania się o kaloryfery, na wypadek, gdyby protezy miały się stopić. Inny zwrócił uwagę, że są one w środku puste i dlatego mogłyby znaleźć zastosowanie jako pewnego rodzaju puszki z dokumentami z epoki.

– Mógłbyś włożyć do nich wycinki z gazet i płyty Robbiego Williamsa – doradził mi życzliwie.

Moja żona po prostu zadzwoniła do naszego prawnika, mówiąc, że za nic nie chce mieć męża kaleki i że bardzo prosi o przeprowadzenie sprawy rozwodowej.

Co gorsza, ostatnio zrezygnowałem z ubezpieczenia zdrowotnego, ponieważ z tego co wiem, ubezpieczyciel co miesiąc zabierał moje pieniądze i nie chciał ich zwrócić. Więc mogę albo zrobić sobie operację prywatnie, co będzie kosztowało mnie 25 milionów funtów, albo skorzystać z NFZ-u. To oznaczałoby czekanie przez całe wieki, a następnie poddanie się operacji wszczepienia dwóch stawów, które czternastoletni lekarz, kierując się poradą swoich przełożonych, nabył po drodze z pracy do domu w sklepie z artykułami wod.-kan.-gaz.

Mając pewien pomysł, jak obejść ten problem, poszperałem trochę na eBayu i wiecie co? Można tam kupić używane zabawki erotyczne (!), wojskowe środki znieczulające, a nawet bombowiec Vulcan. Ale nikt nie próbuje opchnąć stawów pozostałych po zmarłej mamusi.

To głupie. Po co spalać kochaną staruszkę, jeśli można szybciutko wyciągnąć jej stawy biodrowe i sprzedać je na aukcji internetowej? Co więcej, gdyby nie miała już bioder, można by złożyć ją na pół i nie trzeba by kupować tak dużej trumny. Byłbym skłonny zapłacić nawet i 30 funtów, ale pod warunkiem, że stawy byłyby dokładnie umyte. Żadnych stawów jednak tam nie było.

Producent *Top Gear* zasugerował, żebym skontaktował się z drużynami formuły jeden i dowiedział się, czy byliby w stanie wyprodukować dla mnie stawy biodrowe z włókna węglowego. Brzmi świetnie, ale nie jestem pewien, czy chciałbym przez kolejne 40 lat kuśtykać, mając w nogach dwie części od zawieszenia McLarena.

O całej sprawie ostatecznie zadecydowało jednak coś innego. Okazuje się, że nie mogę poddać się operacji przez najbliższych 15 lat, ponieważ plastik zużywa się jeszcze szybciej, niż kość, a taka operacja to nie wymiana baterii w latarce. Dlatego lekarze chcą być pewni, że implanty, które mi wszczepią, wystarczą aż do czasu, gdy naprawdę złapię ebolę.

Tak to wygląda. Przez następne 15 lat muszę kuśtykać ze zniekształconymi biodrami, w ogromnym bólu, stając się pośmiewiskiem dla innych. Brzmi to ponuro, jednak biorąc pod uwagę fakt, że wszyscy ludzie w średnim wieku wkrótce stracą zdrowie, artretyzm naprawdę nie jest jeszcze najgorszym zrządzeniem losu. Jest na przykład o niebo lepszy od raka i o wiele lepszy od osteoporozy, która okaleczyła mojego ojca.

Po pierwsze, choroba ta nie prowadzi do śmierci, ani nie sprawia, że biega się po mieście w przebraniu Pszczółki Mai, z językiem na wierzchu i, co jeszcze lepsze, powoduje ból jedynie przy poruszaniu się. Można więc dostać zaświadczenie od lekarza, które tego zakazuje.

To z kolei oznacza, że nigdy już nie będę musiał przynosić węgla z piwnicy ani nosić walizek. Mam również wymówkę, by nie brać udziału w tych głupich „orzeźwiających" spacerach, które żona wiecznie sugeruje po sutym niedzielnym obiedzie.

Nie jestem pewien, ale wydaje mi się, że obecnie przysługuje mi też jedna z tych pożytecznych pomarańczowych naklejek, dzięki którym można wszystkie chodniki traktować jako miejsca parkingowe.

Jedyny problem jest taki, że aby zaparkować samochód, trzeba najpierw do niego wsiąść, a to naprawdę boli jak cholera. Wczoraj próbowałem nakręcić test drogowy dla *Top Gear* i wsiadając do samochodu czułem się, jakby rozrywały mnie na pół dwa traktory. Co z tym zrobię, naprawdę nie wiem.

Niedziela, 14 listopada 2004 r.

Wykreowali mnie szkolni chuligani

Jeśli dobrze zrozumiałem, ostatnia inicjatywa ustawodawcza naszego państwa zmusi szkolnych chuliganów do noszenia niebieskich bransoletek z plastiku po to, by słabi i grubi mogli ich w porę spostrzec i mieli czas na wykonanie uniku.

Od razu dostrzegam tu kilka problemów. Co się na przykład stanie, gdy przebiegły i chytry szkolny chuligan postanowi obejść nakaz i po prostu zostawi bransoletkę w domu? Nie będziecie wtedy wiedzieli czy jest chuliganem, czy nie, zanim nie znajdziecie w waszej torbie na ramię jaja złożonego przez psa i dziwnej plamy w zeszycie do matmy.

A może jednak źle to zrozumiałem? Może to wy macie nosić niebieskie bransoletki z plastiku, by pokazać, że sprzeciwiacie się chuligaństwu w szkole, tak jak nosi się te małe wstążeczki wpięte w klapę, by pokazać, że jest się przeciwko AIDS, przeciwko rakowi piersi albo przeciwko znęcaniu się nad homoseksualistami?

I znów dostrzegam tu pewne zagrożenia. Tak jak plakietka ruchu na rzecz rozbrojenia atomowego nie uchroni noszącej jej osoby przed jądrową ognistą kulą, tak samo – jestem tego pewien – pojawienie się w szkole z niebieską bransoletką z plastiku nie powstrzyma chuligana przed włożeniem waszej głowy do klozetu.

Mój największy problem związany z tą inicjatywą polega na tym, że nie mam niczego, co mógłbym nosić, by pokazać, że w sposób umiarkowany popieram szkolne chuligaństwo. Na przykład byłbym bardzo zadowolony mogąc wsypać do pudełka ze śniadaniem Piersa Morgana[1] trochę piasku. I nic nie sprawiłoby mi większej przyjemności, niż trwające godzinę lub dłużej natarcie uszu Tony'emu Blairowi.

Oczywiście, takie wybryki mają swoje złe strony – nikomu nie jest przyjemnie, gdy pomyśli, że jakiś łobuz mógłby na zadaniu domowym ich dzieci narysować wielkiego penisa. Ale są też i plusy. Na przykład takie, że po całym dniu spędzonym z głową kiblu, nie musielibyście już wieczorem myć włosów. No i po tym wszystkim stalibyście się lepszym, bystrzejszym i mądrzejszym człowiekiem.

Obawiam się, że minister edukacji, Stephen Twigg, w ogóle tego nie rozumie. Musiał za to wysłuchać bandy uszczęśliwiających innych na siłę przedstawicieli rady miasta, którzy ukończyli te wszystkie nonsensowne studia związane z dobrem dzieci, i postanowił, że już najwyższa pora, by wprowadzić niebieskie bransoletki z plastiku. Tak więc teraz wszyscy pomyleni pracownicy opieki społecznej będą mieli wolną rękę w tłumieniu wszelkich przejawów szkolnego chuligaństwa.

Sami chyba wiecie, do czego to doprowadzi. Kiedy wypowiedzieli wojnę nadmiernej prędkości ścigając wariatów drogowych jeżdżących po okolicy 200 km/h, skończyło się to prześladowaniem Bogu ducha winnych staruszek sunących 51 km/h. Ścigają ludzi, którzy polują na lisy, a niedługo wasz pies zostanie skazany za to, że upolował

---

[1] Patrz przypis 3 na s. 58.

mysz. Na papierosach umieścili napisy ostrzegające przed utratą zdrowia, a teraz chcą zabronić nam wstawiania się w pubach. Dla pracownika opieki społecznej nie istnieje duch prawa – liczy się tylko jego litera.

To oznacza, że możemy pomachać na pożegnanie tak ważnemu społecznie zajęciu, jakim jest dokuczanie. Dokuczam ludziom, którzy są niscy. Dokuczam ludziom, którzy czytają „Guardiana". Odwzajemniają się i dokuczają mi mówiąc, że wyglądam jak jabłko na patyku i że lubię zespół Supertramp. Na miłość boską, mam 44 lata, a wciąż zauważam, że jakiś facet ma śmieszną fryzurę. I wtedy spędzam cały dzień nabijając się z niego.

Dokuczanie to dobra rzecz. Wyostrza umysł i może urazić czyjeś ego. Dokuczanie w najlepszym wydaniu jest szybsze niż chiński ping-pong. To coś, co odróżnia nas od zwierząt. Przecież nigdy nie widzieliście jak, dajmy na to, antylopy gnu śmieją się do rozpuku, gdy jedna z ich stada wpada do rzeki albo pożera ją lew.

Ale oczywiście ci, którzy uszczęśliwiają innych na siłę, postrzegają dokuczanie jako rodzaj konopi indyjskich, pozornie nieszkodliwy pierwszy szczebel drabiny uzależnienia i usiłują położyć mu kres, zanim jakiś chuligan zrobi coś, co można by porównać do zażycia heroiny.

No cóż, dokuczano mi w szkole, bezlitośnie i nieustannie i to przez dwa lata. Zapominałem wtedy, jak to jest budzić się normalnie, a nie z powodu tego, że ktoś skierował na moją twarz strumień piany z gaśnicy przeciwpożarowej. W dodatku codziennie byłem wrzucany do szkolnego, nieogrzewanego basenu.

Pamiętam, jak pewnej nocy, o trzeciej nad ranem, zostałem wyciągnięty z łóżka, po czym usłyszałem, że szkoła będzie lepszym miejscem beze mnie, dlatego muszę zginąć.

To zachowanie miało swoje uzasadnienie. Byłem bardzo denerwującym, rozpieszczonym 13-latkiem, uważającym się za świętszego od papieża. Miałem osobliwą zdolność do irytowania ludzi zanim nawet cokolwiek powiedziałem, a w dodatku byłem posiadaczem legendarnie idiotycznej fryzury.

W końcu to znęcanie stało się tak okropne, że zwierzyłem się z niego mojej mamie, która powiedziała, że jeśli wszyscy mi dokuczają, to coś musi być ze mną nie tak. Zapuściłem więc bardzo długie włosy, zacząłem palić i robić wszystko, co w mojej mocy, by rozśmieszać innych.

Nie było to łatwe, na pewno nie wtedy, gdy usta wypełniały psie odchody, ale w końcu udało mi się i szykany ustały.

Naprawdę, naprawdę uważam, że gdyby nie to znęcanie się nade mną, byłbym teraz pozbawionym poczucia humoru pośrednikiem w handlu nieruchomościami w jakimś zapomnianym przez Boga i ludzi prowincjonalnym miasteczku. Innymi słowy, szkolni chuligani uratowali mi życie.

To samo może się sprawdzić w przypadku otyłych dzieci. Można im zakazywać oglądania reklam chipsów w telewizji i umieszczać ostrzeżenia na serze, który jedzą, ale nic nie skłoni ich do zrzucenia na wadze skuteczniej, niż przypalenie im od czasu do czasu włosów.

Niedziela, 28 listopada 2004 r.

100 rzeczy, których nie należy robić przed śmiercią

Mknąłem ślizgaczem po moczarach Everglades na Florydzie. Widziałem zachód słońca nad Rzeką Perfumową w Wietnamie. Leciałem myśliwcem F-15E i jadłem chyba wszystko, co na tym świecie nadaje się do jedzenia. I to poruszając się z prędkością 290 kilometrów na godzinę. W Ferrari.

Innymi słowy, gdy czytam te głupie magazyny, które zamieszczają listy wszystkich rzeczy, które powinniście zrobić zanim umrzecie, czuję się wypalony i pusty. Mam tylko 44 lata, a widziałem już wybuch Etny, pływałem z tymi cholernymi delfinami na Tahiti i próbowałem swoich sił w bobslejach.

Usiłowałem też tańczyć jeden z tych osobliwych szkockich tańców na osiem osób, a bliżej muzyki folk nie można się już znaleźć. Co mi więc teraz radzicie? Żebym udał się za róg i popełnił samobójstwo?

Wygląda na to, że nie, ponieważ w zeszłym tygodniu przedstawiono nam nową listę 100 rzeczy, które należy zrobić przed śmiercią. Tylko że tym razem jej autorzy nie są pijanymi pismakami wracającymi do biurek po długim lunchu. To wybitni naukowcy, specjaliści i wynalazcy.

Pomysł, na którym bazuje ta lista, jest prosty. James Dyson[1], ten od fioletowych odkurzaczy, mówi, że chce by

---

[1] Znany brytyjski wynalazca, jeden z jego ważniejszych wynalazków to

dzieci w wieku szkolnym doszły do wniosku, iż nauka i inżynieria – przypuszczalnie chodzi mu też o odkurzacze – są „cool". Całkowicie się z tym zgadzam, ale muszę stwierdzić, że większość propozycji Dysona i jego kolegów jest albo trudna, albo odrażająca, albo wręcz niemożliwa do zrealizowania.

Zacznijmy od czegoś prostego, na przykład od ekstrakcji swojego własnego DNA. Wszystko, co musicie zrobić, to – jak wynika z tego, co napisano – wypłukać gardło słoną wodą i wypluć ją do szklanki, w której znajduje się płyn do mycia naczyń. Następnie, po ściance szklanki, nalewacie do środka małą strużką lodowaty dżin i możecie obserwować, jak w tej mieszaninie powstają białe, wrzecionowate grudki. To esencja waszego bytu.

Oczywiście, wypluwanie flegmy do szklanki nie jest aż tak efektowne, jak prowadzenie poduszkowca nad lodowcami Tybetu, pomyślcie jednak, co można zrobić z naparstkiem, w którym znajduje się wasze DNA. Możecie je pielęgnować i trzymać w ciepłym miejscu, a – kto wie – może pewnego dnia wyrośnie z niego wasza doskonała replika. Chyba że palicie tyle co ja – wtedy DNA rozwinie się w doskonałą replikę Marlboro Light.

Uwaga, teraz będzie coś gorszego: eksperci proponują, by przeistoczyć się w bezcenny klejnot. Rzeczywiście, w Chicago działa firma, która poddaje ludzkie szczątki po kremacji 18-tygodniowemu działaniu ciepła i wysokiego ciśnienia, w wyniku czego powstaje z nich lśniący jednokaratowy diament.

---

odkurzacz bez worka, pracujący w oparciu o tzw. separację odśrodkową. Pierwsze modele tego odkurzacza produkowane były w jasnofioletowym kolorze.

Czujecie, że coś tu nie gra? No właśnie! Szczerze mówiąc, jestem zaskoczony, że najtęższe mózgi Wielkiej Brytanii przeoczyły fakt, że miała to być lista rzeczy do zrobienia p r z e d śmiercią.

A tu mamy z kolei coś niepokojącego. Możecie połączyć swoje komputery z olbrzymim radioteleskopem w Puerto Rico i spędzać swój wolny czas na nasłuchiwaniu oznak życia pozaziemskiego. To, jak sobie wyobrażam, wymaga całkiem sporo cierpliwości. Tak dużo, że w sumie chyba wolałbym zostać diamentem.

Czy nie spodziewaliście się przypadkiem, że zespół o takim potencjale intelektualnym tworząc tę listę zaproponuje coś odrobinę ciekawszego, niż grzebanie w wątrobie nieżywego Amerykanina w celu sprawdzenia, na co zmarł? Czy chcielibyście powoli zamieniać się w diament, umilając sobie czas nasłuchiwaniem czegoś, co i tak jest zbyt daleko, by można to było usłyszeć.

Pozwólcie więc, że to ja zaproponuję coś lepszego niż oni, coś bardziej ekscytującego niż wszystko, co do tej pory robiliście. Coś, o czym dotąd nawet nie słyszeliście.

Zorganizujcie grupkę znajomych, najlepiej takich, których nie za bardzo lubicie i złapcie najbliższy lot do Los Angeles.

Na miejscu odszukajcie firmę, która organizuje walki powietrzne dla dobrze płacących klientów i to niezależnie od tego, czy ci klienci mają jakiekolwiek doświadczenie w lataniu, czy nie.

Wsadzą każdego z was do samolotu treningowego Marchetti, drugi pilot zabierze was na wysokość 900 metrów, gdzie otworzy przepustnice najszerzej jak tylko będzie mógł i rozkaże wam zestrzelić pozostałych kumpli.

Każdy z samolotów ma zamontowany na dziobie laser i jest pokryty tą samą substancją, którą znacie z laserowej wersji paintballa. Tak więc gdy w waszym polu widzenia znajdzie się jakiś koleś, pociągacie za spust. Jeśli nie uda mu się uciec, a ucieczka w tym przypadku oznacza większą dawkę przeciążenia niż wasze, jest spalony. Jego drugi pilot wypuszcza wtedy dym, co oznacza, że został trafiony.

Efekt uboczny tej zabawy będzie taki, że wrócicie do domu zainteresowani fizyką lotu i teorią aerodynamiki o wiele bardziej, niż kiedykolwiek moglibyście przypuszczać.

Niedziela, 5 grudnia 2004 r.

Złamię wszystkie zakazy Tony'ego!

Rozumiem, że już wkrótce poplecznicy rady gminy będą nocami krążyć po naszych wsiach i wręczać zryczałtowane grzywny w wysokości 50 000 funtów tym, którzy mają włączone światło, nie pozwalając innym zasnąć.

No dobrze. Osobiście mieszkam naprzeciw stadionu piłkarskiego, który co wieczór jest oświetlany przez kilka gigawatowych lamp o jasności eksplodującej gwiazdy. To dopiero jest nie do wytrzymania! Ponieważ jednak rozumiem, że gra w piłkę w ciemności staje się strasznie trudna, nie narzekam. Po prostu powiesiłem w oknie dwa kawałki materiału. Lubię nazywać je „zasłonami".

Próbowałem, naprawdę próbowałem zrozumieć, po co potrzebne jest ustawodawstwo zakazujące ludziom używania świateł w nocy, ale potem przypomniałem sobie, że wcześniej z wielkim wysiłkiem próbowałem też zrozumieć, dlaczego psom nie wolno już zabijać lisów. I tego też nie mogłem pojąć. Jak również i tego, dlaczego nie mogę korzystać z komórki, gdy stoję w korku.

Każdego dnia w jakiejś gazecie zamieszczany jest krótki artykuł, który zapowiada wprowadzenie zakazu czegoś, co do tej pory uważaliście za nieszkodliwe.

Problem w tym, że marszczycie na moment brwi, a potem przewracacie stronę. Dopiero gdy zsumujecie wszystkie nowe zakazy, które ukazały się od chwili, gdy Jego

Blairowskość szerokim uśmiechem utorował sobie drogę do budynku numer 10 na Downing Street, dotrze do was, jak wielką część zasobów naszej wolności próbował na przestrzeni tych siedmiu lat zniszczyć.

W zeszłym tygodniu Boris Johnson[1] ogłosił, że w swoim własnym domu nie możecie legalnie naprawić wybitego okna, chyba że jesteście wykwalifikowanymi fachowcami, wyspecjalizowanymi w naprawie wybitych okien. A gdy już uporacie się z tą naprawą, musi ją skontrolować inspektor od wybitych okien, powołany przez lokalny samorząd. Ponadto, wbrew prawu jest także samodzielna wymiana bądź majstrowanie przy gniazdkach we własnej kuchni.

Czeka nas jeszcze wiele, wiele więcej. Wyścigi chartów mają zostać obwarowane nowymi superpozwoleniami, nie można będzie nadepnąć na jelonka rogacza, nie wolno będzie współżyć bez zabezpieczeń ani iść z kumplami na kilka drinków po pracy. Żółty ser będzie musiał nosić ostrzegawczy znak ministerstwa zdrowia, zakazane będą też dowcipy o homoseksualistach, lesbijkach, muzułmanach, katolikach, Irlandczykach oraz lisach.

Gary Lineker będzie mógł pojawiać się w telewizji wyłącznie w paśmie tylko dla dorosłych, na wypadek gdyby dzieci skusił jego niebezpieczny świat chipsów z solą i octem[2]. Nie będzie można pozwolić psu zagryźć szczura – przecież szczur to dzikie zwierzę! A gdy umrze wasza matka, nie można jej będzie postawić nagrobka, bo mógłby się przewrócić.

---

[1] Patrz przypis 5 na s. 95.

[2] Były piłkarz reprezentacji Anglii reklamuje chipsy angielskiej firmy Walkers, co wywołuje protesty środowisk przeciwnych niezdrowej żywności.

Oczywiście, zostanie też wprowadzony zakaz palenia w miejscach publicznych, zakaz posiadania Biblii, zakaz wysyłania bożonarodzeniowych kartek przedstawiających narodzenie Chrystusa oraz zakaz spuszczania lania dzieciom. Całe szczęście, że będzie można jeździć samochodem. Ale nie szybciej niż 30 kilometrów na godzinę, nie, gdy jesteś po odrobince sherry i na pewno nie, jeśli twój wóz ma napęd na cztery koła.

Wszystko to będzie regulowane odpowiednim ustawodawstwem. A tam, gdzie nie będzie to możliwe, Tony użyje Policji Kontroli Myśli. W wyniku jej działań, w zeszłym tygodniu zostałem poinformowany, że „nie wolno mi używać pojęcia »bliźnięta syjamskie«" i że „w przyszłości muszę określać je jako »połączone«".

A to dlaczego? Dzieci z zespołem Downa od dawna nazywano „mongołami", ponieważ niektóre cechy ich twarzy sprawiają, że wyglądają tak, jakby pochodziły z Mongolii. I rozumiem, dlaczego może to drażnić zarówno Mongołów, jak i dzieci z Downem.

Ale wyrażenie „bliźnięta syjamskie" jest w użyciu dlatego, że pierwszej parze takich bliźniąt, o której dowiedział się świat – byli to Chang i Eng – zdarzyło się urodzić w Syjamie. Kogo więc może to drażnić? Syjamu nawet już nie ma. Czy ci idioci chcą przez to powiedzieć, że nie mogę używać zwrotu „holenderska odwaga"[3]? A jeśli tak, to kto stanie w obronie odry, jeśli nazwę ją niemiecką[4]?

Szczerze mówiąc, ani jeden z tych przykładów wtrącania się nie robi mi żadnej różnicy. I dlatego wcale nie biadolę, bo i tak będę dzwonić do ludzi prowadząc samochód

---

[3] Angielski odpowiednik polskiej „pijackiej odwagi" lub „kurażu".

[4] „Niemiecka odra" (ang. *German measles*) to po polsku różyczka.

i opowiadać im historyjki, które Cherie Blair uznałaby za obraźliwe.

Ponadto, ludzi dzielących ze sobą części ciała wciąż będę nazywał bliźniętami syjamskimi.

Będę jadł tyle sera, ile mi się spodoba, a swojemu psu, za każdym razem, gdy rozerwie szczura na strzępy, podam całą paczkę chipsów o smaku koktajlu z krewetek.

Zastanawiam się, czy dziś wieczorem nie spuścić lania dzieciom. Tak dla własnej przyjemności. Następnie, gdy będę wybierał się do łóżka po przerobieniu całej instalacji elektrycznej w kuchni i wypiciu dwóch butelek wina, zostawię włączone lampy na zewnątrz. I będę śnił o stringach, które mignęły mi przed oczami w zeszłym tygodniu w biurze.

Innymi słowy, w ciągu jednego dnia złamię 14 zakazów i siedem towarzyskich tabu, które, zanim nadszedł Tony, po prostu w ogóle nie istniały. I zrobię to bezkarnie, bo nie ma żadnego cholernego sposobu na to, by mógł wyegzekwować przestrzeganie wszystkich swoich Genialnych Pomysłów.

Niedziela, 12 grudnia 2004 r.

Rekiny, jesteście martwe!

W zeszły czwartek dwa rekiny ludojady pożarły osiemnastoletniego australijskiego surfera. Według świadków zdarzenia, rozerwały jego ciało na pół, a następnie spędziły parę minut walcząc o to, któremu z nich przypadnie który kawałek.

Jak zwykle w takim przypadku, przeprowadzono wywiady z różnymi ekspertami od przyrody, którzy zgodnie stwierdzili, że rekiny te należy wypuścić na wolność po udzieleniu im pouczenia, częściowo dlatego, że są pod ochroną, a częściowo dlatego, że do takich ataków dochodzi niezwykle rzadko.

A jednak to nieprawda. W rzeczywistości nie minął nawet tydzień, a kolejny surfer został pożarty dokładnie przy tym samym odcinku brzegu. W tym czasie w Kalifornii społeczność surferów ogłosiła, że w ostatnich latach częstotliwość ataków rekinów wzrosła trzykrotnie. Podobnie jest w Afryce Południowej.

Co w takim razie jest grane? Otóż niektórzy twierdzą, że żarłacze białe zasmakowały w ludzkim mięsie, ponieważ wyjedliśmy całe ich dotychczasowe pożywienie, czyli tuńczyki i tak dalej. Inni argumentują, że to dlatego, bo deski surfingowe wyglądają od spodu jak foki. A może ataki rekinów są po prostu sposobem Boga na upomnienie surferów, żeby wzięli się do jakiejś roboty?

Sądzę jednak, że udało mi się wymyślić, kto konkretnie jest tu winien... To ckliwy sentymentalizm kanału National Geographic z jego disneyowskim etosem: „podczas realizacji programu nie ucierpiało żadne zwierzę".

Kiedy David Attenborough prezentuje w telewizji program o zwierzętach, przedstawia naturę w całej jej surowości. Oglądamy duże, wilgotne oczy jakiegoś świeżo narodzonego zwierzątka i jego chwiejne nóżki. Widzimy, jak znajduje partnera i jak po solidnym posiłku odpoczywa w słońcu. A następnie widzimy, jak pożera je lew.

Któż mógłby zapomnieć horror, jaki przeżył ten biedny pingwinek w *Błękitnej planecie*? Wybrał się na poszukiwanie pożywienia dla swojej żony i został zaatakowany przez lamparta morskiego, co pokazano w krwawych zbliżeniach. Ciężko ranny, ze wszystkich sił próbował powrócić do domu, ale podróż była zbyt długa, a zbocze zbyt strome. Zginął więc rozbijając się dziobem o lód.

Gdyby ten sam film wyprodukowali Amerykanie, pan Pingwin znalazłby mnóstwo pożywienia, wyłącznie ekologicznego, z łatwością przepłynął obok czyhającego lamparta morskiego i powrócił do ogródka skalnego, gdzie razem z panią Pingwinową otwarliby sklep przestrzegający zasad uczciwej konkurencji. A potem żyliby długo i szczęśliwie.

Ostatnio obejrzałem program przyrodniczy całkowicie skażony amerykańskim stylem. Opowiadał o Andach. I wiecie co? Żadne ze zwierząt nigdy nie kopulowało i żadne z nich nigdy nie zdechło. Nawet ryby. Głuptaki nurkowały w wodzie i po prostu wynurzały się z powrotem. Pumy bezskutecznie ścigały lamy. A lisy tak po prostu się przechadzały i wyglądały jak milutkie stworzonka.

To właśnie dlatego obowiązuje obecnie zakaz polowań: ponieważ żyjemy w świecie, w którym młode lisów są figlującymi w lasach wegetarianami, bezinteresownie bawiącymi się w berka.

Z pewnością nigdy, przenigdy nie widziałem żadnego nagrania, w którym lis włamywałby się do kurnika i zabijał jego mieszkańców. To właśnie dlatego świat pełen jest surfujących chłopców, którzy przemierzają naszą planetę w poszukiwaniu odpowiednich fal, niepomni na niebezpieczeństwa czyhające pod powierzchnią.

Obecnie rekiny ludojady zawsze określa się mianem „wspaniałych", a teraz jeszcze Peter Benchley, autor *Szczęk*, mówi, że żałuje, iż napisał tę książkę, ponieważ przez to każdy odniósł wrażenie, że żarłacze białe są „złe", podczas kiedy w rzeczywistości to „kruche istoty". Oczywiście możemy się tego tylko domyślać, ale założę się, że osiemnastolatek, który w tym tygodniu został rozerwany na pół przez rekiny, podczas gdy ich zęby zanurzały się w jego udach, nie myślał wcale, że są one „wspaniałe" albo „kruche".

To samo dotyczy komara. Ale ponieważ nigdy nie stał się przedmiotem ckliwego, ekologicznego programu o przyrodzie, nawet najbardziej wegetariańscy, brodaci wariaci mogą do woli ganiać w nocy po sypialni, dzierżąc w dłoni zwiniętą gazetę i puszkę spray-u na owady, krzycząc: „Zaraz cię dorwę, ty mały gnojku".

Tak samo jest z rekinem ludojadem. Jest niebezpieczną, brzydką, śmiercionośną maszyną, która wyrywa z człowieka kawał mięsa i pozostawia go, by wykrwawił się na śmierć. A później powraca, by stwierdzić, że jednak nie przepada za ludzkim mięsem. To siedmiometrowy morski moskit, podwodny potwór o zębach jak drut kolczasty, i tak właśnie należy go traktować.

Dlatego powinno dojść do zamiany ról. Zamiast pozwalać tym wrednym kreaturom, by krążyły po morzach i nas pożerały, sami powinniśmy zacząć je zjadać. Oczywiście doprowadziłoby to do ich całkowitego wytępienia, przez co świry wszelkiej maści zaczęłyby machać rękami i narzekać, że zmieniamy świat. Na co my moglibyśmy odpowiedzieć: „Oczywiście. Ulepszamy go. I wkrótce zabieramy się za tygrysy".

Niedziela, 19 grudnia 2005 r.

Widmo prezentu dla żony

Oczywiście, wiem doskonale, że żonie nigdy nie powinno się kupować niczego, co ma wtyczkę, ale to zawsze stanowiło dla mnie problem. Zawsze miałem smykałkę do rzeczy, które do działania potrzebują elektryczności, zaś o pozostałych nie miałem zielonego pojęcia.

Na przykład perfumy. Czy byliście ostatnio w dziale perfum w jakimś domu handlowym? Nie tylko oferują one około 10 000 tradycyjnych zapachów dobrze znanych marek, takich jak Chanel i hm... Charlie, które, przynajmniej dla palacza, pachną wszystkie dokładnie tak samo, ale obecnie proponują również produkty lansowane przez wielkie sławy.

Czy wasza żona chce pachnieć jak Beyoncé albo Celine Dion?

A może chciałaby spędzić lato krocząc dumnie z wonią Cliffa Richarda za uszami?

Przerażony, że mógłbyś natknąć się na wspaniały zapach Kilroya, który wszędzie już był – innymi słowy Cuprinol[1], bo pod taką nazwą jest on znany w sklepach z artykułami stolarskimi – zmierzasz prosto w stronę działu z ubraniami, popełniając tym samym jeszcze większy błąd, ponieważ kupisz Nie To Co Trzeba. I, co gorsza, kupisz Nie To Co Trzeba w Złym Rozmiarze.

---

[1] Popularna w Wielkiej Brytanii marka farb do drewna.

W takim razie – biżuteria. Hm, może jednak nie, ponieważ z powodów, których nigdy nie udało mi się do końca zrozumieć, sklepy z biżuterią nigdy nie podają na wystawie cen. Co oznacza, że musisz opanować przynajmniej podstawy metody Stanisławskiego[2], by dobrze udawać, że nie decydujesz się na zakup naszyjnika, bo nie podoba ci się jego zapięcie, a nie dlatego, że kosztuje 16 000 funtów.

Walizki albo materiały biurowe z nazwiskiem właściciela to dobry pomysł, ale na nie trzeba składać zamówienie już w marcu. Podobnie jest z meblami. W dodatku komodę trudno jest wieźć do domu pociągiem.

Oczywiście, można zlecić dostawę sklepowi, ale to wiąże się z wypełnieniem formularza, a następnie kolejnego. A następnie jeszcze kilku. Po tym wszystkim dane muszą zostać wprowadzone do komputera, i kiedy wreszcie wszystko jest załatwione, kwitną już żonkile. Dlaczego nie można po prostu zapisać adresu na kawałku papieru i dać go kierowcy ciężarówki?

Mniej więcej na tym etapie współczesny dżentelmen zaczyna myśleć o zakupie jakichś świec. Wszyscy wiemy, że kobiety uwielbiają spędzać całe godziny pławiąc się w kąpieli w półmroku. Nie potrafimy jednak wyobrazić sobie, co też mogą tam robić. Otóż tak naprawdę to potrafimy i właśnie dlatego mówimy świecom zdecydowane „nie".

Książki. Och, dajcie spokój. Wydawanie zaledwie 7,99 funta na prezent zakrawa na skąpstwo, szczególnie że moja żona gustuje w książkach, które nawet nie mają fabuły.

---

[2] Zbiór reguł sztuki aktorskiej opracowanych przez rosyjskiego reżysera teatralnego Konstantego Stanisławskiego, odkrywających nowe środki techniki aktorskiej oparte na realizmie psychologicznym postaci.

Dlatego właśnie w tym roku nawet nie zacząłem oglądać wystaw z potencjalnymi prezentami dla żony. Od razu udałem się do działu z artykułami elektronicznymi w Selfridges, bo wiedziałem, że tam będę się czuł bezpiecznie, cieplutko i przytulnie.

Niestety, kiedy mrugnąłem oczami, musiał dokonać się jakiś wielki technologiczny skok, ponieważ stoisko pełne było różnych pudełek ze szczotkowanego aluminium, które nie wyglądały na coś, co służy do czegokolwiek przynajmniej odrobinę pożytecznego.

Zasadniczo przy użyciu tej całej nowoczesnej technologii można robić trzy rzeczy. Słuchać muzyki. Robić zdjęcia. I komunikować się z innymi, kiedy już dojdzie się do siebie. Ale kombinacja tych trzech czynności doprowadziła światowych maniaków technologii do zupełnego szaleństwa.

Weźmy jako główny przykład iPoda, o którym tyle się ostatnio mówi. Nawet gdyby moja żona miała 5 000 piosenek w swojej tajemniczej kolekcji płyt CD, i nawet gdyby miała czas skopiować je wszystkie na ten chip, czemu dokładnie miałoby to służyć? Po co kopiować coś, co już się ma?

Przejdźmy więc do nowego rodzaju kamer z trzema matrycami CCD. Jasne, jakość znacząco wzrosła, ale odpowiedzcie mi na proste pytanie. Czy kiedykolwiek oglądaliście cokolwiek, co nakręciliście waszą kamerą? Nie? Tak właśnie myślałem. Więc co z tego, że obecnie możecie już zrobić zoom na włosy w nosie waszego męża z odległości 10 kilometrów?

A komu może przydać się telefon z możliwością ściągania z internetu zwiastunów filmów? Czy kiedykolwiek byliście w sytuacji, że spacerujecie po wrzosowisku i nagle odczuwacie potrzebę obejrzenia 3-sekundowego ujęcia Toma Cruise'a dyndającego głową w dół?

Przypuszczam, że sporo uciechy mogłoby przynieść sfilmowanie swoich genitaliów i wysłanie ich do kochanki. Ale gdybym zrobił to mojej żonie, uznałaby, że postradałem zmysły.

Opuściłem dział z artykułami elektronicznymi rozczarowany i odszedłem pełen obaw, że w czasie, kiedy akurat patrzyłem w drugą stronę, świat niezwykle poszedł do przodu. I że robi to dalej, a święta Bożego Narodzenia są już za pasem. I że muszę coś kupić. Skończyło się na tym, że kupiłem żonie martwego królika.

Z pewnością, gdy sklepy zostaną ponownie otwarte w środę, weźmie go z powrotem do sklepu i spokojnie wymieni na „Saigon" – nowy, wspaniały zapach firmowany przez Henry'ego Kissingera.

Niedziela, 26 grudnia 2004 r.

Kto się boi miłego wilczka?

Z druzgocącą, a mimo to cichą brutalnością, milionowe stada grasujących jeleni wyniszczają krajobraz Wielkiej Brytanii. Badania wykazały, że ich liczba szybko wzrasta, wymykając się spod kontroli. Doszło już do tego, że gnają przez pola uprawne i lasy na podobieństwo roju rogatej szarańczy.

Co gorsza, w zeszłym roku w samej tylko Szkocji doszło do 15 000 wypadków drogowych z udziałem jelenia. Zginęło 10 osób. Zostały wciśnięte w zagłówki przez poroże zwierzęcia, które dostało się do środka przez przednią szybę. Mało sympatyczny sposób kopnięcia w kalendarz.

Mniej więcej tyle samo osób zginęło w Anglii Wschodniej, a na odcinku drogi wiodącym przez Channock Chase w hrabstwie Stafford jeleń jest potrącany średnio raz na trzy dni. Musi mieć już tego serdecznie dość.

Koniec końców, rząd postanowił zacząć działać. Przy wtórze wycia protestujących leśników, ministrowie ogłosili, że konieczny jest dobrze zorganizowany, ogólnokrajowy odstrzał jeleni. Ponieważ jednak nasz rząd to Nowa Partia Pracy, wokół sprawy jeleni zaczęła narastać niezła histeria.

Gdyby to zwierzę było bakterią lub konserwatystą atakującym wszystkie drzewa i winnym śmierci 50 osób, na pewno z miejsca podjęto by działania, zmierzające do jego likwidacji. Ale przecież jeleń ma takie ogromne, brązowe i smutne oczy. I na tym właśnie polega problem, z którym ci czarusie nie mogą sobie poradzić.

Chodzi mi o to, że ten sam rząd publicznie wyznał dozgonną miłość do liska chytruska, więc nawet jeśli jeleń przyczynia się do masowej zagłady ludzkości, trudno wyobrazić sobie Tony'ego Blaira biegającego po szkockich Highlands w myśliwskich butach do kolan i posyłającego z karabinu maszynowego grad kul w kierunku mamusi jelonka Bambi.

Przez to wszystko ministrowie stają na głowach, by wyjaśnić, że jeleń to piękne zwierzę i w żadnym wypadku nie można patrzeć na niego tak, jakby był szkodnikiem czy innym utrapieniem. Lecz niestety – setki tysięcy jeleni muszą oberwać kulką między oczy.

Mówi się nawet o zezwoleniu, jakie uzyskają wyłącznie starannie wyselekcjonowani i obłożeni wszystkimi możliwymi licencjami myśliwi, by mogli włóczyć się po terenach Highlands w okresie ochronnym i strzelać do samic przy nadziei. To dopiero coś, biorąc pod uwagę, że jest to rząd, którego samorządy lokalne w całym kraju zatrudniają „rzeczników do spraw jeleni".

Nie jestem pewny, czym zajmuje się taki rzecznik. Osobiście wolałbym jednak wydać pieniądze przeznaczone na jego pensję na pomoc ofiarom trzęsienia ziemi w Azji. No właśnie.

Mój ulubiony aspekt tej rządowej inicjatywy związany jest z przyglądaniem się katuszom, jakie muszą znosić członkowie rządu, zastanawiając się, co zrobić z tą górą martwych cielsk. Bo oczywiście każdy z nich to zdeklarowany wegetarianin. I to właśnie dlatego nawet nie przyjdzie im do głowy, że zastrzelone jelenie można by po prostu przybrać cebulką i zjeść.

Da się nawet zjeść jelenia „muntjac", który wygląda jak wielki szczur i szczeka jak pies. Tylko, że podobnie jak krokodyl i wąż, smakuje trochę jak kurczak.

To byłoby świetne rozwiązanie. Grubi, biedni ludzie, którzy swoje ograniczone środki wydają na chipsy i boczek mogliby zostać zachęceni do nocnych eskapad po lesie, podczas których polowaliby na jelenie. W ten sposób zażyliby trochę ruchu, a jedzenie mieliby gratis.

Ponieważ myślę, że to się jednak nie przyjmie, zainteresowałem się pomysłem, który dwa lata temu poddał pod dyskusję bogaty szkocki właściciel ziemski Paul van Vlissingen. Zajmując się problemem jeleni, wyłożył z własnej kieszeni 300 000 funtów i doszedł do wniosku, że najlepszym sposobem kontroli liczebności ich stad jest powtórne wprowadzenie do ekosystemu wilków.

Nie ulega wątpliwości, że stado wilków buszujące w okolicach Highlands utrzymywałoby liczbę jeleni na niskim poziomie, co w rezultacie uratowałoby drzewa i pola uprawne. Nie mogę jednak przestać zastanawiać się, cóż jeszcze taki pan Wilczek mógłby sobie zjeść.

Z pewnością łakomym kąskiem stałby się pan Witalis, i bardzo dobrze, bo człowiekowi nie wolno już na niego polować. A co z owcami? W alpejskich regionach Francji, wataha 30 zaledwie wilków robi wszystko, co w jej mocy, by w menu tamtejszych restauracji nie pojawiała się jagnięcina.

Z podobnym problemem spotykamy się w Szwecji, gdzie wilki, znudzone jedzeniem samych tylko jeleni, rzucają się na prawie wszystko, co się porusza.

To nieodparcie przywołuje mi na myśl ulubione *amuse-bouche*[1] wilka, czyli nas. Van Vlissingen twierdzi, że w ciągu ostatnich 100 lat nie odnotowano przypadku człowieka, a nawet części ciała człowieka, która zostałaby zjedzona przez wilka.

Przedstawia również argument, że na Alasce i w Kanadzie ludzie i wilki wiodą razem szczęśliwe życie.

To prawda, ale na Alasce i w Kanadzie większość ludzi nosi w kurtce jakąś spluwę. Tu jednak nie wolno nam przechadzać się ze stalowosinym Magnum, dlatego uważam, że proponowana obecność wilków oznaczałaby, że przypadkowi turyści przy ich udziale przenosiliby się na tamten świat.

To znaczy, że wszyscy byliby zadowoleni. Rząd utrzymywałby liczbę jeleni na niskim poziomie, a swoich rzeczników do spraw jeleni nie musiałby zmieniać w morderców. My moglibyśmy jeździć po drogach szybciej i bezpieczniej. Krajobraz naturalny zyskałby jeszcze jedno nowe i interesujące zwierzątko. A królowa pieszych wycieczek, Janet Street-Porter[2], niechybnie zostałaby pożarta.

Niedziela, 2 stycznia 2005 r.

---

[1] Fr.: zakąska.

[2] Brytyjska postać medialna: dziennikarka, prezenterka, producentka i redaktorka; była prezesem i wiceprezesem Zrzeszenia Turystów Pieszych.

Kręgle dla pięknych

Pewnie myślicie, że Mistrzostwa Świata w Kręglarstwie Kobiet to nobliwa impreza, sponsorowana przez Werther's Originals, Rovera, biuro podróży dla emerytów Saga Holidays i producenta wyciągów dla wózków inwalidzkich.

Skądże znowu. Siedem spośród ośmiu ćwierćfinalistek, wyselekcjonowanych do reprezentacji Wielkiej Brytanii, ma od 21 do 37 lat. Zdjęcie jednej z nich, niesamowicie pięknej młodej kobiety, pojawiło się w zeszłym tygodniu w prasie – była ubrana w rozpiętą, skórzaną kurtkę motocyklową i prawie nic więcej.

Wywołało to natychmiastową reakcję komentatorów, którzy wychylili się zza swoich termosów z herbatą i zauważyli, że być może członkinie naszej drużyny zostały wybrane nie ze względu na rzeczywiste umiejętności, ale raczej przez wzgląd na ich telewizyjną atrakcyjność. Osobiście jestem przekonany, że mają rację.

Tylko popatrzcie. W dawnych czasach, gdy urodziła się większość graczy w kręgle, gazety nie zamieszczały zdjęć, wolno więc było być grubym i brzydkim. Joseph Whitworth, wielki rusznikarz, został narodowym bohaterem, bo nikt nie wiedział, że ma twarz jak pawian. Isambardowi Kingdomowi Brunelowi[1] udało się osiągnąć sukces dzięki

---

[1] Znany dziewiętnastowieczny inżynier brytyjski.

temu, że opinia publiczna Wielkiej Brytanii nie miała pojęcia, iż jest karłem.

W tamtych czasach, by dawać sobie radę, trzeba było
mieć talent i być inteligentnym. A teraz, w erze obiekty-
wów z zoomem i prasy brukowej, żadna z tych rzeczy nie
ma najmniejszego znaczenia.

Wkraczamy w nowy świat, gdzie nie liczy się co wiesz,
ani kogo znasz, ani co wiesz o tym kogo znasz. To, co się
liczy, to twój wygląd.

Słyszałem, że Davidowi Beckhamowi daleko jest do
najlepszego gracza Wielkiej Brytanii. Globalny sukces
osiągnął dlatego, że jest przystojny. Podobnie Tony Blair.
Został przywódcą Partii Pracy, bo po prostu prezentuje
się lepiej od Robina Cooka i Johna Prescotta. Co więcej,
zostanie wybrany na trzecią kadencję, bo ma więcej sek-
sapilu niż Michael Howard. Natomiast premierem nigdy
nie zostanie Gordon Brown – staw zawiasowy jego dolnej
szczęki wygląda jakby był obluzowany.

Weźmy teraz Siennę Miller. Już słyszę, jak pytacie:
Kogo??? No cóż, wystąpiła w epizodycznych rolach
w dwóch filmach, których nie widzieliście, ale ponieważ
jest niewiarygodnie śliczna, informacja o jej zaręczynach
z kobietą o imieniu Judy[2] zepchnęła z pierwszych stron
gazet katastrofę w Azji.

Wszystko to w pełni rozumiem. Przecież nigdy nie
zdecydujecie się świadomie na zakup brzydkiej sofy czy
brzydkiego samochodu, dlaczego więc mielibyście decy-
dować się, by z wnętrza elektrycznego akwarium spoglą-
dała na was jakaś brzydka osoba?

---

[2] Chodzi oczywiście o aktora Jude Law.

Z tego samego powodu wolę oglądać moją nową telewizyjną miłość, Fionę Bruce czytającą raporty o rozrodzie owiec w hrabstwie Cumbria w 2004 roku, niż Reginalda Bosanqueta z rumianym nosem, obwieszczającego mi o tsunami. Mam kumpla, którego salon dealerski po brzegi wypełniają wyłącznie zdumiewająco atrakcyjne dziewczyny. Gdy zapytałem dlaczego, z uśmiechem na twarzy odpowiedział, że ładne kosztują go tyle samo co brzydkie. To też rozumiem.

To wszystko ma jednak pewien olbrzymi minus. Bo widzicie, może to i prawda, że Ben Affleck, Brad Pitt, George Clooney i Denzel Washington wyglądają dobrze w skórzanych minispódniczkach i rzymskich zbrojach. Cóż jednak działoby się 30 lat temu, gdyby jedynymi kwalifikacjami wymaganymi do osiągnięcia hollywoodzkiego supergwiazdorstwa, byłyby idealnie kwadratowe, idealnie białe zęby i szerokie ramiona? Nie mielibyśmy Gene'a Hackmana, co to, to na pewno.

Pewne jest również i to, że Dustin Hoffman ze swoim przerośniętym nosem wciąż ledwo wiązałby koniec z końcem, pracując w jakieś nowojorskiej spelunie, razem z Jackiem Nicholsonem i Anthonym Hopkinsem.

W tej chwili jedyna nadzieja, jaka pozostaje przystojnym inaczej i brzuchatym po prostu, to komedia. Ludziom, którzy ładnie wyglądają jest łatwo. Wystarczy że się tylko uśmiechną, a już mogą wślizgnąć się do majtek nieznajomej. Natomiast osoby pokroju Stephena Fry'ego i Jimmy'ego Carrs'a[3], zanim w ogóle zostaną dopuszczone w pobliże czyjeś miednicy, muszą zrobić użytek ze swojego poczucia humoru.

---

[3] Znani w Wielkiej Brytanii satyrycy (Carrs jest Irlandczykiem).

W tym miejscu spróbujcie mi odpowiedzieć na następujące pytanie: wymieńcie choć jedną szczupłą, atrakcyjną dziewczynę, która zyskała sławę dzięki temu, że jest zabawna. Dawn French? Jo Brand?[4] Kapujecie, o co mi chodzi?

Niestety, jeśli chodzi o komedię, to liczba debiutów jest z pewnością ograniczona. Dlatego według mnie nastąpi rewolta, i to w niezbyt odległej przyszłości. Zdarzało się nieraz, że czyjaś pozycja społeczna wywoływała zazdrość i zgorzknienie. Ludzie zastanawiali się, dlaczego ten idiotyczny, czwarty syn arystokraty z jakiejś podrzędnej mieściny może jeść na kolację pawia w brzoskwiniach, podczas gdy jego błyskotliwy służący musi zadowolić się filiżanką błota.

Ile czasu jeszcze upłynie, nim brzydcy tego świata zaczną zastanawiać się, dlaczego Kate Moss jest milionerką i dlaczego na ekranach telewizorów nieustannie pojawiają się opaleni przystojniacy i napompowane blondynki, podczas gdy ich własne dzieci, które z łaciny mają same szóstki, nie mogą dostać nawet pracy śmieciarza?

Mam nadzieję, że ta rewolta nadejdzie szybko. W przeciwnym razie – no, chyba że ta grająca w kręgle panienka rozepnie do końca swoją kurtkę i zdekoncentruje przeciwników – Wielka Brytania ma duże szanse odpaść z turnieju.

Niedziela, 9 stycznia 2005 r.

---

[4] Aktorki komediowe z pewnością nienależące do szczupłych.

Ostrzeżenie przed szalejącą pogodą

No cóż, tak jak przewidziały brytyjskie gwiazdy popu, w Afryce na Boże Narodzenie nie spadł śnieg, ale o dziwo było go całkiem sporo w Teksasie i Arabii Saudyjskiej.

Zeszłoroczne lato w Australii było najsuchszym od roku 1859, kiedy to zaczęto gromadzić dane na temat pogody. W Jukonie pojawiły się osy, na Saharze wielkie chmary odżywionej deszczem szarańczy, a w Islandii temperatura osiągnęła 24,8 stopnia Celsjusza.

Nieco bliżej nas fale zmyły znaczne połacie Kornwalii, londyński Carlise Park znalazł się pod wodą, a Szkocja została całkowicie zdmuchnięta z górnej części mapy Wielkiej Brytanii. W tym samym czasie na Wyspie Man mój domek, który bez szwanku stawiał czoła żywiołom przez ostatnie 150 lat, został pozbawiony dachu.

To spowodowało, że w wiadomościach w Channel 4 pojawili się tłumnie poważni młodzieńcy, którzy, zachowując się w stylu „a nie mówiłem", tłumaczyli, że powinniśmy skończyć z jeżdżeniem samochodami i jedzeniem truskawek poza sezonem. Twierdzili, że wywołane przez człowieka globalne ocieplenie doprowadzi pogodę do szaleństwa i że jeśli nie zmienimy radykalnie naszego życia, wszyscy na Ziemi się ugotują.

Dobrze, wyobraźmy sobie więc, że zamieniliśmy – za stosowną dopłatą – nasze samochody na konie i że jemy tylko to, co akurat danego popołudnia pojawiło się w ogródku. Wyobraźmy sobie też, że rządy państw na całym świecie i międzynarodowe korporacje topią miliardy w poszukiwaniu nowych źródeł napędu samolotów i nowych sposobów ogrzewania naszych domów.

Wyobraźmy sobie, że robimy wszystko, czego pragną zieloni… a temperatura wciąż wzrasta. I co wtedy?

Tu właśnie tkwi problem. Młodzi ludzie o poważnych twarzach żądają, byśmy używali kart kredytowych z węgla i kotłów na paliwo z orzechów. Pragną radykalnych zmian, by walczyć z czymś, nad czym być może nie mamy kontroli. 400 lat temu w kornwalijskim Boscastle zdarzyła się powódź. W Teksasie białe Boże Narodzenie wystąpiło w 1922 roku. A w zeszłym roku średnia globalna temperatura wynosiła tylko tyle, ile ta z roku 1649, czyli na długo przed wynalezieniem Zakładów Energetycznych w Yorkshire, Airbusa A320 i Forda Fiesty.

Człowiek przyczynia się do globalnej emisji dwutlenku węgla jedynie w 3 procentach, co może być wystarczające, by zniszczyć cały świat. Albo i nie. Tego nie wie nikt. Wydawanie miliardów na badania nad samochodami napędzanymi kalafiorem wydaje się więc raczej głupie, w szczególności, że mogą na nic się nie zdać. Tymczasem połowa ludzi na świecie cierpi głód.

„Przykro mi, panie Nboto. Naprawdę chcielibyśmy zbudować w pana wiosce studnię, ale niestety – pan Porritt wydaje wszystkie nasze pieniądze na stworzenie nowego typu silnika na ślinę, który chyba i tak będzie do niczego".

Oczywiście nie ulega wątpliwości, że świat się ociepla. Zatrzymajmy się więc na chwilę i pomyślmy, jakie mogą być tego konsekwencje. Szwajcaria straci swoje ośrodki narciarskie. Plaże Miami zostaną zalane. Północną Karolinę zniszczy huragan. Czy przejmujecie się którąś z tych rzeczy?

Cały czas mówią nam, że za 20 lat w górach Atlasu nie będzie już śniegu, ale tak szczerze: kogo to obchodzi? I co z tego, że poziom morza podniesie się o 12 centymetrów? Zdaję sobie sprawę, że gdybyśmy byli Holendrami, stanowiłoby to dla nas pewne utrapienie. Ale nie jesteśmy, więc wyluzujmy.

Dowiedzieć się, że globalne ocieplenie zmieni krajobraz w części świata, w której nie mieszkamy, to tak, jak dowiedzieć się, że cętkowany tasmański motylek jest na skraju wymarcia. Nie zasługuje to nawet na wzruszenie ramionami.

Tak naprawdę, to w Wielkiej Brytanii bardziej burzliwa i mniej przewidywalna pogoda byłaby czymś dobrym, bo wczoraj mieliśmy 14 stopni i mżawkę, a jutro też będziemy mieć 14 stopni i mżawkę. I mimo tej monotonii jesteśmy jedynymi na świecie ludźmi, którzy aktualne warunki pogodowe wykorzystują do przełamywania pierwszych lodów na imprezach.

„Ici qu'il fait frais péndant cette periode d'année"[1] – tego zdania nie usłyszycie w rozmowach podczas imprez towarzyskich we Francji. Tak samo, jak nigdy nie usłyszycie Niemca mówiącego: „Es ist ausgefallenes nettes"[2].

W zeszłym tygodniu wszystkie informacyjne stacje telewizyjne w Wielkiej Brytanii przerywały co 15 minut swój program i przełączały się na transmisję na żywo,

---

[1] Fr.: „Zimno, jak na tę porę roku".
[2] Niem.: „Jest wyjątkowo ładnie".

pokazując jakąś nieprzytomną panienkę w gumiakach, która stojąc na środku kałuży mówiła, że wiatr jest bardzo silny, a morze bardzo wzburzone. Żaden inny naród nie byłby do tego zdolny, nie po dwóch tygodniach po tym, jak definicja wzburzonego morza została napisana od nowa przez tsunami.

Dom Anglika wcale nie jest jego twierdzą. Dom Anglika, jak zauważył kiedyś Bill Bryson, jest wielkim, szarym pudełkiem Tupperware. Monotonnym, niezmieniającym się przez cały rok oceanem nieskończonej mglistej szarzyzny. Dlatego z chęcią powitam jakieś burze z prawdziwego zdarzenia, fale upałów i chmary szarańczy spadające z niebios każdego popołudnia.

Wyobraźcie sobie tylko następującą przyjemność: w momencie, gdy rozmowa przestaje się kleić, zastępujemy frazę „rozpogodziło się" zdaniem „dzisiaj rano wessało mnie tornado i wyrzuciło w kosmos".

I wyobraźcie sobie, jak w prognozie pogody mówią, że Birmingham zostało pogrzebane pod wielkim lodowcem. Wielka Brytyjska Pogoda. Dawać mi ją tutaj!

Niedziela, 16 stycznia 2005 r.

Jumbo, olśniewające białe słonisko

W zeszłym tygodniu, w czasie pełnej przepychu, roz-
świetlonej laserami ceremonii inauguracyjnej, Tony Blair
powiedział, że nowy Airbus to „symbol wiary w to, że
możemy konkurować i wygrywać na globalnym rynku".
Prawie masz rację, ty wielkouchy tępaku. Tak naprawdę
Airbus jest symbolem wiary w to, że możemy konkurować i wygrywać na globalnym rynku pomimo kompletnej
głupoty kierowanego przez ciebie rządu.

Gigantyczne skrzydła tego samolotu są wytwarzane
przez British Aerospace w północnej Walii.

Cóż z tego, skoro są one zbyt duże, by transportować
je drogą lądową i zbyt ciężkie, by mógł je zabrać samolot.
Będą więc ładowane w porcie Mostyn na barki, skąd po-
płyną przez Morze Irlandzkie, kanał La Manche, a potem
przez sieć francuskich kanałów.

Oczywiście, że to idiotyzm. Byłoby o wiele łatwiej
i taniej zrobić te skrzydła we Francji, ale z politycznego
punktu widzenia jest to nie do przyjęcia, bo Airbus miał
za zadanie pokazać, jak działa europejska współpraca. My
robimy skrzydła i silniki, Francuzi składają wszystko do
kupy, Niemcy to wykańczają, a Hiszpanie… tak naprawdę, to nie wiem, co zrobili Hiszpanie, pomijając wkręce-
nie się na inaugurację i seplenienie.

Można by się spodziewać, że rząd Tony'ego dołoży

wszelkich starań, by udział Wielkiej Brytanii przebiegał gładko i bezproblemowo. Nic z tych rzeczy. Te skrzydła mogą być ładowane na barki tylko w czasie przypływu, bo bezdennie głupia Agencja Ochrony Środowiska Naturalnego nie zezwala na pogłębienie przystani w Mostyn.

A dlaczego? Ano z powodu unijnej dyrektywy siedliskowej, która – jak sami rozumiecie – powstała, by chronić robaki i ślimaki przed zagrożeniami wynikającymi z chęci zysku. Jeżeli chodzi o szlaki nawigacyjne, to na całym kontynencie do tej dyrektywy nikt się nie stosuje, ale w Wielkiej Brytanii – owszem. Tak więc wskutek zielonookiego obłędu naszych odzianych w kurtki z kapturami ekologów, konstruowanie najbardziej zaawansowanego samolotu na nieboskłonie uzależnione jest od bezkręgowców i pozycji Księżyca na orbicie okołoziemskiej.

Z inauguracyjnym przemówieniem Tony'ego mam jeszcze inny kłopot. Nazwał Airbusa „najbardziej ekscytującym samolotem na świecie". Nawet jeśli pominiemy fakt, że Tony nie może nic o tym wiedzieć, bo samolot jak na razie nie oderwał się od ziemi, wcale nie jestem przekonany, czy ma rację.

Jeśli chodzi o stronę techniczną, to faktycznie należy uchylić kapelusza przed inżynierami, którzy skonstruowali coś, co ma wielkość promu pływającego przez kanał La Manche, a potrafi latać. Airbusowi daleko do tytułu najpiękniejszej maszyny świata, ale powinniśmy się zachwycić niskim poziomem hałasu jego silników, zasięgiem wynoszącym 15 000 km, możliwością startowania ze zwykłych pasów i minimalnym wręcz zapotrzebowaniem na paliwo. W przeliczeniu na jednego pasażera Airbus zużywa mniej paliwa niż Ford Fiesta.

Tak, to prawda, że mimo dużej ilości plastiku i włókna węglowego, jakie zastosowano w jego konstrukcji, A380 ma 4 tony nadwagi, ale gdy w 1960 roku z hangaru wytoczył się Boeing 747, ważył o 50 ton za dużo. Nie martwmy się więc na zapas. Tych czterech dodatkowych ton można łatwo się pozbyć. Wystarczy usunąć z pokładu jednego amerykańskiego pasażera.

Najwyraźniej problem nadwagi nie zmartwił linii Virgin, Emirates i innych przewoźników, którzy złożyli już zamówienia. Nawet linie British Airways zrobiłyby to samo, tylko że ich flota dalekiego zasięgu jest całkiem nowa, a poza tym nie mają pieniędzy.

Sprawa jest więc prosta. Dla linii lotniczych i ich udziałowców ten ogromny samolot rzeczywiście jest cudowny. Nie jestem jednak przekonany, czy wygląda to tak samo różowo dla was i dla mnie.

Z pewnością spadnie komfort na lotniskach. To dlatego, że aby można było się dostać na pokład tego olbrzyma, bramki będą musiały znajdować się dalej. Minięcie czterech Airbusów A380, by dojść do swojego samolotu, to tak jak pokonanie odległości odpowiadającej czterem boiskom piłkarskim. Zakładając, oczywiście, że jest się już po odprawie. Myślę, że wszyscy doświadczyliście tych groteskowych kolejek, które obecnie zdarzają się coraz częściej. Wyobraźcie więc sobie, jak długie staną się wtedy, gdy pół tuzina Airbusów A380 będzie zgodnie z rozkładem lotów startować jeden po drugim w piętnastominutowych odstępach. Ponieważ każdy z nich może zabrać 550 pasażerów, oznacza to 3300 osób do skontrolowania, 3300 walizek do załadowania, 3300 sztuk bagażu podręcznego do prześwietlenia i 3300 par butów do sprawdzenia.

Chyba nie myślicie, że to, co linie Virgin bądź Emirates zaoszczędzą na paliwie, wydadzą na zatrudnienie dodatkowego personelu przy odprawie? Ja w to wątpię. Dlatego będzie trzeba zjawiać się na lotnisku na 3300 godzin przed odlotem. A potem sam lot też nie oszczędzi nam zmartwień.

Airbus zadbał o to, by inauguracyjny materiał filmowy pokazywał mieszczące się na pokładzie sale gimnastyczne i bary. W samolocie mają znaleźć się wielkie, wygodne dwuosobowe łóżka i prawdopodobnie jeden bądź dwa trawniki do gry w polo. Ale prawda jest taka, że linie powietrzne cały kadłub wypełnią krzesłami buchniętymi z podstawówki, a pasażerów przymocują do nich tak, jakby przewozili cielęta na rzeź.

Innymi słowy, na pokładzie A380 będzie dokładnie tak samo, jak w każdym innym pasażerskim odrzutowcu. I to ma być ekscytujące? Nie sądzę, Tony.

W tym miejscu dochodzę do ostatniego punktu. Bo widzicie, prędkość przelotowa A380 to 0,85 macha (1 041 km/h), co jest całkiem dobrym wynikiem jak na coś, co posiada własności aerodynamiczne kontenera na śmieci i silniki napędzane wodą mineralną. Ale Boeing 747 lata z prędkością 0,855 macha (1 048 km/h). To znaczy, że Boeingiem dolecicie szybciej i spędzicie mniej czasu z twarzą wciśniętą w pachę jakiegoś Amerykanina.

Możecie więc zachwycać się tym, że Airbusowi udało się przeskoczyć polityczne przeszkody i wspiąć na techniczne wyżyny, by wydać na świat przyjazny udziałowcom samolot A380. Wy lepiej wyjdziecie na jumbo jecie!

Niedziela, 23 stycznia 2005 r.

Krajobrazem rządzą naziści

Spacerowanie, to coś, czego podejmę się chętnie, gdy ze-
psuje mi się samochód. W Londynie byłem znany z tego,
że wyskakiwałem po gazetę i zatrzymywałem się dopiero
w Dartford w hrabstwie Kent. Ale traktowanie spaceru
jako celu samego w sobie, tak jak w wyrażeniu „pójść na
spacer", wydawało mi się zawsze odrobinę groteskowe.

A jednak w zeszły weekend, gdy dzieci chciały zagrać
w Monopol, wyszedłem z założenia, że wszystko inne jest
lepsze niż to i wybrałem się na niedzielną, poobiednią
przechadzkę z prawdziwego zdarzenia, poprzez pofałdo-
wany bezkres przejmująco pięknego, zielonego serca Anglii. Wróciłem, a jakże, do punktu wyjścia, tyle że odrobinę wyczerpany i z objawami hipotermii.

Każdy z moich gumiaków ważył 200 ton, w moim
pępku znajdowało się błoto, moje usta były sinoniebie-
skie, twarz miałem różową jak kwiat fuksji, a moja fryzura
wyglądała tak, jakbym stał u wylotu silnika odrzutowca.

Co więcej, byłem zły, bo dręczyło mnie poczucie winy,
i jednocześnie zaskoczony tym, co wyrządzono krajobra-
zowi przez czas, gdy nikt nie patrzył.

Być może przypominacie sobie swoje dzieciństwo
i pełne przygód długie, leniwe, letnie popołudnia, kiedy
można było wdrapywać się na drzewa, wchodzić, gdzie
tylko się chciało i wpadać w różne miejsca. Wyglądało to

prawie jak wolna amerykanka, pod warunkiem, że prze-strzegało się „Kodeksu zachowania na wsi".

Był to opublikowany w 1951 roku prosty zbiór zasad, pomyślany tak, by wyjaśniać klasie robotniczej, co po-winna robić, gdy będzie musiała zmierzyć się z niewy-brukowanymi fragmentami świata. Zasadniczo chodziło o to, że nie można stroić głupich min do owiec i trzeba pamiętać o zamykaniu za sobą wszystkich furtek.

W zeszłym roku kodeks ten, zwany już teraz „Kodek-sem krajobrazowym", został napisany od nowa przez dziesiątki przedstawicieli agencji rządowych, którzy naj-wyraźniej nie wybrali się nigdy poza dzielnicę Hoxton we wschodniej części Londynu. Kodeks przypomina in-strukcję obsługi wahadłowca.

No i mamy jeszcze sam krajobraz, który dziś wygląda jak obóz Camp X-Ray w Guantanamo.

Twoim zachowaniem rządzą drogowskazy wytyczają-ce przebieg ścieżki. By jednak upewnić się, że z niej nie zboczysz, ogradzają cię całe mile drutu kolczastego pod napięciem.

Co kilkaset metrów o twoich powinnościach przypo-minają ci slogany, których nie powstydziłaby się radziec-ka fabryka traktorów: „Niczego nie zabijaj. Tylko czas." – mówił jeden z nich.

Inny z kolei informował: „Zakaz wprowadzania psów". Ale nim zwróciłem się do mojego wiernego labradora i powiedziałem: „Dla tsziebie wendhófka skończona", zastanowiłem się przez chwilę i pomyślałem: „w czym przeszkadzają im psy?". Jeśli pies stanowi tak wielkie za-grożenie, to dlaczego te same agencje rządowe otaczają tak wielką troską liska-chytruska?

No cóż, przejrzałem ten nowy kodeks i wydaje mi się, że to nie psy są tutaj głównym problemem.

Problemem jest to, co wychodzi z ich tyłków. Oczywiście, zdaję sobie sprawę, że w parkach w okolicy Islington w północnej części Londynu, psie kupy to zmora. Ale ziemia na wiejskich terenach jest prawie całkowicie usłana różnymi odchodami. Brodzimy po kostki w... hm... produktach przemiany materii owiec, krów, koni, lisów, kur, ekologicznych lam i świń, dlaczego więc nasze domowe psisko miałoby mieć tyłek zatkany korkiem aż do chwili powrotu do domu?

I dlaczego jest tak dużo wzniesień? Dlaczego co metr ustawione są słupki, nad którymi muszę przenosić moją sześcioletnią córkę, której włosy stoją teraz dęba, bo przez cały czas wchodziła w elektryczne ogrodzenie?

Mógłbym zaskarżyć to do sądu i wygrałbym. Wiem o tym, bo mój chirurg od drzew powiedział mi kiedyś, że jeśli jacyś chłopcy z miasta spadną z jednego z jaworów rosnących na mojej posesji, nie będę mógł tak po prostu spłukać wężem ich połamanych ciał do kanału. Będę za to musiał wypłacić odszkodowanie ich rodzicom i zapłacić za ich pogrzeb.

Działanie zgodne z prawem to ostatnie, o czym myślałem, bo właśnie wkroczyłem na teren, który najwyraźniej był ogrodem przed czyimś bardzo ładnym, prywatnym domem.

Jeden z filarów nowego „Kodeksu krajobrazowego" mówi, że powinniśmy mieć wzgląd na innych ludzi: „Nie śmiej się otwarcie z fioletowych skafandrów z kapturem noszonych przez ekologicznych brodaczy. Poczekaj, aż taki przejdzie, i wtedy sobie ulżyj". W porządku, szacunek przede wszystkim, ale dlaczego w takim razie wytyczono bieg tej ścieżki przez sam środek ogrodu, zamiast poprowadzić ją tak, by go omijała? Przecież nie byłoby to trudne.

Ale tak nie zrobiono. Znak, który kierował mnie wprost na okno salonu, został z wyjątkową premedytacją wkopany w ziemię przez kogoś, kto z wyraźnym zadowoleniem będzie się przyglądał jak jego koledzy komuniści ze Stowarzyszenia Piechurów wędrują prosto na trawnik tego bogatego łajdaka.

A jeżeli ten bogaty łajdak złoży skargę? No cóż, będzie mu można powiedzieć, że te ścieżki to starożytne arterie i że nie można ich ot tak usunąć. Nie można tak po prostu zmieniać obyczajów życia na wsi... chyba, że chcemy rozpocząć wojnę klasową.

Tu, na spokojnych wzgórzach Cotswolds, w dwudziestym pierwszym wieku, możesz być wolny jak ptak, o ile ptak, o którym myślisz, to papużka falista. Jesteś tu tak sterowany i tak regulowany, i tak niezdolny do obrania własnej drogi, jak ciągnięty po szynach skład towarowy.

Myślę, że mimo to znalazłem pewne wyjście.

Jeśli musicie iść na spacer, zapomnijcie o zielonych zakątkach, które dziś skolonizowała i nawróciła miejska armia Tony'ego. Na spacer wybierzcie się do centrum miasta, w którym mieszkacie.

Nie ma tam błota, jest za to większa różnorodność wizualna, można wchodzić, gdzie się chce, i to bez obawy porażenia prądem, psy są mile widziane, a do domu nie wrócicie pokryci od stóp do głów gównem.

Niedziela, 30 stycznia 2005 r.

Wiem, jak się wyleczyć z picia na umór

W 1982 roku, w przeddzień wyścigów formuły jeden o Grand Prix Monaco, byłem właśnie ze znajomymi na kolacji w małej restauracji o nazwie „Ziemniak Miłości" w miasteczku La Napoule, gdy zobaczyłem, jak po mojej sałacie pełznie ślimak.

– Regardez – zwróciłem się do właściciela lokalu. – J'ai trouvez une er... um, une escargot sans une maison dans mon salade.[1]

Właściciel przeraził się, błyskawicznie zabrał talerz ze stołu i powiedział, że w ramach rekompensaty będziemy mogli wypić tyle wina, ile tylko dusza zapragnie. Na koszt firmy, oczywiście.

W tym miejscu powinienem wam wyjaśnić, że nigdy nie byłem jakimś wielkim pijakiem. Mimo to, raz na jakiś czas lubiłem sobie pofolgować, oddając się czemuś, co dziś nazwalibyśmy „popijawą".

Następną rzeczą, jaką sobie z tego wieczoru przypominam, jest kilku uzbrojonych i rozeźlonych francuskich policjantów, którzy wyciągnęli mnie z tylnej części samochodu, skuli mi wykręcone do tyłu ręce i pchnęli na ziemię. „Aaa!..." – wykrzyknąłem, uderzając, najpierw nosem, w nawierzchnię drogi.

---

[1] Fr.: „Proszę spojrzeć! Ja znaleźliście hm... ślimakę bez domku w moim sałacie".

Okazało się, że ponieważ byliśmy w samochodzie z kierownicą po prawej stronie, policjanci nie mogli sobie przypomnieć, kto za nią siedział. Postanowili więc wytłuc od nas tę informację pięściami.

Będąc stuprocentowym tchórzem, od razu chciałem sypnąć winowajcę, ale byłem też stuprocentowo pijany, przez co nie miałem bladego pojęcia, kto siedział za kółkiem. Oberwałem więc i znów powiedziałem „Aaa!...".

W ciągu najbliższych kilku godzin dość często mówiłem „Aaa!...", najczęściej jednak wtedy, gdy moje próby ucieczki spełzały na niczym.

Z niewyjaśnionych po dziś dzień przyczyn, zostaliśmy przewiezieni do szpitala, gdzie zacząłem opracowywać przebiegły plan ucieczki. Ponieważ nie miałem pod ręką łyżek, wykluczyłem opcję drążenia tunelu i zacząłem zastanawiać się, czy istniałaby możliwość, by pójść na strych i, korzystając z chwili nieuwagi personelu, skonstruować tam szybowiec. Chwilę później doznałem olśnienia. Doszedłem do wniosku, że skoro jestem w szpitalu, to okno w ubikacji nie będzie miało krat.

Miałem rację. Podczas gdy policjant czekał na zewnątrz kabiny, ja w środku wydawałem niezliczone ilości przekonujących – tak mi się przynajmniej wydawało – odgłosów wymiotowania, które ułatwiły mi otwarcie okna. Nie było ono duże, ale udało mi się wydostać prawie w całości. Wtedy poczułem na moich kostkach krzepkie dłonie policjanta.

Czy kiedykolwiek zdarzyło się wam być przeciąganym do tyłu przez małe okienko, i to w kajdankach? Cóż, nie próbujcie tego, bo to boli. Boli prawie tak, jak bycie rzuconym po raz kolejny na podłogę.

Może właśnie dlatego wzięli nas do szpitala. Ponieważ, gdyby już z nami skończyli, prawie na pewno tak czy owak byśmy się tam znaleźli.

Jednak nie zabawiliśmy tam długo. Zostaliśmy z powrotem zapakowani do furgonetki i zabrani na posterunek, gdzie kazano się nam rozebrać. Boże, jak wszyscy buchnęli śmiechem na widok mojej opalenizny.

– Le rouge Rosbif[2] – powiedział jeden z policjantów.

W tym momencie pomyślałem, jakby tu skląć tych żabojadów, ale obawiam się, że chyba jednak powiedziałem to na głos i dlatego znów oberwałem pięścią. Ponieważ moje spodnie znajdowały się dookoła moich kostek, znów upadłem na podłogę. W dodatku wciąż miałem na rękach kajdanki, przez co po raz kolejny wylądowałem na nosie.

Cele w tamtejszej ciupie są jak… zacznijmy od tego, że trudno było orzec, jakie są naprawdę, gdyż światło docierało do środka wyłącznie przez dwuipółcentymetrowego judasza.

Zdążyłem się zorientować, że w celi wisiały zasłony z salonu Laury Ashley, a przy końcu łóżka znajdował się elegancki podnóżek.

Niestety, po tym, jak moje oczy przyzwyczaiły się do ciemności, stało się jasne, że wcale tak nie jest. W rzeczywistości nie było tam niczego poza kamiennym łóżkiem, na którym leżał materac z drewna, i dziurą w podłodze, do której załatwiło się kilku wcześniejszych lokatorów.

Znużenie nadeszło po pięciu minutach. Dla zabicia czasu nie mogłem nawet się powiesić, bo zabrali mi sznurówki i pasek. W swoim okrucieństwie zabrali mi też

---

[2] Franc.: „Czerwona pieczeń wołowa".

zapalniczkę, zostawiając papierosy. Jedynym wyjściem był sen, ale zasnąć po prostu się nie dało, bo gdy w roli poduszki wykorzystałem marynarkę, zrobiło mi się lodowato, a gdy miałem ją na sobie, mój kark łapał bolesny kurcz.

Nie dało się zasnąć również i z tego powodu, że jeden z moich znajomych w sąsiedniej celi zaczął w hałaśliwy sposób wymieniać wszystkie bitwy, w których Anglicy pokonali Francuzów. Niestety, po Quiberon i Agincourt wyczerpały się nam pomysły, poza tym mój niesamowicie opuchnięty nos przypominał mi, że jedyną bitwę mającą tej nocy znaczenie sromotnie przegrywaliśmy.

W okolicy siódmej nad ranem – ale ponieważ zabrali mi też zegarek, równie dobrze mogła to być czwarta – postanowiłem zamówić śniadanie. Przebrnąłem więc przez ścieki i powiedziałem przez tę małą dziurkę w drzwiach, że chciałbym dostać tosta posmarowanego masłem po same brzegi, jajka w koszulkach, trochę świeżego soku z pomarańczy, podwójne espresso i moją cholerną zapalniczkę. Zamiast tego dostałem tłustym francuskim paluchem prosto w oko.

Koniec końców, po tym, jak otworzono drzwi i zmuszono mnie do wpisania się do księgi gości, dałem drapaka, pozostawiając moich gospodarzy z zagadką, czy rzeczywiście tej nocy mieli w celi Kaczora Donalda.

Czy w takim razie moje bolesne i upokarzające doświadczenie wyleczyło mnie z mojej młodzieńczej, sporadycznej chętki do picia na umór? Cóż, dokładnie 12 miesięcy później, w Grecji, siedziałem na tylnej kanapie policyjnego radiowozu i znów obmyślałem plan ucieczki. Odpowiedź brzmi więc: nie.

To, co wyleczyło mnie, wyleczy również wszystkich młodocianych, którzy dziś urządzają popijawy.

Dorosłem.

Niedziela, 6 lutego 2005 r.

Ciupek – najgorsze przekleństwo mojej żony

Ci z nas, którzy używają słowa na „c", wymagają od niego towarzyskiej pikanterii. Inaczej jego istnienie traci sens.

Dziś w gazetach mamy zdjęcia rozebranych panienek, w lasach czają się homoseksualiści, w internecie można znaleźć homoseksualnych, zupełnie nagich transseksualistów, i mogę się założyć, że w najbliższej przyszłości nie wybieracie się do kościoła. Czas płynie, zmieniają się obyczaje i coś, co jeszcze niedawno do głębi szokowało, dziś uznawane jest za normalne.

Ale mimo że podoba się wam oglądanie w telewizji sekcji zwłok, zdziwiłoby i zaskoczyło was, gdyby Michael Howard[1] dziś po południu w swoim przemówieniu określił Tony'ego Blaira słowem *f***ing*.

Dlaczego? Przecież bez przerwy używacie słowa na „f", zresztą wasze dzieci także. Buzz Aldrin wypowiedział to słowo na Księżycu, wiemy też, że zagnieździło się w słownictwie księcia Filipa i księżniczki Anny. Podejrzewamy, że Alastair Campbell też z niego korzysta, gdy zwraca się do ekipy programu *Newsnight*, ale nie jesteśmy tego pewni, bo dziennikarze nie mogą publikować tego słowa drukiem[2].

Czy nie uważacie, że to wszystko jest dziwaczne?

---

[1] Wówczas przywódca Partii Konserwatywnej i opozycji.

[2] Alastair Campbell, polityk Partii Pracy, pomylił dziennikarza ze swoim partyjnym kolegą i wysłał do niego niecenzuralnego SMS-a.

Mogę spokojnie powiedzieć, że „para kopuluje" albo że „odbywa stosunek seksualny". Nie jest więc tak, że to akt sam w sobie stanowi obrazę. Jest nią jedynie to słowo. I nie mogę dojść do ładu, dlaczego.

Bardzo szybko zbliżamy się do czterdziestej rocznicy pierwszego użycia słowa na „f" w brytyjskiej telewizji. Zrobił to krytyk Kenneth Tynan. Do Izby Gmin wpłynęły wówczas cztery wnioski. W jednym z nich pewien parlamentarzysta z Partii Konserwatywnej proponował, by tego ordynarnego przestępcę powiesić.

Jedenaście lat później zawieszono w czynnościach Billa Grundy'ego, bo kilku z jego gości użyło tego słowa w prowadzonym przez niego programie[3]. Podobnie Sir Peregrine Worsthorne z powodu słowa na „f" wypowiedzianego podczas jednego ze swoich wystąpień telewizyjnych nie mógł zostać redaktorem „Daily Telegraph".

I nic się w tej kwestii nie zmieniło. Według najnowszego przeczytanego przeze mnie zbioru zaleceń BBC, słowo na „f" jest bardziej obraźliwe niż „czarnuch".

Słowo „czarnuch" to dobry przykład. Gdy dorastałem, to słowo nie było bardziej szokujące niż „kalafior". Nie widzieliśmy, jak pod eskortą wyprowadzają z budynku telewizji Billa Grundy'ego za słowo na „f", bo w tym samym czasie, rycząc ze śmiechu, oglądaliśmy Alfa Garnetta[4], który zasypywał ekran rasistowskimi nadużyciami.

A mimo to, po 30 latach, „czarnuch" zniknął. Tak naprawdę, jest to jedyne słowo, którego nie pozwalam

---

[3] Mowa o skandalizującej audycji z udziałem zespołu Sex Pistols – Grundy prowokował muzyków do niecenzuralnych wypowiedzi.

[4] Bohater sitcomu BBC *Till Death Us Do Part*, grany przez Warrena Mitchela, uosabiający wszelkie współczesne fobie, z rasizmem na czele.

używać moim dzieciom. Dlaczegóż więc, skoro słowa tak szybko wchodzą i wychodzą z powszechnego użycia, słowo na „f" od czasu mrocznych, mglistych początków języka angielskiego stanowi jego tabu?

Możecie argumentować, że wcale tak nie jest. Ludzie z fajkami w ustach i dwuogniskowymi szkłami na nosie z pewnością będą twierdzić, że w niezbyt odległej przeszłości wcale nie było tak, że patrzono krzywo na słowa natury anatomicznej bądź skatologicznej, i że przekleństwa w tamtych czasach miały charakter religijny. Jezu Chryste, rany boskie i tak dalej. Powiedzą wam więc, że z pewnością dokonał się zwrot w społecznych preferencjach dotyczących bluźnierczości.

Czyżby? Rozważmy to na przykładzie najgorszego słowa na świecie. Wiecie, o co mi chodzi i wiecie, dlaczego nie mogę napisać go tutaj nawet za pomocą gwiazdek.

Wiemy, że słowa tego używano w różnych formach jeszcze przed inwazją Normanów na Anglię, i że było powszechnie stosowane od trzynastego wieku. Ale jeśli było społecznie akceptowane, to dlaczego, gdy Ofelia mówi, że Hamlet nie może położyć głowy na jej łonie, on, kładąc się u jej stóp odpowiada: „Sądziszli, żem miał w myśli co innego?"?

Owijając to „co innego" w bawełnę, że tak powiem, Szekspir naigrawa się z najgorszego słowa na świecie, podobnie, jak czyni to w *Wieczorze Trzech Króli*. A nie musiałby się silić na takie dwuznaczności, gdyby to słowo nie było najgorszym na świecie już wtedy.

Nawet wcześniej, Geoffrey Chaucer nie wychyliłby się i nie napisał tego słowa, wykręcając się z niego w ten oto sposób: „Dyskretnież chycił ją tam, gdzie kipka".

Uprzedzam, że może to mieć związek z faktem, że stary Geoff miał problemy z ortografią.

W 1961 roku słowo to pojawiło się nareszcie w słowniku, ale mimo to wciąż przytłaczająca większość trzyma się od niego z daleka. Trzeba zatem przyznać, że to jedno jedyne słowo jest najdłużej utrzymującym się tabu w anglojęzycznym świecie. Kiedy Johnny Rotten użył tego słowa w programie *I'm A Celebrity... Get Me Out Of Here!*[5], wpłynęło 100 skarg. To sporo, i mówię to jako ktoś, kto prowadzi jeden z tych programów telewizyjnych, na które przychodzi najwięcej skarg. A któż może nie pamiętać skandalu, jaki wybuchł po niedawnej emisji w telewizji BBC musicalu *Jerry Springer – The Opera*[6]?

O to słowo nieskazitelni moralnie i nad wyraz przyzwoici prowadzą bitwę na śmierć i życie. Guardianiści i niewyparzone gęby przebrnęli przez fosę, wspięli się na mury i pokonali fortyfikacje. Ale dopóki tamci trzymają straż nad kamieniem węgielnym słowa na „c", nie wszystko jest stracone.

Szczerze mówiąc, jestem z tego zadowolony, bo ci z nas, którzy używają słowa na „c", wymagają od niego towarzyskiej pikanterii. Inaczej jego istnienie traci sens.

Szczególnie zadowolona jest moja żona, bo bez przerwy tego słowa używa. Uwielbia je. Czasami, gdy akurat w pobliżu są dzieci, używa go w kombinacji z „dupkiem" tworząc słowo „ciupek", ale zazwyczaj w kierunku każdego, kogo nie lubi, ciska pełną, nieocenzurowaną wersją. Bardzo często tym słowem obrywają od niej didżeje lokalnych stacji radiowych.

---

[5] Patrz przypis 1 na s. 26.

[6] W tym musicalu w pewnej chwili chór zaczyna powtarzać słowo na „c".

Zrobiła nawet z niego coś w rodzaju testu, który wykorzystuje na imprezach. Gdy kogoś poznaje, stara się przeprowadzić na nim ten test jak najwcześniej. Jej uzasadnienie jest takie, że z tymi, którzy na dźwięk tego słowa całkowicie tracą przytomność, a następnie trzeba ich cucić solami trzeźwiącymi, i tak nie warto rozmawiać.

Myślę, że ma rację. Co prawda wiele lat temu mój dziadek powiedział mi, że ci, którzy przeklinają, pokazują tylko, jak ograniczonym słownictwem dysponują. Ale to nieprawda, bo gdy Tony Blair pojawia się w wiadomościach, a wy nie macie pod ręką jakiegoś zestawu przekleństw, czujecie się jakbyście byli nadzy i czegoś wam brakowało. Czasami pomóc może jedynie słowo na „c".

Niedziela, 13 lutego 2005 r.

Śmiało, chłopcze, zostań astronautą gejem

Czy podcierałbyś komuś tyłek za 5 funtów za godzinę? To pytanie postawiła panu Blairowi rozzłoszczona kobieta w programie o polityce stacji telewizyjnej Five.

Prosta odpowiedź brzmi: nie.

Bo gdyby czyjś tyłek był tak brudny, że wymagałby pełnej godziny czyszczenia, wszyscy zażądalibyśmy nieporównywalnie więcej niż piątaka. Można się jednak pokusić o znacznie lepszą ripostę.

Jeszcze nie tak dawno niewykwalifikowany absolwent szkoły stawał przed trudnym wyborem. Można było albo zostać pielęgniarką i resztę życia spędzić podcierając tyłki, albo jednym z tych, którzy od podcierania tyłków woleli zjeżdżanie do kopalni.

W rzeczywistości nie tylko niewykwalifikowani mieli ograniczone możliwości. Właśnie przypomniałem sobie, że formularz dotyczący wyboru zawodu, jaki dostałem do wypełnienia w szkole, zawierał następujące opcje: adwokat, księgowy, pośrednik w handlu nieruchomościami i „inny".

Zakreśliłem „inny", a w rubryce, gdzie należało podać szczegóły, wpisałem szczeniacki żart, który przez te wszystkie lata był dla mnie jak znalazł:

„Chcę zostać pierwszym na świecie homoseksualnym astronautą".

Po tym, jak wyszedłem już z kąta, wyjaśniłem szkolnemu doradcy od spraw orientacji zawodowej, że nie zależy mi na tym, co będę robił w przyszłości, pod warunkiem, że nie będzie to wymagało noszenia garnituru. Był zdumiony. „Posłuchaj, chłopcze. Albo założysz garnitur i zostaniesz pośrednikiem w handlu nieruchomościami, albo lepiej zacznij ćwiczyć z papierem toaletowym". A było to w roku 1978!

A teraz przewińmy taśmę do roku 2005, do czasów, kiedy można utrzymywać się na całkiem przyzwoitym poziomie zawijając szyszki w koronkowe serwetki z papieru i opychając je znudzonym, patyczakowatym blondynkom po 11 funtów sztuka.

Nie żartuję. Ktoś przekonał właścicieli tutejszego sklepu z produktami rolnymi, że koniecznie muszą zacząć sprzedawać szyszki z papierowymi dekoracjami. Czy to nie wspaniałe?

W dzisiejszych czasach możesz zostać pisarzem, nawet jeśli nie masz żadnego pomysłu na książkę ani żadnych zdolności literackich, i za dwie godziny musisz już stawić się na charytatywnym spotkaniu autorskim.

Zaraz obok tych szyszek nadających się na podpałkę znalazłem niewielki tomik zatytułowany... uwaga, zaraz wam powiem... „Niepełny spis imion dla kotów"!

Uwaga, uwaga: możecie nadać kotu nazwę dowolnej rzeczy. Żwirek. Honda. Stereo. Garderoba. Kalafior. Hitler.

To znaczy, że ta książka jest po prostu zbiorem jakichś tam słów. Tak więc, jeśli jesteś tą kobietą z piątego kanału, która nie chce podcierać tyłków za 5 funtów za godzinę, dlaczego nie napiszesz książki pod tytułem „Niepełny spis nazw potraw"?

Wystarczy, że umieścisz w niej słowa „fasola, mięso i rukola", a będziesz prawie jak J.K. Rowling.

A jeśli nie możesz wymyślić żadnego niepełnego spisu, który warto by wydać lub gdy wybrany przez ciebie temat pojawił się już w programie o różnych spisach w stacji Channel 4, co jest dość prawdopodobne, nie wpadaj w rozpacz. Po prostu policz wybite okna na twojej ulicy i sprzedaj tę informację jednej z naszych 529 rządowych organizacji *quasi*-pozarządowych.

W zeszłym tygodniu gazety rozpisywały się o facecie nazwiskiem Charles Landry. Cóż takiego zrobił? – zapytacie. Sklonował komara? Rozwiązał problem zmian klimatycznych? Nie. Policzył, ile razy w 2003 roku w gazetach pojawiła się fraza „jest zagrożony" i porównał swój wynik z liczbą wystąpień tej frazy w 1994 roku.

Nie znam sytuacji finansowej pana Landry, nie wiem też, ile mu płacą za liczenie słów w gazetach. Ale nawet jeśli nie jest to zbyt wiele, ta praca jest lepsza niż podcieranie tyłków górnikom. I zapładnianie indyczek. I przesuwanie jedzenia oraz produktów gospodarstwa domowego nad czytnikiem kodów kreskowych.

I z pewnością jest lepsza niż ta, którą można otrzymać za pośrednictwem działu pomocy dla potrzebujących w gazecie „The Guardian".

Michael Howard z Partii Konserwatywnej poinformował nas, że spośród każdego tysiąca ludzi w naszym kraju, dwie osoby zostaną lekarzami, trzy – oficerami policji, a dziewięć – urzędnikami państwowymi. To właśnie dlatego administracja państwowa zatrudnia więcej pracowników, niż wynosi liczba mieszkańców miasta Sheffield. I dlatego torysi chcą roznieść to w pył.

Lewica zastanawia się oczywiście nad tym, co zrobią ci, którzy pracują teraz w Brytyjskim Instytucie Ziemniaka i w Komisji Standaryzacji Win, gdy rozlegnie się dźwięk karabinu maszynowego.

No cóż, jeśli ktoś jest na tyle głupi by sądzić, że kontrola brytyjskich win to wart zachodu sposób zabijania czasu, to wszystko jest możliwe. Kiedyś na przykład spotkałem gościa, którego pracą było określanie płci królewskich kaczek.

Co więcej, w zeszłym tygodniu czytaliśmy o facecie, któremu zapłacono, by biegał po centrum handlowym udając samochód rajdowy. Jeżeli przemawia do nas sztuka, dlaczego nie zostać brzuchomówcą? W całej Wielkiej Brytanii zostało ich już tylko siedmiu. Mógłbyś też brać pieniądze za komentowanie, czy to, co przed chwilą zjadłeś, smakowało ci, czy nie. Mógłbyś wypchać czaplę. Zapłaciłbym za coś takiego 200 funtów.

Na koniec pozostaje jeszcze praca polegająca na byciu homoseksualnym astronautą. 25 lat temu za samą tylko sugestię, że mógłbym zarabiać na życie wykonując taki zawód, zostałem za karę wysłany do kąta. A dziś w Ameryce istnieje zrzeszenie o nazwie Organizacja Gejów i Dbających o Siebie Mężczyzn na Orbicie.

Jego członkowie twierdzą, że homoseksualni mężczyźni mają lepszą od zwykłych facetów orientację przestrzenną i zręczność, i że charakteryzują się większą liczbą „nadludzkich" cech. Jasne. Jest mało prawdopodobne, by żeńska część załogi zaszła z nimi w ciążę podczas długiej wyprawy na Marsa.

Mam nadzieję, że Jego Blairowskość uzna te informacje za przydatne. Ponieważ dzięki nim, zapytany następnym razem o alternatywę dla brytyjskich podcieraczy tyłków, zamiast siedzieć jak skończony ciupek, będzie mógł odpowiedzieć: „Zamiast podcierać tyłki, zostańcie astronautami gejami".

Niedziela, 20 lutego 2005 r.

Do szczytu gum doklejam swoją

Pogoda i problemy Królowej związane z planami matry-
monialnymi Karola i Camilli sprawiły, iż zapewne nie
zauważyliście, że w zeszłym tygodniu Wielka Brytania
zorganizowała swoje pierwsze „spotkanie na szczycie
w sprawie gumy do żucia".

Radni z całego kraju przystrzygli brody i wyszukali
swoje najlepsze sweterki, aby udać się na w pełni refundo-
waną wyprawę do Londynu. Tam rozsiedli się wygodnie
by zastanowić się, co należy zrobić z ludźmi, którzy byle
gdzie wypluwają gumę do żucia.

W tym czasie Izba Gmin zajmowała się projektem ustawy „Czystsze otoczenie i środowisko", zgodnie z którą
sprawcom wykroczeń związanych z żuciem gumy na
miejscu zdarzenia wlepiane będą 75 funtowe grzywny. No
jasne. Gdy załatwili już kwestię polowań na lisy, a wszyscy
przestępcy siedzą w domowym areszcie, cóż jeszcze zostało im do roboty?

Kto konkretnie będzie nakładał te grzywny, tego nie
wiem. Oczywiście policjanci nie mają już czasu, ponieważ wszyscy biegają po okolicy, szukając rannych lisów.
Dlatego pojawiły się sugestie, by to zadanie zlecić pracow-
nikom samorządów lokalnych, takim jak śmieciarze i za-
miatacze ulic. Nie wydaje mi się to dobrym pomysłem,
ponieważ jeśli jakiś grubas w kamizelce odblaskowej

kazałby mi beknąć 75 funtów za żucie gumy, to być może po prostu podpaliłbym mu uszy.

Ponieważ wygląda to na kolejny przepis, którego przestrzegania po prostu nie da się wyegzekwować, powróćmy do wspomnianego spotkania na szczycie i zadajmy sobie proste pytanie. Gdyby poproszono was o wymienienie największych szkaradzieństw występujących w większości dzisiejszych miast, założę się, że długo by trwało nim dotarlibyście do małych, ciemnych, przypominających porosty plamek na płytach chodnikowych, pozostałych po zużytych gumach do żucia.

W większości miejskich krajobrazów zauważa się raczej ohydne budynki, wstrętne miejskie kwietniki, niedorzeczną gęstwinę znaków drogowych, otyłość robiących zakupy, ich elektrostatycznie naładowane ubrania z włókien sztucznych, mżawkę, natłok agencji nieruchomości, styropianowe śmieci, rzygowiny na chodnikach, graffiti, widniejące na wszystkich wystawach sklepowych hasła: „Wygraj!", „Za darmo!", „Kupuj i oszczędzaj!" w kolorze jadowitej zieleni i spaliny z autobusowych silników diesla. Wszystko to zauważymy o wiele wcześniej, nim nasz wzrok przyciągną nieznacznie przebarwione ciapki na spękanych i poodpryskiwanych płytach chodnikowych rodem z Trzeciego Świata.

Jednak najwyraźniej jest to olbrzymi problem. W gminie Westminster na każdy metr kwadratowy chodnika przypada 20 wyrzuconych gum do żucia, a na samej Oxford Street znajduje się 300 000 plam. Podobno góra zużytych gum wokół miejsca Sir Alexa Fergusona[1] na

---

[1] Legendarny trener klubu Manchester United, uznawany za twórcę jego potęgi, znany również z nałogowego żucia gumy.

ławce rezerwowych na stadionie Old Trafford przewyższa już K2.

Koszt sprzątania tego całego bałaganu wynosi 150 milionów funtów rocznie, więc na szczycie w sprawie gumy do żucia zasugerowano wiele rozwiązań. Najpierw pewien geniusz wyskoczył z pomysłem gumy ulegającej biodegradacji – rzeczy, na próby stworzenia której Wrigley wydał już 5 milionów funtów. Po co? Nawet ja umiałbym im wyjaśnić, że jest to marzenie ściętej głowy, ponieważ jeśli guma może wytrzymać dwie godziny w ustach Sir Alexa, wydaje się niemożliwe, by mogła po prostu ulotnić się, gdy spadnie na nią drobny deszczyk. Przecież ludzka szczęka jest w stanie wywrzeć ciśnienie 3,5 tony na centymetr kwadratowy.

Jasne, moglibyśmy powrócić do czasów, gdy guma była wytwarzana z naturalnych surowców, a nie z lateksu, ale ponieważ w samej Wielkiej Brytanii zużywa się jej 935 milionów paczek rocznie, oznaczałoby to wyrwanie z korzeniami każdego drzewa od Tierra del Fuego po Rio Grande. I wątpię, czy spodobałoby się to tym bardziej komunistycznym uczestnikom szczytu, którzy zaproponowali, że Wrigley, mający 90-procentowy udział w wartym 300 milionów funtów brytyjskim rynku gumy do żucia, powinien również pokryć część kosztów związanych z jej sprzątaniem.

Inni byli zdania, że sklepy powinny wywieszać ogłoszenia, które przypominałyby żującym gumę o ich obowiązkach. Fajny pomysł, tyle że na ogół gumę żują ludzie, którzy nie umieją czytać.

A także ja. Ze wstydem przyznaję, że nie zawsze pozbywam się jej w sposób, który można by nazwać społecznie odpowiedzialnym. To obrzydliwe. Wiem. Zniszczyłem dwie pary spodni wyrzuconą przez kogoś gumą i wiem, że powinno mnie to czegoś nauczyć. Jestem jednak realistą: takie rzeczy po prostu się zdarzają.

Jestem więc we właściwym położeniu, by zastanowić się, co mogłoby zmienić na lepsze moje postępowanie. Oczywiście, jeśli jakiś śmieciarz przyłapie mnie na wyrzucaniu gumy przez okno mknącego samochodu, wątpię, by był w stanie dogonić mnie swoją śmieciarką, więc to nie zadziała. Poza tym wiem od dawna, że nie powinno się zaśmiecać chodników, więc żadne ulotki nic tu nie pomogą.

Aż do zeszłego roku władze Singapuru skazywały na rok więzienia osoby, które przemyciły do kraju gumę do żucia. Ale to wydaje mi się zbyt srogie. Zresztą i tak więzienia pełne są ludzi, których psy zachowały się nieodpowiednio w stosunku do lisów. Cóż więc można zrobić?

Otóż myślę, że znam rozwiązanie. Nawet według moich własnych standardów jest to błyskotliwy pomysł.

Drzewa gumowe.

W strategicznych miejscach, na ulicach, samorządy powinny ustawić słupy, do których ja i Sir Alex Ferguson moglibyśmy przylepiać nasze zużyte gumy. Takie słupy mogłyby nawet mieć sponsorów, tak jak ronda na obwodnicach. A kiedy byłyby już całe oblepione gumą, wymieniałoby się je w całości na nowe.

Co więcej, takie drzewa gumowe można by również umieścić w wagonach metra i w centrach handlowych. Przedsiębiorstwa mogłyby nawet produkować samoprzylepne miniaturowe słupki, które przyklejałoby się do deski rozdzielczej w samochodzie.

Proszę bardzo. Znalazłem rozwiązanie i to bez kosztów dla podatnika. Czasem zastanawiam się, po co w ogóle mamy rząd.

Niedziela, 27 lutego 2005 r.

Jest lodowato, kup krem z filtrem

Co tydzień kolejna sieć sklepów ogłasza, że znajduje się w trudnym położeniu finansowym. Debenhams. Bhs. Doroty Perkins. Marks & Spencer. Boots. WHSmith. Wszyscy oni mają problemy, a ja wiem dlaczego. Po prostu nie oferują rzeczy, które ludzie chcą kupić.

Na przykład w zeszłym tygodniu miałem paskudne przeziębienie, ale oczywiście, ponieważ jestem mężczyzną, wcale nie było to przeziębienie. Był to nowotwór – to znaczy, jeśli mówię nowotwór, mam na myśli jakiś rodzaj nowotworowego trądu. Tak naprawdę, byłem chory na nowotworową trędowatą ptasią grypę, z lekką domieszką wirusa ebola. Gdyby żył Norris McWhirter[1], mógłby sprawdzić, że byłem najbardziej chorą osobą na świecie, która jeszcze nie umarła.

Co gorsza, wiał surowy arktyczny wiatr, a policja radziła, by kierowcy pozostali w domach, o ile ich podróż nie jest absolutnie konieczna. Otóż moja akurat była absolutnie konieczna, ponieważ potrzebowałem płaszcza.

Na szczęście, wybrałem się do samiuteńkiego centrum Londynu, który jest osiemnastym co do wielkości miastem świata i największym centrum handlowym Europy.

Można by więc przypuszczać, że kupienie płaszcza to prosta sprawa. Ale gdzie to zrobić? Jestem za stary na

[1] Współtwórca i wieloletni autor *Księgi rekordów Guinnessa*.

King's Road, zbyt męski na Sloane Street, a o ile mi wiadomo Marks & Spencer sprzedaje wyłącznie majtki dla
grających na skrzypcach dobrze ułożonych panienek.
I kanapki. Wizyta u Dorothy Perkins również nie zapo-
wiadała się zbyt obiecująco. A co można kupić w Bhs?
Sądzę, że wyłącznie lampy stołowe.

Żona doradziła mi, żebym spróbował w Selfridges,
i w ten oto sposób, w śniegu z deszczem przypominają-
cym mi, że mam z tyłu głowy dziurę we włosach, dote-
lepałem się do Oxford Street, ze złotą kartą kredytową
w dłoni i stojącymi z zimna sutkami. Zamarzałem na kość.

Na początku pierwsze piętro robiło obiecujące wrażenie. Wyglądało tak, jakby miało powierzchnię czterech
boisk do gry w piłkę. A może dwóch piętrowych autobusów. Albo Walii. W każdym razie było olbrzymie i upstrzo-
ne markami wszystkich projektantów, którzy obili mi się
o uszy, i mniej więcej milionem tych, o których nigdy nie
słyszałem. Wszyscy z nich oferowali T-shirty.

Nie żartuję. Issey & Gabbana[2], Alexander Saint Laurent[3], Tommy Farhi[4], Ozwald Hackett, Joseph Boateng[5].
Jeden z tych przeklętych T-shirtów był cały zielony i nie
mogłem się z niego wydostać. Inny miał pełno sznurków.
Wszystko to przypominało styl galerii Tate Modern i było
bardzo przyjemne dla oka, ale tego dnia, w którym hrabstwo Kent[6] zostało odcięte od świata, ani jeden projektant
nie był w stanie zaoferować mi płaszcza.

---

[2]   Naprawdę: Issey oraz Dolce & Gabbana.

[3]   Naprawdę: Alexander McQueen i Yves Saint Laurent.

[4]   Naprawdę: Tommy Hilfiger i Nicole Farhi.

[5]   Naprawdę: Hackett, Joseph oraz Ozwald Boateng.

[6]   W nocy z 28 lutego na 1 marca 2005 roku w hrabstwie Kent padał śnieg
z deszczem, co w połączeniu z mrozem doprowadziło do blokady dróg.

– Mamy to – obwieściła jakaś radosna kobieta, trzymając coś, co towarzystwa podróży radzą zabrać ze sobą na chłodne wieczory, które od czasu do czasu zdarzają się wiosną w Rzymie. Ale ja nie wybierałem się do Rzymu. Następnego dnia miałem znaleźć się na zamarzniętym torze testowym w *Top Gear*, cierpiąc na wszystkie choroby świata jednocześnie.

Później można mnie było zobaczyć na Bond Street, gdzie cała historia się powtórzyła. Mnóstwo sklepów zapchanych lnianymi spodniami do pół łydki i niezliczone plakaty ze zdjęciami plażowiczów grających w piłkę.

A teraz zastanówmy się. Ludzie posiadający koncesje na prowadzenie gastronomii na parkingach przy autostradach zdecydowanie nie należą do najbystrzejszych. Ale żadna z tych osób, budząc się w ten syberyjski poranek nie pomyślałaby: „No jasne. Zostawię w domu termosy na herbatę. Pojadę furgonetką do sprzedaży lodów".

Oni wiedzą, że gdy termometr wskazuje –20 stopni Celsjusza, ludzie nie myślą o tym, że mogłoby być +40. Tak samo było w przypadku ulicznych straganów, które mijałem po drodze. Były pełne szalików i parasoli, a nie okularów słonecznych i kąpielówek. A nie zapominajcie, że zwykle prowadzą je ludzie, którzy mają na koncie więcej wyroków ASBO[7], niż punktów na maturze.

Gdy w piątkowy poranek otworzyłem gazety, powitały mnie niekończącą się serią zdjęć nowej kolekcji Stelli McCartney. Było tam wiele kobiet w szalach i grubych

---

[7] ASBO (Anti-Social Behaviour Orders) – tzw. zakaz zachowań antyspołecznych, nowe prawo obowiązujące w Wielkiej Brytanii, według którego można zostać ukaranym za postępowanie uznane przez lokalną społeczność za niewłaściwe.

golfach, więc pomyślałem sobie: „No... Wreszcie ktoś, kto rozumie, że ludzie chcą kupować ubrania, odpowiadające warunkom pogodowym, jakie przeważają o danej porze roku".

Skądże. Okazuje się, że ta nowa odzież została zaprojektowana na kolejną zimę i znajdzie się w sklepach w sierpniu.

Oczywiście jestem świadomy faktu, że kobiety umieją planować. W supermarkecie moja żona kupuje płyn do czyszczenia piekarnika i żarówki, ponieważ wie, że nasze zapasy tych produktów są na wyczerpaniu. Ale mężczyźni nie są do tego zdolni. W supermarkecie potrafię kupić tylko to, na co w danej chwili mam ochotę. Zwykle jest to paczka Smarties.

Wiem też, że w Wielkiej Brytanii sklepy z eleganckimi ubraniami są zaopatrywane głównie przez kobiety i homoseksualistów, ale nawet i oni muszą zdawać sobie sprawę, jak przedstawia się sytuacja. Na pewno wiedzą, że gdy jest gorąco, połowa populacji kupuje T-shirty, a gdy jest zimno – chce kupić płaszcz.

Oczywiście zdaję sobie sprawę, że każdy metr kwadratowy nieruchomości w centrum Londynu musi na siebie zarobić, i że sprzedawanie letnich i zimowych kolekcji obok siebie wprowadza nieład, i to zarówno estetyczny, jak i finansowy.

Co więc powiecie na taki pomysł: moda to biznes globalny. W takim razie wielcy projektanci na pewno w tej chwili sprzedają zimowe ubrania w Australii. Dlaczego więc nie wymienić asortymentu pomiędzy sklepami na dwóch półkulach? Dzięki temu nie wróciłbym tamtego dnia do domu nie wydawszy ani grosza. I miałbym płaszcz. A to powstrzymałoby kolejne stadia komplikacji mojej nowotworowej trędowatej ptasiej grypy w postaci obustronnego zapalenia płuc.

To przywodzi mi na myśl przypadek Bootsa. To przedsiębiorstwo ogłosiło w zeszłym tygodniu, że od stycznia poziom sprzedaży jest niezadowalający, a zapotrzebowanie na leki przeciwko katarowi i kaszlowi niższe od przewidywanego.

Bzdury. W zeszłym tygodniu chciałem kupić w Bootsie pół tony Coldrexu i 5000 opakowań Paracetamolu, ale sklep był po sufit wypchany tabletkami przeciwko katarowi siennemu i kremami do opalania.

Niedziela, 6 marca 2005 r.

Krzyżyk na drogę dla zielonych bzdur!

Kiedy sześć lat temu otwarto głupie i drętwe Centrum Ziemi, Tony Blair okrzyknął je „wspanialszym nawet od Kopuły Millenium". Taki sam pogląd wyraził Michael Meacher, ówczesny minister środowiska, który następnie stwierdził, że ten ufundowany z pieniędzy z totolotka park o tematyce ekologicznej będzie „żywym i oddychającym przykładem samodzielnego utrzymywania się".

No cóż, wcale tak nie było. W zeszłym tygodniu zawiodła ostatnia rozpaczliwa próba ratowania centrum. To oznacza, że upadło na dobre, zabierając ze sobą 36 milionów funtów naszych pieniędzy.

Centrum Ziemi ucieleśniało błędne myślenie obecnego rządu i stada jego doradczyń o kręconych włosach i obwisłych piersiach, nie zważających na to, że wszystkie ich durne aż do wytrzeszczu oczu pomysły i inicjatywy są o całe lata świetlne odległe od tego, czego ludzie rzeczywiście pragną.

Kiedy więc jedna z nich wydobyła na światło dzienne niewyobrażalne dotychczas pokłady głupoty i poddała pomysł utworzenia parku o tematyce ekologicznej, w którym ludzie mogliby się przyglądać, jak ich własne odchody przerabiane są na nawóz, a następnie rozpylane w ogródku warzywnym, który jest źródłem zaopatrzenia dla parkowej kawiarni, nikt nie oponował: „Poczekajcie.

Czy naprawdę uważacie, że ludzie zapłacą 14 funtów, by móc zjeść czyjeś gówno?".

To wszystko dlatego, że nie podoba się im park tematyczny Alton Towers, który trąci „Wielkim Szatanem" i komercyjną chciwością. Dlatego są przekonane, że o wiele bardziej wolelibyśmy spędzić popołudnie wsuwając cudze gówna, niż ześlizgując się po raz kolejny z wodnej zjeżdżalni.

W taki oto sposób, we mgle ignorancji i naiwności, pod Doncaster, na 400-akrowym terenie po dawnej wytwórni szkła należącej do mojej rodziny, otwarto Centrum Ziemi. Wkrótce potem niemal zatonęło ono w morzu rozpływających się w zachwytach artykułów prasowych, napisanych przez kobiety o jeszcze bardziej kręconych włosach i jeszcze bardziej obwisłych piersiach, które zaciągnęły swe nieszczęsne dzieci aż do Yorkshire.

Niestety, nie zjawił się tam prawie nikt więcej. Ci idioci przewidywali pół miliona gości rocznie, ale w 2004 roku przez bramki wejściowe przeszło zaledwie 30 000 osób. Tego dnia, którego ja się tam wybrałem, centrum było zupełnie opustoszałe. I nietrudno się domyślić, dlaczego.

Otóż, jeśli chcę się przekonać, jak to jest żyć w świecie zieleni, wcale nie muszę udawać się do Doncaster. Równie dobrze mogę się rozebrać do naga i cały dzień spędzić na świeżym powietrzu, obgryzając korę z jakiegoś drzewa. Była tam jurta, czyli po prostu namiot. Przewodnik na cały głos zastanawiał się, jak to jest mieszkać w czymś takim. Na pewno nie tak przyjemnie, jak u mnie w domu, mój drogi. Mieli tam też wielką trąbę, dzięki której można było lepiej wsłuchać się w odgłosy natury. Niestety, żadne tam nie rozbrzmiewały, ponieważ tworząc centrum przeprowadzono drogę dojazdową przez sam środek jednego z najważniejszych rezerwatów przyrody w okolicy. Tak więc przez tę ekologiczną trąbę można było usłyszeć jedynie, jak żółte mrówki, małe sieweczki obrożne i polowce szachownice duszą się pod milionem ton cementu. Było tam jeszcze więcej hipokryzji. Pokazywano na przykład wystawę, która przypominała zwiedzającym o flircie tego regionu z węglem, i o tym, jak bardzo zaszkodziło to środowisku. Założę się, że miejscowi byli zachwyceni.

Ulotka reklamowa zapewniała, że Centrum Ziemi jest skazane na sukces ponieważ znajduje się w odległości „dwóch godzin jazdy" dla 20 milionów ludzi. Jasne, pomijając fakt, że jeśli przyjechałeś samochodem, musiałeś zapłacić za wstęp 8,50 funta, a gdy przybyłeś pociągiem albo na rowerze, płaciłeś jedynie 4,50 funta.

Kiedy wreszcie te błazny zrozumieją, że jeśli otwiera się jakąś atrakcję nie zapewniając odpowiedniej liczby bezpłatnych miejsc do parkowania, jest ona bezwzględnie skazana na klęskę? To właśnie zrobili z Kopułą Millenium. Z założenia uczynili ją niedostępną dla podróżujących samochodem, ponieważ „ja nie mam samochodu, i nie znam nikogo, kto by go miał".

Niestety, tak się składa, że 28 milionów ludzi w tym kraju ma samochód. Wyobrażam sobie, że nie spodobało się im, gdy zostali zapędzeni do nieogrzewanego kina w Centrum Ziemi, gdzie przypomniano im, że są zgrają sukinsynów – morderców naszej planety.

Jednak w tym okropnym miejscu najbardziej ze wszystkiego rozzłościła mnie nie ta hipokryzja, ani nie marnowanie pieniędzy. Była to ponura apodyktyczność, grożenie palcem i przekonanie, że wszelka radość w życiu musi zostać zrównoważona przez poczucie winy i wściekłość. Ich wizja doskonałego świata kojarzyła mi się nieodparcie z salą wykładową diabła.

Powiedzieli nawet, że takiego systemu zasilanego energią słoneczną, jak w Centrum Ziemi, można by używać w domu „za cenę motorówki".

Rozumiem. A jak myślicie, ilu ludzi powiedziałoby: „Nie, nie kupię sobie dwunastometrowego jachtu Sunseeker. Zamiast tego wydam pieniądze na jakiś durny system zasilania, dzięki któremu za każdym razem, gdy będzie pochmurno, mój czajnik nie będzie działał"? A przede wszystkim, ilu ludzi w ogóle ma taki wybór?

Jestem szczerze zachwycony, że Centrum Ziemi dołączyło do Kopuły Millenium jako przykład na to, dlaczego we współczesnej, cywilizowanej kulturze nie ma miejsca na tematykę ekologiczną, poprawność polityczną i myślenie w kategoriach wielowyznaniowości. I mam nadzieję, że pokaże to tym posępnym wiedźmom, że istnieje inny, większy, bardziej rozumny świat, roztaczający się daleko od ich ponurych i nudnych przyjęć.

A najbardziej ze wszystkiego liczę na to, że miejsce ich ostatniej klęski zostanie zamienione w tor wyścigowy, miejsce tańców erotycznych i gry w paintball. Ze zniżkami dla tych, którzy przyjadą samochodem. Szacuję, że można by to osiągnąć za połowę kosztów budowy Centrum Ziemi i że naprawdę byłby to dobry przykład, jak można się samodzielnie utrzymywać.

Ponieważ przyjeżdżałyby tam tłumy.

Pochowajcie mnie przy wtórze anegdot o mnie

Wyniki badań opublikowane w zeszłym tygodniu w jakiejś gazecie sugerują, że nie ma czegoś takiego jak „kryzys wieku średniego". I że ludzie, którzy osiągają wiek 40 lat, stają się symfonią luzu w sztruksach: są szczęśliwi, zadowoleni i bardziej lubiani, niż kiedykolwiek wcześniej.

Wszystko to brzmi bardzo optymistycznie, ale obawiam się, że to brednie. Bo gdy ja skończyłem 40 lat, odniosłem nieodparte wrażenie, że osiągnąłem już swój biologiczny cel istnienia, że już nigdy nie zdziałam żadnej nowej, wartej zachodu rzeczy, i że nie mam już na co czekać, no, może oprócz tego, że jakiś „dognaper" porwie mojego labradora[1].

Być może to prawda, że ludzie w średnim wieku przestają rywalizować i nie są już egocentrykami, ale to dlatego, że gdy macie 40 lat, pewnego dnia dochodzicie do ostatniego szczebla drabiny i uświadamiacie sobie, że nie istnieją już żadne światy, które można by podbić. Nie ma już po co wbijać kolegom noża w plecy, bo mija się to z celem. Wiecie, że teraz może być już tylko gorzej.

Jednak najgorsza rzecz związana z osiągnięciem 40 lat polega na tym, że domyślne ustawienia mózgu przełączają się z seksu na śmierć. Wiadomo, że mężczyźni w wieku

---

[1] Ostatnimi czasy dognaping, czyli porywanie psów, jest w Wielkiej Brytanii gwałtownie nasilającym się problemem.

lat dwudziestu i trzydziestu średnio co sześć minut myślą o bara-bara i w ogóle nie przychodzi im do głowy, że kiedyś umrą.

Gdy masz 40 lat, z wygaszacza ekranu funkcji życiowych znika olbrzymie zdjęcie biustu Jordan, a w jego miejsce pojawia się trzymająca kosę posępna postać w pelerynie.

Pewnego dnia w gazetach pojawiła się jakaś gwiazda, bo na śmierć zapomniała założyć majtki. Jednak moją uwagę przyciągnęła bardziej informacja o śmierci dziennikarza Rossa Bensona. Miał zaledwie 56 lat, na litość boską! To znaczy, że zostało mi jeszcze 11 lat. Dla młodej osoby 11 lat to wciąż 11 lat, ale zapewniam, że po tym, jak stuknie wam czterdziestka, 11 lat będzie jak 15 minut.

Przez cały czas zastanawiam się nad tym, jak będzie mi dane umrzeć i kiedy to nastąpi. Każdego ranka jestem wręcz zaskoczony, że się obudziłem. Co więcej, rozmawiałem o tym z kilkoma znajomymi, którzy przyznali, że jeśli nie myślą o czymś konkretnym, to myślą o śmierci.

To dlatego widuje się tylu starych facetów grających w golfa. Nie robią tego w trosce o swoją formę. Poświęcają swoją godność w rozpaczliwej próbie odpędzenia śmierci ze swoich wygaszaczy.

Ponieważ jednak od golfa wolę już śmierć, tak naprawdę nie przejmuję się tym, „kiedy". Przedmiotem mojej troski jest „jak". Doszedłem do wniosku, że z pewnością nie chcę się utopić ani zostać zamordowany siekierą przez kogoś, komu spodobał się mój zegarek. Ale najbardziej nie chcę spotkać się z kostuchą w sytuacji, gdy z nosa sterczałaby mi rurka do oddychania. Nie chcę, by moim ostatnim ziemskim lotniskiem tranzytowym był oddział szpitalny pełen starych, siwych ludzi. Dlatego, że to byłoby nudne.

Nie jestem w tym odosobniony. Rozmawiałem z jednym gościem, który powiedział, że jest mu wszystko jedno jak umrze, byleby nastąpiło to w jakiś wystrzałowy sposób. Inny stwierdził, że marzy mu się śmierć przy czynieniu dobra. Podczas szturmu na gniazdo karabinów maszynowych albo, dajmy na to, podczas ratowania grupki uczniów przed atakiem tygrysa. A ja? No więc ja chciałbym być bohaterem jakiejś cholernie dobrej anegdoty.

W zeszłym tygodniu, na przykład, rozbiłem wyścigowy poduszkowiec. Jak to z nimi bywa, wszystko przebiegało w zwolnionym tempie. Przód poduszkowca zarył w ziemię, a ja zostałem wyrzucony z fotela i znalazłem się okrakiem na zbiorniku paliwa, cały czas myśląc: „Świetnie! Moja żona powinna już wiedzieć, jak zrobić z tego przezabawną anegdotę w *talk-show* Michaela Parkinsona. Wszyscy widzowie będą się tarzać ze śmiechu!".

Coś podobnego przeżyłem kilka lat temu, gdy leciałem do Hawany na pokładzie radzieckiego samolotu wyprodukowanego w latach 1950., który, nim znalazł się w rękach Kubańczyków, odbył służbę w Angolskich Siłach Powietrznych. Już zanim pilot wleciał w środek szalejącej burzy z piorunami, samolot nie był w za dobrym stanie.

Tak czy owak, znaleźliśmy się tam, obróciliśmy się do góry nogami, a nasze uszy zaatakował ten jękliwy dźwięk, jaki słyszycie na filmach, gdy za chwilę ma się rozbić samolot. Pomyślałem wtedy: „Świetnie! Moje dzieci będą mogły dorastać opowiadając, że ich tato zginął w radzieckim samolocie, w samym środku tropikalnej burzy szalejącej nad Kubą. Będą najbardziej lubianymi dzieciakami w klasie".

Pewnie właśnie dlatego 45-letni mężczyźni kupują Porsche. Nie ma to nic wspólnego z bitwą, jaką testosteron przegrywa walcząc z powiększającą się talią. Za to ma wiele wspólnego z pragnieniem, by zginąć jadąc 290 km/h.

Oczywiście, że wprawił mnie w osłupienie fakt, iż tylko 21 000 ludzi wystąpiło z podaniem o przyznanie miejsca na lot nowym statkiem kosmicznym należącym do linii Virgin Galactic Richarda Bransona. Jasne, 100 000 funtów za bilet to wysoka cena. Ale przeważająca większość tych, którzy na taki wydatek mogą sobie pozwolić, będzie u szczytu swoich możliwości, i wkrótce zmierzy się z nieubłagalnym spiralnym spadaniem w kierunku niekontrolowanych czynności fizjologicznych i flegmy. Dlaczego więc nie zapiszą się na to najbardziej emocjonujące z przeżyć – na wyprawę w kosmos?

Powstrzymywać ich może tylko strach przed śmiercią. Ale czego by chcieli w zamian? Zegara na kominku? Sekatora? Autokarowej wycieczki po północnej Walii? A może 30 lat na polu golfowym i języka krzepkiego ratownika medycznego, wślizgującego się im do gardła? I to ma być ich ostatnim wspomnieniem z życia? Wielkie dzięki.

Wystrzelenie w niebiosa – całkiem dosłownie – dzięki kilku tonom paliwa rakietowego na pewno sprawi, że wiadomość o waszej śmierci pojawi się w telewizji. Dostarczycie życiu milionów odrobiny emocji, co jest jeszcze bardziej bezinteresowne, niż uratowanie uczniów przed tygrysem. Co więcej, śmierć nadejdzie szybko.

I to jest właśnie to, czego najbardziej pragnę. Chcę być pijany i wesoły, a potem chcę wylecieć w powietrze!

Niedziela, 20 marca 2005 r.

Królowa ekranu zjadła moją wieprzowinę w cieście

Przypuszczam, że wszyscy marzymy o dniu, w którym George Clooney zadzwoni do nas, by powiedzieć, że właśnie jest w okolicy i chciałby wpaść do nas na obiad. Fantazjujemy o tym, jak na przystawkę podamy solę, i o błyskotliwej konwersacji, którą zaserwujemy do kawy i miętowych czekoladek. I dobrze wiemy, że nigdy się to nie wydarzy.

Otóż w zeszłym tygodniu przytrafiło mi się coś w tym stylu. Byłem w moim domku wypoczynkowym nad morzem, kiedy ktoś, kogo zaprosiłem na obiad, zadzwonił, by zapytać, czy mógłby przyjechać ze znajomą, która okazała się być moją najbardziej ulubioną aktorką na świecie. Nie lubię sformułowania „zatkało mnie", ale właśnie tak się stało. Absolutnie i całkowicie osłupiałem, zamieniłem się w jąkałę o drżącym głosie.

Szybko pojawiły się kwestie praktyczne. Ona miała przyjechać z trójką swoich dzieci, co oznaczało, że na obiedzie będą 22 osoby, a mój piekarnik był zepsuty. Co gorsza, była niedziela rano, a to oznaczało, że wszystkie wiktuały trzeba będzie zakupić w lokalnym supermarkecie ShopRite.

Należało też przeanalizować moje zdolności kulinarne. Mając do dyspozycji odpowiednią ilość czasu i jedynie trójkę małych dzieci do nakarmienia, potrafię całkiem przyzwoicie poradzić sobie z niedzielną pieczenią. Pod warunkiem, że żadne z dzieci nie chce sosu.

Ale teraz mowa była o przygotowaniu jedzenia dla 22 osób, włączając w to hollywoodzką supergwiazdę. Do dyspozycji miałem mały piekarnik, a jedynymi składnikami, jakie na początku udało mi się znaleźć, było sześć bananów. I trochę imbiru.

Czy istnieje coś równie przygnębiającego, jak mały wiejski sklepik w niedzielny poranek, po napaści miejscowych wygłodniałych ćpunów, którzy niewiele po sobie pozostawili?

Otóż okazuje się, że coś takiego jednak istnieje. Jest to konfrontacja z tymi wszystkimi pustymi półkami, gdy za dwie godziny ma przybyć na obiad twoja idolka. W tym momencie panika była jak najbardziej uzasadniona.

Na szczęście dołączył do mnie producent *Top Gear*, który wie, jak zredukować sos. Ale nawet jego wcięło, gdy zastanawiał się, co do diaska można przygotować dysponując jedynie bananami i imbirem.

– A może smażone banany posypane po wierzchu odrobiną imbiru? – błyskotliwie zaproponowałem.

– A może byś się zamknął! – odpowiedział, i wyruszył do stoiska z mięsem, gdzie mieliśmy nadzieję znaleźć coś, co by jej smakowało: może łabędzia, albo kawałek pawia…

Czekało nas rozczarowanie. Nie mieli nic oprócz wielkiej paki duszonego mięsa z cynaderkami, i quiche, która, według jadowicie zielonej naklejki na opakowaniu zawierała „26% mniej tłuszczu".

Jakoś żaden z tych dwóch produktów nie wydawał mi się odpowiedni. Ale była jeszcze mrożona zapiekanka wieprzowa firmy Pork Farms i jakieś kiełbaski. A więc – starta zapiekanka wieprzowa w wywarze z kiełbasy, przybrana bananem i sosem imbirowym. Mniam. Udało nam się też znaleźć słoik musztardy, korniszony Branstona i pudełko surówki z kapusty, niebezpiecznie blisko końca okresu przydatności do spożycia, a także kilka limonek. Poczuliśmy, że mamy już podstawę obiadu. To znaczy mielibyśmy, gdybyśmy znajdowali się w sudańskim obozie dla uchodźców. Tymczasem chcieliśmy podjąć diwę ekranu, boginię, powszechnie rozpoznawaną, nominowaną do Oscara, olśniewająco piękną supergwiazdę.

Nie wydaje się wam to dziwne? Gdybyście to wy mieli przyjść do mnie na obiad, poczęstowałbym was tym, co bylibyście w stanie wyłuskać ze szczelin w kuchennym stole.

Z pewnością nie spędziłbym poranka zdobiąc kiełbaski sosem musztardowym.

Nie wypełniłbym też lodówki podstawowym pożywieniem wszystkich aktorek: łagodnie gazowaną wodą mineralną, do której wycisnąłem bukiet moich limonek ze sklepu. Musielibyście zadowolić się kranówką.

Sława wprowadza nas wszystkich w gorączkowy nastrój. Złamałem nawet moją żelazną zasadę i ogoliłem się w niedzielę. Wydaje mi się, że chyba nawet zdjąłem dżinsy, a zamiast nich założyłem jakieś porządne spodnie.

I wtedy przybyła. Z pewnością widzieliście te reklamy w telewizji, w których ktoś spryskany antyperspirantem nowego rodzaju przebiega całą dżunglę nie pocąc się.

Otóż użyłem antyperspirantu tej marki i zapewniam was, że to wcale nie działa, gdy próbujecie zaproponować waszej idolce coś do picia. Wtedy też odkryłem, że mój język, który działał doskonale przez 44 lata, wybrał właśnie ten moment, by stać się pogięty i pokręcony jak świński ogonek.

Co będzie, jeśli poprosi o lampkę Dom Perignon rocznik 1964, z odrobiną soku z patatów? Przecież właśnie to stanowi doskonały aperitif dla łabędzia i pawia, których się spodziewa.

– We wtorek – powiedziała, odpowiadając na pytanie, które mój język zadał zupełnie bez mojego udziału.

– Nie, nie. Czego chciałabyś się napić?

– Och, może być woda mineralna, jeśli jakąś masz.

Boże, dzięki Ci. W tym tempie, następną rzeczą, jaką powie, będzie to, że tak naprawdę chciałaby zjeść na obiad wieprzowinę zapiekaną w cieście.

– O, korniszony Branstona – powiedziała, dostrzegając na stole słoik. – Uwielbiam je z zapiekaną wieprzowiną.

Wtedy moje serce eksplodowało ze szczęścia.

Za zniewalającymi oczami i porcelanową skórą ukrywała się zupełnie normalna istota, stąpająca po ziemi tak samo twardo, jak wasza czy moja mama.

Spodziewałem się primadonny, ponieważ wciąż czytamy o ochroniarzach Wayne'a Rooney'a[1], czy o tym gościu z reklamy Halifaxu, który wszędzie chodzi ze świtą[2]. Nauczyliśmy się, że sławy są zbyt zajęte piciem szampana na mieniącym się londyńskim West Endzie, by mogły być zdolne poradzić sobie z kiełbaską.

---

[1] Angielski piłkarz, znany ze sposobu bycia charakterystycznego dla zepsutych gwiazd.

[2] Chodzi o Howarda Browna, który, zanim został sławny dzięki występom w reklamach banku Halifax, był jego zwykłym pracownikiem.

Dlatego za każdym razem, gdy spotykam kogoś sławnego, jestem zadziwiony, że umie sobie sam pokroić jedzenie na talerzu. Ostatnia niedziela pokazała mi, że to
i tak nie wszystko. Dlatego mogę dać wam pewną cenną
wskazówkę: jeśli George Clooney rzeczywiście do was zadzwoni, otwórzcie tubę chipsów Pringles i poczęstujcie
go puszką piwa.

Niedziela, 27 marca 2005 r.

Wybaw mnie od mej komórki

Mój poprzedni telefon komórkowy był do niczego. Jasne, można było nim robić zdjęcia i łączyć się z internetem, ale bateria rozładowywała się co 30 sekund, a gdy przychodziło do skorzystania z funkcji dzwonienia do kogoś, musiałem dosłownie siadać na maszcie telefonicznym. Co najprawdopodobniej wywołało raka mego tyłka.

No i oprócz tego – i to jest najgorsze – głośnik tej komórki był tak mikroskopijny, że zupełnie nie dało się usłyszeć, co mówi osoba po drugiej stronie słuchawki. Potrzebowałem tuby, ale od niej prawie na pewno dostałbym kolejnego nowotworu.

Doprowadzało to moją żonę do szaleństwa, bo musiała słuchać, jak raz za razem wrzeszczę „co?!". Dlatego w zeszłym tygodniu kupiła mi nowy telefon.

Wiem, mogłem włożyć do niego baterię i natychmiast połączyć się ze światem zewnętrznym.

Jednak nie zrobiłem tego. Popełniłem błąd. Ponieważ telefon to zabawka, a ja jestem mężczyzną, pomyślałem, że fajnie byłoby wyłączyć funkcję wspomagania wpisywania tekstu, która jest drugim w kolejności najgłupszym wynalazkiem po elektrycznym pantoflu Sir Clive'a Sinclaira[1]. Z pewnością sami wiecie jak to działa. Wpisujecie „nara", a telefon przez resztę czasu usiłuje odgadnąć dalszą część

---

[1] Twórca m.in. legendarnego komputera domowego ZX Spectrum; jest również autorem kontrowersyjnego i nie do końca przemyślanego projektu

słowa: narada? narastać? narazić się? naramiennik? Nie może pojąć, że chcecie napisać po prostu „nara", bo tak w SMS-owym slangu brzmi „na razie".

Tak czy owak, by wyłączyć tę funkcję, najpierw należy przekopać się przez instrukcję obsługi liczącą 104 strony. Tak, 104 strony ma instrukcja obsługi zwykłego telefonu. Już wtedy wiedziałem, że nadciągają kłopoty.

I faktycznie tak było, bo szukając rozdziału o wiadomościach tekstowych natknąłem się na fragment instrukcji, opisujący, jak można prosto na mój nowy telefon ściągać muzykę z internetu. To brzmiało ekscytująco. Dlaczego – tego do końca nie jestem pewien.

No bo widzicie – w dzisiejszych czasach kawałek *Long Train Runnin'* mogę odtwarzać na swoim gramofonie, odtwarzaczu płyt kompaktowych, iPodzie, walkmanie, komputerze, oraz gdy siedzę w samochodzie. Trudno wymyślić jakieś miejsce na świecie, gdzie znalazłbym się dalej niż półtora metra od muzyki The Doobie Brothers.

Mimo to myśl, że można zaprząc ściągnięty z eteru ciąg jedynek i zer do wytworzenia w telefonie znajomo brzmiącej melodii, była po prostu nie do odparcia dla kogoś, kto swoją karierę dziennikarską rozpoczynał korzystając z maszyny do pisania Remington.

Włożyłem więc do komputera płytę dołączoną do mojego nowego telefonu i rozsiadłem się wygodnie. Komputer tymczasem zaszumiał i ogólnie rzecz biorąc zaczął robić to, co do niego należy. Następnie pojawiły się problemy, bo chciał się ode mnie dowiedzieć, jak ma się połączyć z telefonem.

---

napędzanego elektrycznie trójkołowca, który okazał się fiaskiem, a przez swój wygląd został przez opinię publiczną nazwany „pantoflem".

To wymagało jakiegoś działania z mojej strony i od tego momentu wszystko zaczęło się sypać. Przez godzinę usiłowałem zestawić połączenie przez Bluetooth. Dopiero później zorientowałem się, że w coś takiego mój komputer nie został wyposażony. Wziąłem więc jeden z przewodów, które dostarczono z telefonem – było z czego wybierać, kable miały łącznie chyba ze 4 mile długości – spiąłem ze sobą te dwa urządzenia „na sztywno" i usiłowałem nawiązać połączenie z internetem.

Wtedy wyskoczył komunikat: „Protokół kontrolny połączenia PPP został przerwany".

Oczywiście, że widziałem komunikaty tego rodzaju już wcześniej; zazwyczaj na filmach, w których chwilę później wybuchała elektrownia jądrowa. Co jednak ten komunikat oznacza w moim przypadku?

Nie należę do technofobów. Potrafię obsługiwać dekoder z nagrywarką Sky+ i nastawić radio w samochodzie. Nie mam jednak pojęcia, czym jest ów „protokół kontrolny połączenia PPP" i co trzeba zrobić, by nie dopuścić do jego przerwania.

Nieważne. Ponieważ miałem przecież piosenkę *Long Train Runnin* zaszytą gdzieś tam, we wnętrzu krzemowego serca mojego komputera, spróbowałem skopiować ją do telefonu. Bez powodzenia. Było to – jak zostałem poinformowany – zabronione. Co to jest u licha? Muzyczna policja?

Telefon przyjął piosenkę *Time* Pink Floydów, którą ustawiłem jako spersonalizowany dzwonek dla Nicka Masona, perkusisty tego zespołu. Niezłe, co? Gdy tylko kiedyś do mnie zadzwoni, telefon odegra jeden z jego własnych kawałków.

Udało mi się również wgrać *Summer of '69* – tę piosenkę przyporządkowałem Bryanowi Adamsowi. Na szczęście powiodło mi się również ze skopiowaniem *Behind Blue Eyes*, która jest teraz spersonalizowanym dzwonkiem Rogera Daltrey'a. Niestety, telefon odmawia wgrania przeboju Doobisów. Może dlatego, że nie znam numeru do Jeffa „Skunk" Baxtera.

Szukając potwierdzenia mojej hipotezy w instrukcji obsługi – nawiasem mówiąc, instrukcja do Concorda była o cztery strony krótsza – przeczytałem, że telefonem mogę zrobić zdjęcie, a potem za pośrednictwem laptopa wysłać je e-mailem do znajomych. Oczywiście od razu spróbowałem wysłać A.A. Gillowi[2] (jemu przypisałem piosenkę *Sing If You're Glad To Be Gay*[3]) zdjęcie moich genitaliów. Ale to też nie chciało działać. Podejrzewam, że znów nawalił protokół kontrolny połączenia PPP.

Koniec końców, spędziłem – wcale nie żartuję – cały dzień zabawiając się zupełnie nieprzydatnymi funkcjami mojego telefonu, z których większość i tak nie działa. Przekonałem się jedynie, że ludzie, którzy spersonalizowali dzwonki w swojej komórce, muszą chyba cierpieć na nadmiar wolnego czasu.

Wciąż nie mam pojęcia, czy głośnik mojego telefonu jest dobrze słyszalny, ani czy telefon ma zasięg – na przykład – w Fulham. I wciąż nie wiem, jak wyłączyć funkcję wspomagania wpisywania tekstu. Instrukcja

---

[2] Patrz przypis 1 na s. 15.

[3] Piosenkę, której tytuł w wolnym tłumaczeniu brzmi „Śpiewaj, skoro dobrze ci być gejem" napisał w 1976 roku Tom Robinson na paradę gejowską w Londynie. Gill w jednym ze swoich felietonów stwierdził, że „jest pod każdym względem gejem, z tym, że nie lubi mężczyzn".

poświęca temu zagadnieniu 12 stron, sugerując, że jest to tak makabrycznie skomplikowane, że byłoby łatwiej i o wiele, wiele szybciej wysłać do odbiorcy zwykły list.

Jedyną dobrą wiadomością jest to, że promieniowanie Motoroli V3 jest grubo poniżej ustalonej przez Europejski Komitet Standaryzacji Elektrotechnicznej granicy SAR[4], wynoszącej 2,0 W/kg. Znalazłem tę cenną wiadomość w rozdziale o bezpieczeństwie użytkowania i myślę, że chodzi o to, iż nie dostanę raka ucha.

Niedziela, 17 kwietnia 2005 r.

---

[4] SAR, ang. *Specific Absorption Rate* – szybkość pochłaniania właściwego, parametr charakteryzujący szkodliwy wpływ promieniowania telefonów komórkowych na ludzki organizm.

Obrońcy środowiska naturalnego potrafią zepsuć krajobraz

Plany budowy pola turbin wiatrowych na skarpie w Lake District napotkały na problemy w zeszłym tygodniu, kiedy Lord Melvyn Bragg[1] powiedział, że zniszczą mu one fryzurę. Nie ma wątpliwości, że musimy opracować nowe źródło odnawialnej energii, a to z jednego prostego powodu. Do dziś ludzkość wydobyła 944 miliardy baryłek ropy, i pozostało ich już zaledwie 794 miliardy.

Ale wątpię, i to z zupełnie innych powodów niż problemy Bragga z fryzurą, by turbiny wiatrowe rozwiązały ten problem. Mielą rybołowy, robią okropny harmider i, co najgorsze, wytwarzana przez nie energia elektryczna wystarcza jedynie do zasilenia połowy tostera. Aby zapewnić Wielkiej Brytanii wystarczająco dużo elektryczności, trzeba by ich wybudować 100 000, a czy macie choć blade wyobrażenie, jaki miałoby to efekt wizualny?

Po prostu, aby zachować urodę naszej zielonej i pięknej krainy, musielibyśmy ją zniszczyć. Jest to łamigłówka towarzysząca każdemu wysiłkowi ekologów.

W swojej ostatniej książce „Państwo strachu" – musicie ją koniecznie przeczytać – Michael Crichton omawia

---

[1] Brytyjski pisarz i prezenter, był przeciwny budowie turbin wiatrowych w Lake District, jednym z najpopularniejszych miejsc wypoczynkowych Wielkiej Brytanii.

przypadek Parku Narodowego Yellowstone w Wyoming, który w 1872 został uznany za rezerwat przyrody.

Niestety, brodaci obrońcy środowiska nie mogli przestać się wtrącać. Najpierw uznali, że łosie są na wymarciu, więc wystrzelali w rezerwacie wszystkie wilki i zakazali Indianom polowań. Wkrótce było już tyle łosi, że zaczęły zjadać drzewa, których bobry używały do budowy tam, więc bobry zabrały manatki i przeniosły się w inne miejsce. A bez tam bobrów wyschły łąki, znikły pstrągi i wydry, a postępująca erozja gleby stała się poważnym problemem. Problemem pogłębianym dodatkowo właśnie przez stada łosi, które zjadały całą trawę. Trzeba było zacząć strzelać do łosi, i to do całych tysięcy.

To przywodzi mi na myśl nadmorski kawałek lądu, który właśnie kupiłem na Wyspie Man.

To malownicze miejsce, tak dzikie, surowe i odcięte od świata, jak tylko można to sobie wyobrazić. Powietrze jest ostre jak brzytwa. Morze jest przejrzyste jak lód. No i fauna. Żyją tam foki, błotniaki zbożowe, burzyki popielate, wiele sokołów wędrownych oraz owce.

Jest jeszcze coś. Ponieważ ta działka jest jedynym w Europie siedliskiem czegoś, co nazywa się dołczan deresz, oznacza to, że jestem jedynym stróżem całego gatunku. Czy to dobrze?

Niezbyt – moglibyście pomyśleć – jeśli jest się jednym z tych koników polnych. Łatwo je sobie wyobrazić, jak zbite w jedną grupkę wyciągają swoje chude szyjki, próbując dojrzeć, kto też kupił ich domek: „Czy to David Attenborough? Czy to Bill Oddie? A może David Bellamy?[2] O, do jasnej ciasnej, to ten gruby prymityw z *Top Gear*!".

---

[2] Znani propagatorzy ochrony środowiska (patrz s. 109 i 111).

Wygląda na to, że w rezultacie wszystkie dały drapaka. Przeszukałem całą działkę na czworakach, usiłując znaleźć te przeklęte stworzonka, ale wydaje mi się, że mogły schować się do jednej z jaskiń, obawiając się, że jestem jakimś białym myśliwym, a ściany mego gabinetu uginają się pod ciężarem ich martwych głów, i że zatłukę je na śmierć kijem bejsbolowym, tak dla zabawy. Albo zaleję cały teren czynnikiem pomarańczowym ze śmigłowca bojowego. A następnie urządzę tam tor wyścigowy dla czterokołowców, aby rozjechać osobniki pozostałe przy życiu.

A jednak grubo się mylą. Dlatego właśnie podpisałem dobrowolne porozumienie z rządem, gwarantujące, że cała lokalna fauna i flora przeżyje pod moją opieką. Sprawa wydaje się prosta. Ale tak nie jest.

Pierwszy punkt porozumienia głosi, że muszę „zapewnić długość trawy i ciepło wymagane przez dołczana deresza". Owszem, wiem jak skracać trawę – powinienem używać tych wełnianych odkurzaczy znanych w kręgach rolniczych jako stada owiec – ale jak na litość boską zapewnia się owadom ciepło?

Muszę również zbierać plony w kierunku od środka pola na zewnątrz, tak aby derkacze miały szansę uciec. Nie wolno mi używać dynamitu do usuwania kolcolistów. Nie mogę również usuwać ich w porze lęgowej ptaków, muszę wytwarzać obornik dla wrończyka – co? ja osobiście? – muszę odtworzyć darń, nie wolno mi stosować gnojówki i muszę zasadzić 200 krzewów owocujących jagodami. Naturalnie polowanie na foki jest wykluczone.

Oczywiście, dostaję niewielkie dofinansowanie, ale jest ono dalece niewystarczające by pokryć koszty wszystkich wymaganych prac. Szczególnie, że będę teraz musiał przeznaczyć cały mój czas na suszenie suszarką wszystkich moich owiec, zbieranie jęczmienia przy użyciu nożyczek do paznokci i zapewnienie konikom polnym centralnego ogrzewania. Ale naprawdę nie mam nic przeciwko temu, ponieważ w tych wszystkich regułach i przepisach ukryta jest najznakomitsza ironia.

Otóż od wieków to smętne pustkowie upodobali sobie brodaci dziwacy, którzy przychodzili tu, by przespacerować się z psem i przyjrzeć się samicom błotniaka. W pogodne niedzielne popołudnie to miejsce pełne jest piorunującej mieszanki jadowicie kolorowych peleryn przeciwdeszczowych i wyblakłych turystycznych skarpet.

A prawda jest taka, że te wędrujące typy straszą ptaki. W dodatku przez nieuwagę zadeptują moje koniki polne, co oznacza, że nie tyle mają namacalny kontakt z przyrodą, co wręcz ją rozgniatają. Rząd chce, by sobie poszli, a ponieważ na Wyspie Man nie obowiązuje prawo powszechnego dostępu[3], mam pełne uprawnienia, by usłać teren minami. Ta wizja z pewnością jest kusząca.

Greenpeace i Friends of the Earth wciąż próbują wprowadzić zakaz używania samochodu ze względu na szkody, jakie wyrządza, a teraz ja mam okazję wziąć na nich odwet. Aby chronić zagrożony gatunek, automaniak musi zakazać wstępu ekologom.

Czyż to nie wspaniałe?! Aby chronić środowisko naturalne, muszę pozbyć się jego obrońców.

Niedziela, 24 kwietnia 2005 r.

---

[3] Zbiór niepisanych reguł obowiązujących w krajach skandynawskich, mówiących, że każdy człowiek ma prawo do kontaktu z przyrodą.

To, czego potrzebujemy, to dwunastoosobowy parlament

Odtwarzanie białego szumu w celi więźnia jest sklasyfiko-
wane jako tortura. Ta praktyka jest zakazana przez wszystkie cywilizowane kraje, bo umysł człowieka nie może
sobie poradzić z trwającą w nieskończoność sekwencją
przypadkowych dźwięków. W końcu prowadzi ona do
obłędu.

Ale dokładnie z tym mamy do czynienia podczas bie-
żącej kampanii wyborczej. Niekończący się biały szum
obietnic, które nie mogą być dotrzymane, statystyk, które
nic nie znaczą, i urywków spektakli z osobistymi zniewa-
gami.

Dlaczego? No cóż, mówiąc wprost, zrobienie reportażu z kampanii wyborczej kosztuje bardzo niewiele.

W przeciwieństwie, dajmy na to, do reportażu z wojny,
gazety i stacje telewizyjne nie muszą kupować swoim reporterom biletów lotniczych, kamizelek kuloodpornych
i telefonów satelitarnych. Za cenę biletu kolejowego na
wiec w Peterborough, media mogą wypełnić całe godziny
czasu antenowego i setki stron gazet, a jeśli ktokolwiek
odważyłby się narzekać na takie bombardowanie infor-
macjami, zostanie pouczony, że to ważne. Czyżby?

Gdy naciskasz wyłącznik na ścianie, pokój wypełnia
się światłem. Gdy jesteś głodny, idziesz do sklepu i kupujesz jedzenie. Gdy jesteś zmęczony, kładziesz się spać.

A kiedy się nudzisz, umawiasz się z przyjaciółmi. Żadna z tych rzeczy nie ma nic wspólnego z tym, co aktualnie rząd uważa za istotne.

Chętnie się założę, że żaden z waszych obecnych problemów nie ma nic wspólnego z tym, czym zajmują się decydenci w Westminsterze. Córka przeżywa ciężkie chwile w szkole? Żona ma romans? Żadna z tych spraw nie zostanie rozwiązana w wyniku powszechnych wyborów.

Boris Johnson[1] twierdził kiedyś, że głos oddany na torysów sprawi, że wasza żona będzie miała większy biust i że zwiększą się wasze szanse na posiadanie BMW M3. Miał nawet na to jakieś dowody naukowe, ale to wszystko brednie.

Partia Konserwatywna lubi mówić, że za rozprzestrzenienie się gronkowca złocistego odpornego na metycylinę, MRSA, odpowiada Tony Blair, ale to po prostu polityczna arogancja. MRSA rozprzestrzenił się dlatego, że pielęgniarki i lekarze nie myli dokładnie rąk, a higiena osobista nie jest kwestią polityczną. I nie powinna nią być.

Z drugiej strony, jestem prawie całkowicie przekonany, że żadna z waszych szczęśliwych chwil w życiu też nie była zasługą polityków. Czy to oni napisali książkę, którą teraz czytacie, albo nakręcili film, który obejrzeliście wczoraj wieczorem? Czy to oni sprawiają, że wasze dzieci się śmieją albo że wasz pies merda ogonem?

Cokolwiek, co was kręci – spoglądanie na rosnący suflet, sklejenie modelu bombowca Mosquito z firmy Airfix, jazda na motocyklu – na to wszystko wyniki wyborów powszechnych nie będą miały wpływu.

---

[1] Patrz przypis 5 na s. 95.

Co więcej, niezależnie od tego, jak rozłożą się głosy, oczyszczalnie ścieków wciąż będą działać, tak samo zresztą jak firma, w której pracujecie. Drogi wciąż będą remontowane, lekarze nadal będą leczyć chorych, policja w dalszym ciągu będzie stała na straży prawa i porządku (oczywiście nie w Nottingham). W naszym kraju mamy system zwany infrastrukturą, który w większości przypadków będzie nieprzerwanie działał dalej, nawet jeśli wszyscy parlamentarzyści w liczbie 650 postanowią spędzić resztę życia przebrani za indiańskich wodzów na jednej z odległych wysp Szkocji.

Każdym z nas rządzi obecnie rada gminy, rada dzielnicy, władze samorządowe hrabstwa i Unia Europejska.

Chyba że mieszkacie w Szkocji lub w Walii, gdzie dochodzą jeszcze tamtejsze osobne parlamenty.

Cóż więc tak naprawdę robi Izba Gmin?

Intensywnie o tym myślałem i jedyna rzecz, która się rzeczywiście zmieniła w moim życiu odkąd pan Blair doszedł do władzy, to pojawienie się pasa dla autobusów na autostradzie M4.

Poza tym Blair błądzi po omacku i wygłasza wiele przemówień, ale jeśli nie jesteście polskimi hydraulikami, nie służycie w wojsku ani nie polujecie na lisy, on i jemu podobni nie powinni robić wam żadnej różnicy. Wciąż wstajemy, chodzimy do pracy, płacimy rachunki i kładziemy się spać. Nowa Partia Pracy w ogromnej większości przypadków jest zupełnie nieistotna.

I nie bronię tu wcale interesów jakiejś partii. Wszystkie wiodące ugrupowania składają wszystkie możliwe rodzaje obietnic dotyczących tego, co wprowadzą, gdy wygrają wybory: 600 żołnierzy ochrony pogranicza, zniesienie nowego sposobu pobierania czesnego na uniwersytetach, ustanowienie podstawowej wysokości opłat skarbowych, lokalny podatek dochodowy. Ale to wszystko to tylko majstrowanie przy ograniczonych zasobach finansowych. Nie zrobi ono żadnej różnicy.

No, chyba że mówimy o liberalnych demokratach, którzy chcą, żebyśmy porośli sierścią i poruszali się wszędzie na wołach.

Nie sugeruję, że przywódcy nie są nam potrzebni. Potrzebujemy mieć kogoś, kto reagowałby na amerykańskie żądania dotyczące naszych żołnierzy, albo na afrykańskie zapotrzebowanie na żywność. Myślę jednak, że granica tych ograniczonych zasobów finansowych mogłaby być przesunięta nieco dalej, gdybyśmy nie mieli aż 650 przywódców, z których wszyscy utrzymywani są z naszych pieniędzy.

Czy parlament nie mógłby być na przykład czymś pomiędzy radą gminy – która, jako że jesteśmy w Unii Europejskiej, jest dokładnie tym, czym powinna być – a ławą przysięgłych? Czy nie możemy mieć po prostu 12 ludzi losowo wybranych ze spisu wyborców, którzy siedzieliby w jakimś miejscowym domu kultury i podejmowali decyzje tylko wtedy, gdy jest to konieczne?

Jeśli Ruth Kelly[2] i John Prescott to potrafią, to każdy to potrafi. Na wypadek, gdyby ta losowa procedura wyboru wypluła jakiegoś zwariowanego dziwaka, który chciałby najechać na Francję, liczyłyby się tylko decyzje większości.

Mam na myśli czyniący dobro, reagujący na nasze potrzeby rząd, a nie taki, który jest jak skupiony na sobie

---

[2] Działaczka Partii Pracy, minister w rządzie Blaira.

nowotwór, którego inicjatywy zdominowały naszą przyjemność oglądania i czytania, i którego działania, oprócz wprowadzenia pasa dla autobusów na autostradzie M4, są zupełnie pozbawione znaczenia.

Pewien poeta napisał kiedyś: „Miałem spotkanie z nowym szefem. Taki sam jak stary szef"[3]. Te słowa stały się mantrą nieuleczalnie rozczarowanych. Ale dziś przedstawiam wam rozwiązanie. A gdyby tak szefa w ogóle nie było?

Niedziela, 1 maja 2005 r.

---

[3] Fragment piosenki *Won't Get Fooled Again* zespołu The Who, napisanej przez Pete'a Townshenda.

Dlaczego sklepy nie chcą mi nic sprzedać?

Niedawno pisałem, że sklepy dużych sieci zupełnie wypadły z rytmu i sprzedają wyłącznie ubrania w żaden sposób nieadekwatne do panujących warunków pogodowych. Dlatego w chłodny marcowy dzień nie można kupić płaszcza. A w gorący dzień sierpniowy nie można kupić kąpielówek.

Wtedy jeszcze nie zdawałem sobie sprawy, że w dzisiejszych czasach nie można kupić zupełnie niczego – chyba że na zakupy przeznaczy się dwa tygodnie.

Na przykład parę dni temu, gdy wracałem spacerkiem do domu po moim pierwszym w życiu spotkaniu w interesach przy śniadaniu – czułem się z tego powodu bardzo ważny – zobaczyłem na wystawie sklepu telewizor plazmowy. „O – pomyślałem sobie – ponieważ należę już do osób, które zapraszane są na śniadania w interesach, powinienem sprawić sobie coś takiego". A ponieważ akurat miałem do zabicia pięć minut czasu, wszedłem do środka z kartą kredytową w pełnej gotowości.

Sprzedawca rozpoczął procedurę sporą dawką technicznego bełkotu, który nic mnie nie obchodził i z którego nic nie zrozumiałem, ale na to akurat byłem przygotowany. Nie spodziewałem się natomiast, jak niezwykle trudno będzie przekazać mu pieniądze. Z reguły jedynym towarem, jaki kiedykolwiek kupuję, jest benzyna. Dlatego wiem, jak działa karta kredytowa. Podbiegasz do kasy, tam jakiś Hindus przeciąga ją przez śmieszną maszynkę, podpisujesz się i lecisz z powrotem do samochodu. Wszystko to trwa sekundy.

Słyszałem, że tak samo jest w supermarketach. Jakaś kobieta oddychająca przez usta, wielokrotnie przejeżdża twoim sosem pomidorowym marki Loyd Grossman przez wiązkę światła, a następnie wzywa koleżankę o imieniu Janet, która idzie na zaplecze by sprawdzić, ile ten sos pomidorowy kosztuje. Najwyraźniej jest to bardzo efektywne.

Ale z wyjątkiem stacji benzynowych i supermarketów, cała procedura zakupu jest obecnie obarczona olbrzymią ilością zbędnego balastu. Czy kiedykolwiek próbowaliście kupić coś przez internet?

Pewnego iDnia przyglądałem się, jak moja żona ściąga piosenki z iTunes na swojego iPoda, i wyglądało to bardzo prosto. Tak rzeczywiście jest. Tyle że ściąganie staje się proste dopiero wtedy, gdy powiesz panu Apple kim jesteś, gdzie mieszkasz, jakie chcesz mieć hasło, czy chcesz trochę Viagry, ile zarabiasz i całą masę innych rzeczy, które nie mają żadnego związku z faktem, że chcesz kupić album *Radar Love* zespołu Golden Earring.

W realnym świecie jest nie lepiej. A o ile mi wiadomo, najgorzej jest w miejscach, gdzie sprzedaje się towary z wtyczkami, w sklepach, w których pokazują *Richarda i Judy*[1] na sto różnych sposobów – w sklepach z elektroniką. Tam wygląda to następująco: pryszczaty facet z taką ilością tłuszczu we włosach, że można by na nim

---

[1] Popularny popołudniowy program telewizji brytyjskiej prowadzony przez małżeńską parę prezenterów Richarda Madeleya i Judy Finnigan, patrz też przypis 3 na s. 95.

usmażyć rybę, zabiera twoją kartę kredytową, podchodzi do terminala komputerowego, loguje się w systemie i zaczyna pisać *Wojnę i pokój*.

Po jakimś czasie – mniej więcej po tygodniu – byłem już tak zdesperowany, że przeszedłem wzdłuż lady by sprawdzić, czy dotarł już chociaż do tego kawałka, gdy Maria rzuca Anatola, i nie uwierzycie! On wcale nie pisał *Wojny i pokoju*. Zamiast tego odwalał całą robotę działów księgowości i kontroli zaopatrzenia, informując jakąś centralę w Ipswich, że właśnie jest w trakcie sprzedawania telewizora.

Jestem pewny, że coś takiego jest lepsze od faceta w brązowym fartuchu, który siedzi na zapleczu i co chwilę sprawdza, czy stos 42-calowych ekranów przypadkiem za bardzo nie zmalał. Wielki, szpanerski program komputerowy to coś, o czym można podyskutować z zaopatrzeniowcami podczas śniadania w interesach.

Fajnie wygląda.

Tak czy inaczej, gdy facet z włosami wyglądającymi jak jednolita bryła skończył uaktualniać bazę danych przedsiębiorstwa, zaczął zadawać mi mnóstwo bezczelnych pytań. Na przykład gdzie mieszkam, jaki jest mój numer telefonu i adres e-mailowy. Zapewne po to, by jego szefowie mogli przesłać te dane spamerowi, który, wiedząc, że właśnie nabyłem telewizor plazmowy, natychmiast domyśliłby się, że jestem osobą, która jada śniadania w interesach, i dlatego potrzebuje większego penisa.

Na tym etapie facet zużył już mój roczny limit czasu przeznaczony na robienie zakupów. A nie doszedł jeszcze nawet do płatności kartą kredytową ani do adresu dostawy, który był inny niż mój adres zameldowania. To oznaczało, że gość musiał dokonać aktualizacji całego pakietu oprogramowania swojej firmy.

Zaczęło mnie ogarniać poczucie bezsilności, obawa, że mogę zostać w tym sklepie już na zawsze. Dlatego zacząłem się poważnie zastanawiać, czyby nie wyskoczyć do sklepu obok po nóż. Nie mam natury mordercy, a mimo to zacząłem wizualizować sobie ostrze i to, jak wyglądałoby wystając z głowy sprzedawcy.

Uratowało go jedynie to, że byłem absolutnie przekonany, iż dokładnie to samo spotkałoby mnie w sklepie z nożami – to samo niekończące się stukanie w klawiaturę komputera i te same niekończące się pytania o dane osobowe; jedyna różnica byłaby taka, że gdy kupujesz nóż, twoja skrzynka e-mailowa zostaje zapchana wiadomościami od ludzi z Ameryki, pytających, czy nie chciałbyś nabyć spodni moro lub zastrzelić jakiegoś czarnoskórego.

Słuchajcie, właściciele sklepów. Jestem zajętym człowiekiem. Jem jajka na miękko z tostami w towarzystwie biznesmenów na długo zanim wy podniesiecie żaluzje w waszych sklepach i nie mam czasu żeby sterczeć, podczas gdy wasz personel zajmuje się rachunkami. Jeśli musicie uaktualniać wasze bazy danych, to naprawdę bardzo proszę – róbcie to, gdy już sobie pójdę.

Robienie zakupów nigdy nie jest przyjemnym ani interesującym zajęciem. Pomysł, by wymieniać pieniądze, które są przydatne, na towary, które ogólnie rzecz biorąc przydatne nie są, jest dość bezsensowny. Proszę więc – postarajcie się jak możecie, by trwało to jak najkrócej.

Niedziela, 8 maja 2005 r.

Ubaw – prawdziwy wyznacznik dobrej szkoły

Bieżący tydzień wydaje się odpowiedni do podjęcia debaty o tym, czy prywatna edukacja zdaje egzamin, czy też jest zupełną stratą czasu i pieniędzy.

Z jednej strony, mogliśmy ostatnio przeczytać o jakiejś biednej dziewczynie, która zaliczyła miliony przedmiotów na maturze, wszystkie na same szóstki, ale nie udało się jej dostać na uczelnię, ponieważ – jak twierdzi – jej władze były negatywnie nastawione do faktu, że uczęszczała do prywatnej szkoły.

Później z kolei czytaliśmy, że kierunki inżynierskie i naukowe na uniwersytetach są obsadzane wyłącznie przez uczniów szkół prywatnych, bo ci z państwowych uczą się tylko fryzjerstwa i tego, jak wygrywać walki na noże.

Możemy się więc czuć zdezorientowani. Czy edukacja prywatna rzeczywiście daje dzieciom ten tak bardzo potrzebny, lepszy start, czy też może szydercza zgorzkniałość i nienawiść Nowej Partii Pracy oznacza, że wasze pobierające kosztowne nauki dziecko, zostanie prosto z pokoju egzaminacyjnego wywiezione do daczy w lesie i rozstrzelane?

Innymi słowy, czy te 150 000 funtów plus opłaty dodatkowe rzeczywiście gwarantuje przyszłość wyściełaną złotem i mirrą? Czy pieniądze i znajomość łaciny wygładzą te dokuczliwe zmarszczki życia i zapewnią dziecku jedwabistą perspektywę? A może po prostu skończy się na palancie z przylizaną fryzurą, który nie będzie w stanie znaleźć pracy nawet jako asystent lekarza od chorób wenerycznych?

Żeby się o tym przekonać, postanowiłem sprawdzić, jak idzie moim rówieśnikom z dużej szkoły prywatnej, do której uczęszczałem 27 lat temu. Oczywiście najłatwiejszym sposobem było przejrzenie strony internetowej Friends Reunited[1], ale obawiam się, że może ona dawać wypaczony obraz rzeczywistości. Każdy, komu się chce wpisywać tam swoje dane dotyczące przebiegu kariery zawodowej bądź służby wojskowej, tak żeby wiedzieli o nich byli znajomi, musi być albo dziewczyną albo społecznie upośledzonym.

Postąpiłem więc inaczej – wziąłem do rąk szkolny magazyn, który ze względu na dział wiadomości o absolwentach wydawał się dobrym probierzem tego, czy prywatne szkolnictwo rzeczywiście działa.

Nie działa. Z osobistego punktu widzenia, to świetna wiadomość, bo oczywiście własny sukces tylko wtedy stanowi frajdę, gdy osiąga się go na tle niepowodzeń swoich kolegów. Tak było w moim przypadku – większość moich rówieśników przegrała.

Na przykład jeden z nich zajmuje się specjalistycznym odkażaniem i tępieniem bakterii w jamie ustnej, inny z kolei napisał książkę pod tytułem „Wytyczne dotyczące wykorzystywania danych osobowych w testowaniu systemów bazodanowych". Był tam jeszcze gość, który

---

[1] www.friendsreunited.co.uk – strona, dzięki której zarejestrowani użytkownicy mogą odnaleźć, skontaktować się i zasięgnąć informacji o swoich koleżankach i kolegach ze szkolnych lat.

do magazynu wydawanego przez swoją byłą szkołę napisał tylko po to, by pochwalić się, że w wieku 39 lat został dyrektorem regionalnym przedsiębiorstwa budowlanego zlokalizowanego w East Midlands, o którym nikt nigdy nie słyszał.

Jedynym detalem psującym całą tę przyjemność, przynajmniej jeśli chodzi o mnie, jest kolega dokładnie w moim wieku, który jest szefem międzynarodowej ochrony w Ministerstwie Spraw Zagranicznych. Brzmi to naprawdę nieźle. Cholerny szczęściarz!

Wszystko to moim zdaniem pokazuje, że co roku moja szkoła wpompowuje w system 100 osób i przez ostatnie 30 lat żadna z nich nie została królową, nie poleciała w kosmos ani nie pojawiła się na srebrnym ekranie, podczas gdy państwowe szkolnictwo dało nam Catherinę Zetę-Jones, Johna Prescotta, Marka i Larda[3] oraz innych, których trudno zliczyć, i którzy wiodą luksusowe i wystawne życie.

Dawniej szkoła prywatna gwarantowała ci posadę na przyjemnej werandzie w Kalkucie, z wachlującym cię służącym u boku. Ale dzisiaj, na każdego kończącego szkołę prywatną Hugha Granta, przypada milion aktorek pokroju Denis Van Outen ze szkół publicznych. A ponieważ uniwersytety przykręcają śrubę selekcji kandydatów, ta sytuacja prędko się nie zmieni. Dlatego właśnie nie ma najmniejszego sensu wysyłać dzieci do drogiej szkoły prywatnej. Odmówią im przyjęcia na studia, zostaną regionalnymi kierownikami w przedsiębiorstwach papierniczych i po 20 latach napiszą do gazetki szkolnej, że właśnie udało im się kupić drewno na podłogę patio. A jeśli

---

[2] Wówczas prezenterzy radiowi stacji BBC Radio 1.

pójdą do szkoły państwowej, będą miały szansę zostać ministrem, aktorem lub Alanem Sugarem[3].

Proste fakty są takie: nieważna jest szkoła, nieważny jest uniwersytet, nieważne są też kwalifikacje, bo do swojego CV można wpisać wszystko, co tylko dusza zapragnie, a ja osobiście gwarantuję, że pracodawca i tak tego nie sprawdzi. Bądźmy szczerzy: wpisanie, że na maturze zdało się 12 przedmiotów jest o niebo łatwiejsze niż faktyczne ich zdanie.

Co więcej, gdybym to ja był pracodawcą, zatrudniłbym raczej kogoś, kto nałgał na temat swoich akademickich osiągnięć, niż kogoś, kto zmarnował swoje cenne dzieciństwo czytając wiersze Johna Donne'a i odrabiając algebrę. Takie kłamstwo pokazuje, że posiadasz choć trochę zdrowego rozsądku.

I właśnie tak jawi mi się istota szkoły prywatnej. Nie jest stworzona po to, by sprawić, że będziecie mądrzejsi albo że będzie wam łatwiej odnieść w życiu sukces. Szkoła prywatna jest po to, by zapewnić waszym dzieciom możliwie szczęśliwe dzieciństwo.

Moja szkoła właśnie taka była. Koniugacja czasowników, tablica okresowa, krykiet. Tak, przerabialiśmy to wszystko, ale gdy kończyły się lekcje, nie zmywałem się do domu, by spędzać wieczór z rodzicami, nie spędzałem go też na przystanku autobusowym. Noc w noc bawiliśmy się na całego, figlując i psocąc zupełnie jak Harry Potter. Z leciutką szczyptą pederastii.

To jest to, o czym zapominamy, koncentrując się na listach rankingowych i na skargach dotyczących przyjęć na studia. Otóż płacąc za edukację swojego dziecka, nie

---

[3] Znany brytyjski biznesmen, założyciel firmy komputerowej Amstrad.

kupujecie mu szczęśliwej przyszłości. Kupujecie mu za to szczęśliwą teraźniejszość. Sukces w życiu zależy od waszej osobowości, a nie od tego, ile nazw pierwiastków chemicznych jesteście w stanie zapamiętać, i jak bardzo luzacko umiecie zarzucić na ramiona sweterek z dekoltem do szpica. Wpuśćcie do zawodowej machiny społecznej głupka, a niezależnie od tego, jaką szkołę ukończył, zawsze zostanie kierownikiem regionalnym w jakiejś zapadłej dziurze.

Niedziela, 15 maja 2005 r.

Techniczne szczegóły bojkotu ekologów

Kiedy ostatnio zadzwonił do mnie ktoś z Uniwersytetu Oxford Brookes, by poinformować mnie, że jego School of Technology chce przyznać mi doktorat *honoris causa* za propagowanie inżynierii, byłem zachwycony. Zaledwie parę lat temu podobnym tytułem obdarzył mnie Uniwersytet Brunela.

Będę więc „podwójnym doktorem" Jeremym Clarksonem. Nieźle jak na kogoś, kto z trudem zdał małą maturę.

Jednak moja nominacja jest bojkotowana przez fanatycznie prolisi i antysamochodowy internetowy serwis informacyjny BBC. A to dlatego, że w dzisiejszych czasach honorowanie kogoś, kto posiada volvo z napędem na cztery koła i traktorek do koszenia trawnika, jest niedorzeczne.

Oznacza to, że jadę na tym samym wózku, co Margaret Thatcher, która doznała afrontu ze strony Uniwersytetu w Oksfordzie dlatego, że ukradła mleko czy coś w tym rodzaju[1], i Tony Blair, który nawet nie został nominowany, ponieważ oskarżył nauczycieli akademickich, że są zwolennikami elitaryzmu.

---

[1] Margaret Thatcher jest pierwszym premierem Wielkiej Brytanii, który ukończył Uniwersytet w Oksfordzie i nie uzyskał doktoratu *honoris causa* tego uniwersytetu – ze względu na cięcia finansowe, jakie wprowadziła w sektorze edukacji (m.in. wycofanie bezpłatnego mleka dla dzieci w szkołach).

Doktoraty *honoris causa* wprowadzono około 600 lat temu i nadal są najwyższym wyróżnieniem, jakie może przyznać uniwersytet. Są przeznaczone dla ludzi wspaniałych i dobrych, myślicieli, mężczyzn z wyobraźnią, kobiet z zasadami. I dla Alana Titchmarsha[2].

Ma go Noddy Holder z zespołu Slade i Robson Green[3] ze wszystkiego w ITV.

David Attenborough[4] jest znany z posiadania 19 tytułów doktora *honoris causa*. Łatwo zrozumieć dlaczego. Sława w kapelusiku przeciwsłonecznym i wielkiej czerwonej pelerynie rzeczywiście przydaje blasku szarzyźnie nijakiego dnia.

Moglibyście uznać, że to wszystko dewaluuje tytuł doktoratu *honoris causa*, i musiałbym się zgodzić. Ale moja nominacja jest bojkotowana nie dlatego, że jestem miernym prezenterem telewizyjnym jakiegoś kiepskiego programu o motoryzacji. Nie! Jestem bojkotowany, ponieważ ludzie postrzegają mnie jako antyekologa.

Craig Simmons, lider grupy zielonych w radzie miejskiej Oksfordu powiedział: „Przyznanie Clarksonowi doktoratu *honoris causa* zdewaluuje Brookes, Oksford i całą planetę". Inni zachowali się mniej uprzejmie, nazywając mnie „dupkiem" i „idiotą".

Aby uzyskać kompletny spis moich zbrodni, musicie skorzystać z internetowego serwisu informacyjnego BBC, który prawie co tydzień przedstawia kolejną historię, w której śledzi moje grzechy przeciw lewicowym, czytającym „Guardiana", kochającym lisy ludziom.

---

[2] Doktor *honoris causa* Uniwersytetu w Leeds (patrz też przypis 1 na s. 175).

[3] Brytyjski aktor i piosenkarz.

[4] Patrz przypis 5 na s. 110.

Podobno kiedyś rozbiłem samochód o drzewo, uszka-
dzając mu korę. A także wyjechałem na górę, zadając rany
wrzosom. I jakby tego było mało, miałem śmiałość po-
drzeć na wizji ulotki od grupy nacisku Transport 2000.
A wiecie, co zrobiłem w zeszłym tygodniu? Aby zaprote-
stować przeciwko olbrzymim, pożerającym gaz pojazdom
zapychającym centra miast, przykułem się łańcuchem do
autobusu.

Cóż, teraz podrzucę im kolejny temat, o którym będą
mogli pisać, ponieważ zamierzam wyjaśnić, dlaczego
uważam, że inżynieria jest ważniejsza od ochrony środowiska.

Bóg stworzył świat w siedem dni, ale było to miejsce
raczej przygnębiające i beznadziejne, pełne wulkanów
i rekinów. Jednak ósmego dnia człowiek spróbował swych
sił i w ramach ulepszeń w domu odwalił kawał naprawdę
świetnej roboty. Stworzył elektryczne oświetlenie, ciepło,
chipsy ziemniaczane i zmywarkę do naczyń. A każdą
z tych rzeczy – wszystko, co sprawia, że nasze życie jest
przyjemne, wygodne, bezpieczne i podniecające – zawdzięczamy inżynierii.

Obrońcy środowiska utrzymują, że nasza planeta jest
cudowną, samowystarczalną istotą, a inżynieria ją znisz-
czyła. Patrzą na strzelbę, samochód i silnik odrzutowy jak
na narzędzia szatana, ale komar uśmiercił więcej ludzi,
niż tamte trzy rzeczy razem wzięte. I nie zapominajcie,
że w drugi dzień świąt Bożego Narodzenia tsunami przyniosło więcej ofiar, niż bomba atomowa zrzucona na Hi-
roshimę. Co więcej, to właśnie dzięki inżynierii powstaną
satelity gwarantujące, że już nigdy więcej atak tsunami nie
będzie miał aż tak tragicznych konsekwencji.

To jeszcze nie wszystko. Wskutek ostatniej epoki lodowcowej, która nie nastąpiła z winy człowieka, do niedawna każdy podróżujący pomiędzy Danią a Szwecją musiał objeżdżać Bałtyk albo korzystać z samolotu. Żadna z tych dwóch rzeczy nie spodobałaby się ekologom. Jednak teraz boskie przeoczenie zostało naprawione przez inżynierów, którzy skonstruowali potężny, zapierający dech w piersiach, długi na 16 kilometrów dwupoziomowy most dla pociągów i samochodów.

Otóż rzecz w tym, że inżynierowie nie mogli tak po prostu zbudować tego mostu. Musieli najpierw zapewnić, że jego powstanie w żaden sposób nie wpłynie na miejscową populację szablodziobów. Czy to nie idiotyczne? Jak myślicie, jak daleko zaszedłby Brunel[5], Stephenson i Watt, gdyby Greenpeace wtykał swój nos dokładnie we wszystko, co robili?

A co będzie w przyszłości? To inżynierowie stworzą silnik odrzutowy napędzany powietrzem, a nie Stephen Joseph z Transportu 2000. I to inżynierowie będą w stanie przewidzieć kolejny wybuch wulkanu, a nie Simmons z rady miejskiej Oksfordu.

Współczuję dzisiejszym studentom inżynierii. Kiedy dostają pracę, ich płaca jest śmiechu warta. Nikt nie ma dla nich szacunku. Muszą działać z kulą ochrony środowiska na stałe przyczepioną do lewej nogi. A kiedy nominują do doktoratu *honoris causa* kogoś innego, niż Bill Oddie[6], społeczeństwo patrzy na nich jak na morderców.

Nawet jeśli nie przyznają mi tego wyróżnienia, nie będzie to miało żadnego wpływu finansowego na moje

---

[5] Patrz przypis 1 na s. 214.

[6] Patrz przypis 2 na s. 109.

życie. Ale odmawiam wycofania mojego nazwiska, ponieważ byłoby to jeszcze jedno zwycięstwo ekologów, którzy nie dali światu nic, nad inżynierami, którzy dali nam wszystko.

Niedziela, 22 maja 2005 r.

Mały strajk BBC poruszył niewielu

Dla większości ludzi z BBC ich zeszłotygodniowy strajk był zupełnie nowym i ekscytującym doświadczeniem. Okazją, żeby stać się częścią „nas" w nigdy niekończącej się wojnie klasowej przeciwko „nim". Chwilą, gdy mogli stać się szlachetną kombinacją Che Guevary i Williama Wallace'a[1]. Natomiast w moim przypadku strajk stał się jedynie pretekstem do mozolnego przebrnięcia przez własne wspomnienia.

W czasach mojej młodości strajkowali wszyscy. Pracownicy przemysłu samochodowego. Kierowcy cystern. Śmieciarze. Nawet dźwiękowcy, którzy wykonywali chyba niezbyt uciążliwą pracę, polegającą na mocowaniu mikrofonów do biustonoszy i majtek uczestniczek konkursu Miss World 1979, postanowili, że wolą raczej spędzić czas stojąc na zewnątrz dokoła koksownika, i bezzwłocznie zastrajkowali, wymuszając na organizatorach przerwanie imprezy w połowie jej trwania.

To były beznadziejnie czasy. Właśnie zacząłem pracę w gazecie „Rotherham Advertiser" i licząc na sukces zabrałem się za ujawnianie korupcji w radzie miejskiej i nepotyzmu w hucie stali. Chciałem być Clarkiem Kentem[2],

---

[1] Żyjący w latach 1272–1305 bohater narodowy Szkocji, przywódca powstania przeciwko Anglii.

[2] Fikcyjny dziennikarz „Daily Planet", znany lepiej jako Superman.

Williamem Bootem[3] i Bobem Woodwardem[4] w jednej osobie, walczyć z niesprawiedliwością i bronić tego, co słuszne.

Ale nim zdążyłem odszukać spację na mojej maszynie do pisania firmy Remington, byłem z powrotem na ulicy, uwikłany w siedmiotygodniowy spór z lokalną gazetą dotyczący... to chyba miało coś wspólnego z Nottingham. Ale nigdy nie byłem pewien, o co tak naprawdę chodziło.

Powody zeszłotygodniowego strajku BBC były równie mgliste. Najwyraźniej związki zawodowe żądały, by nadchodzące zwolnienia były dobrowolne, a nie przymusowe, ale to po prostu znaczyłoby tyle, że odejdą najlepsi, a zostaną ci, którzy nie mogą dostać pracy nawet jako sprzedawcy telewizorów w MediaMarkcie. Związki zawodowe – w tym momencie jestem winien wyjaśnienie młodszym czytelnikom – są trochę jak Wielka Brytania. Wciąż kroczą dumnie jak paw, myśląc, że wszyscy słuchają, co mają do powiedzenia, i uważają się za ważnego gracza. Ale jak przychodzi co do czego, ich siła przebicia wystarcza zaledwie do obalenia Marksa i Spencera.

Tak czy owak, wracajmy do rzeczy. Z tego co wiem, BBC planuje cięcia budżetowe w dziale BHP – yes! yes! yes! – i w dziale spraw osobowych, co sprawi, że zawiadomienia o zwolnieniach powinny przybrać ciekawą formę: „Szanowny Ja! Wiem, że mam na utrzymaniu trójkę dzieci, ale z przykrością siebie zawiadamiam, że muszę się zwolnić...".

---

[3] Bohater powieści *Scoop* („Sensacyjny materiał") Evelyna Waugha, który, w wyniku serii omyłek i zbiegów okoliczności, z podrzędnego dziennikarza staje się gwiazdą brytyjskiego reportażu.

[4] Dziennikarz śledczy „The Washington Post", który wspólnie z Carlem Bernsteinem doprowadził do ujawnienia afery Watergate.

Całkiem możliwe, że źle to wszystko zrozumiałem. Pomijając już prawdziwe przyczyny strajku, cały budynek BBC wypełniły głosy ludzi, którzy w ogóle nie mieli pojęcia, jak pikietować. Zamiast rzucać płytami chodnikowymi w łamistrajków i straszyć ich, że pożrą ich dzieci, sączyli kawki ze śmietanką, wyrażając swoje niezadowolenie cmokaniem. Jeremy Vine[5] tak się tego wszystkiego wystraszył, że został w domu.

Wydaje się też, że strajk nie miał poparcia w społeczeństwie. Ale z drugiej strony, jeśli pracujecie na indyczej fermie i spędzacie pięć dni w tygodniu brodząc po kolana w guano, a na wysokości ramienia widzicie łysy tyłek ptaka, nie zrobi na was wrażenia banda ludzi ubranych w ciuchy od Prady, stojących przed perspektywą rozpoczęcia nowego życia w pracy dla dynamicznej, niezależnej firmy producenckiej w Soho, gdzie będą mieli do dyspozycji świetną kawę i olśniewająco piękną sekretarkę.

I faktycznie – żaden z przejeżdżających obok kierowców nie zatrąbił na znak poparcia. Pewnie wszyscy byli pochłonięci słuchaniem całkiem dobrej audycji muzycznej, jaką naprędce sklecono, by wypełnić dziurę powstałą przez nieobecność Jeremy'ego Vine'a.

Tymczasem cała ekipa *Top Gear* stawiła się w pracy jak zwykle, po części dlatego, że nie wiedzieliśmy, czemu ma służyć ten strajk. Poza tym, gdybyśmy nie przyszli, efekt końcowy byłby taki, że (a) nie dostalibyśmy naszej dniówki i (b) nazajutrz mielibyśmy dwa razy więcej roboty.

Jasne, wszystkim nam było bardzo przykro z powodu tych, którzy musieli zmierzyć się ze zwolnieniem, ale z drugiej strony to nie rok 1979. „The Guardian" jest

---

[5] Prezenter programów z aktualnościami w radiu i telewizji BBC.

po brzegi wypełniony ogłoszeniami o pracy, tak więc ci, których dotknęły zwolnienia mogą zostać wysoko opłacanymi koordynatorami służb BHP, i to już od przyszłego tygodnia.

W tym właśnie tkwi problem ze strajkiem w dzisiejszych czasach. Jest jak siekiera w cyfrowym świecie, jak całkowicie przestarzała broń, i to do tego stopnia, że nie ma już nawet żadnej armii, która potrafiłaby nią władać.

By protesty rzeczywiście były skuteczne, strajkujący powinni być solą ziemi, mieć stwardniałe od trudu pracy dłonie i występować z prostymi do zrozumienia i uzasadnionymi pretensjami. Ale górników już nie ma. Nie ma też koncernu British Leyland[6]. Nie ma już hutników, a ostatnim statkiem, który powstał w tym kraju, był okręt Mary Rose[7].

Film *Billy Elliot*[8] nie miałby racji bytu, gdyby został nakręcony w realiach Wielkiego Strajku BBC z 2005 roku. Podobnie *Orkiestra*[9] – film nie odniósłby takiego sukcesu, gdyby jego akcja rozgrywała się na tle wodotrysków z wodą pitną w przeznaczonym do zamknięcia centrum informacji telefonicznej w Brentford. W sytuacji, gdy kordon pikietujących stoi pod wykonanym na zamówie-

---

[6] Brytyjski koncern samochodowy poddawany próbom nacjonalizacji, obecnie Rover Group.

[7] XVI-wieczny angielski okręt wojenny.

[8] Wielokrotnie nagradzany dramat obyczajowy o losach 11-letniego chłopca z górniczej rodziny, który wbrew woli ojca i brata, zamiast trenować boks, oddaje się niemęskiemu według nich zajęciu – baletowi. Dramaturgia filmu wzmagana jest przez strajki i protesty górników w 1984, roku konfrontowane z idealistycznymi marzeniami chłopca.

[9] Film opowiadający o losach górniczej orkiestry z małego miasteczka w północnej Anglii, która mimo perspektywy zamknięcia kopalni, postanawia grać dalej i odnosi sukces.

nie ogrzewaczem powietrza firmy Conran z filiżankami kawy Costa w dłoniach, ubrany w ciepłe kurtki Dolce & Gabbana, strajki nie zadziałają.

Na pewno poparłbym kogoś, kto nie ma w mieszkaniu ubikacji, albo kogoś, kogo płuco zmieniło się w wyschnięty orzech włoski podczas kopania węgla, który po przetworzeniu na prąd zasila mój piekarnik. Ale czy zrobiłbym to samo w przypadku Alana Yentoba[10]? Nie sądzę.

Owszem, BBC wciąż wzbudza uznanie u wszystkich prawomyślnych osób, i jeśli faktycznie pojawiłyby się plany wprowadzenia reklam podpasek w samym środku programu *Newsnight* i zlecenia produkcji wszystkich programów niezależnym firmom producenckim, stanąłbym w kordonie pikietujących jak Scargill[11] i waliłbym policjantów po łbach trzymanym przeze mnie transparentem, a w koksowniku paliłbym podobizny Tony'ego Blaira.

Ale BBC takich planów nie ma.

Więc nie strajkowałem.

Niedziela, 29 maja 2005 r.

---

[10] Członek ścisłego kierownictwa BBC.
[11] Patrz przypis 1 na s. 68.

Miasta partnerskie mogą uratować Afrykę

Czyż to nie wspaniałe mieć znowu na scenie Bobby'ego Geldofa, wkładającego politykom kij w mrowisko i przyprawiającego eter typową dla siebie, specyficzną mieszanką profanacji i pasji?

Zaplanował przedsięwzięcie na olbrzymią skalę: największe wydarzenie muzyczne, jakie kiedykolwiek widział świat. Już za cztery tygodnie, w tym samym dniu, w pięciu miastach na dwóch kontynentach odbędzie się pięć koncertów, w których stu artystów zagra dla miliona widzów i ponad miliarda telewidzów.

Dodatkową komplikacją jest fakt, że na występ w Londynie w 18-miejscowy grafik zostały wciśnięte aż 24 zespoły, a wszystkie te koncerty muszą zakończyć się do dwudziestej, kiedy to jak zwykle pomocna zgraja inspektorów BHP wkroczy do akcji ze sprzętem do pomiaru natężenia dźwięku.

Wybór, kto ma wystąpić, był istnym koszmarem sennym. W czasach Live Aid rock and roll był jedynym stylem uznawanym przez wszystkie pokolenia, natomiast teraz Geldof musi starać się utrzymać uwagę dzieciaków, gdy na scenę wjedzie Elton John na wózku inwalidzkim, oraz zabawiać rodziców, kiedy zastąpi go, no nie wiem, na przykład Brian Harvey – ten z kolczykami w nosie, który w zeszłym tygodniu sam siebie przejechał.

Pojawia się też nużąca kwestia poprawności politycznej. Organizatorzy już usłyszeli, że lista wykonawców jest
stanowczo zbyt biała, bo występuje tylko jeden czarno-
skóry piosenkarz – na samym końcu listy wykonawców
koncertu w Paryżu.

Oczywiście te wszystkie problemy warte byłyby rozwiązania, gdyby miało to przynieść dużo pieniędzy.

Ale tym razem nie to jest celem.

Dwadzieścia lat temu Geldof zebrał 79 426 252 funty,
co aż z nadmiarem wystarczało na zakup obiadu dla bied-
nych w Etiopii. Jednak teraz chciałby gruntownie odnowić
całą Afrykę, a doskonale wie, że rachunku za coś takiego
nie pokryją dochody z występów Spice Women i A-ha.

Dlatego plan jest taki, że koncerty mają skierować uwagę
świata na nadchodzący szczyt grupy G8 w Gleneagles. Innymi słowy, Geldof zdaje sobie sprawę, że nie jest w stanie
za dużo zdziałać, ale może wywrzeć presję na tych, którzy
wiele mogą.

To świetny pomysł, ale nie potrafię przestać współczuć
delegatom grupy G8, ponieważ gdy Bob zacznie szaleć,
będą musieli jakoś na to zareagować, a nie będzie to łatwe
w sytuacji, gdy George Bush, najbogatszy człowiek przy
stole, prawie na pewno nie ma pojęcia, gdzie leży Afryka.

Istnieje jeszcze problem długu Trzeciego Świata, który
protestujący chcieliby umorzyć. Świetnie, ale kto poży-
czy biedniejszym krajom pieniądze, jeśli nie będzie miał
szansy ich odzyskać? I w jaki sposób ma prosperować
przedsiębiorstwo farmaceutyczne, jeśli musi oddawać leki
za darmo?

To bardzo ładnie, gdy mówimy, że Wielka Brytania z łatwością mogłaby pomóc, ponieważ jest czwartym wśród

najbogatszych krajów świata. Ale w jaki sposób rząd może przekonać samotną matkę, mieszkającą w zapyziałym wieżowcu na peryferiach Birmingham, że dobrze się jej powodzi?

A w jaki sposób rozprowadzane są pieniądze na pomoc? Niedawno opublikowany raport wykazał, że z każdych dziesięciu funtów, sześć wydawane jest na konsultantów, którzy badają, w jaki sposób można wykorzystać te pieniądze, i na sporządzanie raportów, prawdopodobnie dotyczących tego, ile ci konsultanci kosztują.

Delegaci szczytu G8 być może spróbują rozwiązać niektóre z tych problemów, ale nie ma to większego sensu, ponieważ w bitwie o ludzkie umysły, człowiek w garniturze przedstawiający rozsądne argumenty nigdy nie wygra z Bradem Pittem, który co trzy sekundy pstryka palcami, by uświadomić nam, jak często w Afryce umiera dziecko.

Nie zrozumcie mnie źle. Chcę, żeby Brad Pitt pstrykał palcami. Chcę, żeby te koncerty się odbyły. Chcę, żeby w Szkocji miliony ludzi wzięły udział w marszu[1]. Chcę, by delegaci poczuli się jak pod ciśnieniem w szybkowarze, który da się wyłączyć tylko wtedy, gdy przestaną składać puste obietnice i naprawdę coś zrobią. Mam nawet plan, czym to „coś" mogłoby być.

Mój plan jest oparty na tej samej zasadzie, co programy „Zaadoptuj wydrę" w ogrodach zoologicznych. Pomysł jest taki, że co miesiąc płacisz 2 funty i konkretna wydra, zwykle o imieniu Fluffy, jest naprawdę twoja.

Nie sugeruję, że każdy co do jednego Afrykańczyk powinien zostać zaadoptowany przez jakiegoś człowieka

---

[1] Chodzi o marsz przeciwko ubóstwu, który przeszedł ulicami Edynburga 2 lipca 2005 r.

żyjącego na Zachodzie – choćby dlatego, że tych drugich jest za mało – ale z pewnością można by coś takiego zrobić na zasadzie miasto – miastu.

Dziś radni w nieskończoność organizują programy partnerskie z jakimiś przyjemnymi miasteczkami we Francji i w Niemczech. Po co? Żeby mogli tam jeździć na wymiany? Trudno wymyślić bardziej nonsensowny sposób wydawania pieniędzy.

A co byłoby, gdyby radni z waszej miejscowości zorganizowali program partnerski z jakimś miasteczkiem w Afryce? Coś podobnego przyszło mi do głowy po ataku tsunami, i naprawdę myślę, że dobrze by się to sprawdziło.

W tej chwili wszyscy myślimy, że w krajach G8 żyje prawie miliard ludzi i że nawet jeśli my nie wyłożymy kasy, zrobi to ktoś inny. A gdyby wasze miasteczko było partnerem konkretnej wioski w Afryce, zrzucenie odpowiedzialności za zdrowie jej mieszkańców na kogoś innego nie wchodziłoby już w grę.

Pieklibyście ciasteczka i sprzedawali je na kiermaszach dobroczynnych.

Nie chcę aby to zabrzmiało, jak scenariusz reklamy dla banku. I chociaż uważam, że bieda to problem globalny, podejrzewam, że jego rozwiązanie jest lokalne.

Niedziela, 5 czerwca 2005 r.

Umarł rock, niech żyje rock and roll

W każdy niedzielny wieczór 56 milionów ludzi w Wielkiej Brytanii znajduje sobie coś lepszego do roboty, niż oglądanie *Top Gear*, tak więc, statystycznie rzecz biorąc, prawie na pewno nie wiecie, że mamy teraz głosowanie, w którym wybieramy najlepszą piosenkę do słuchania w samochodzie.

Przypuszczałem, że ponieważ program ogląda wiele dzieci, na liście nominacji pojawi się mnóstwo zespołów, o których nigdy nie słyszałem, i sporo muzyki, która, gdy rozbrzmiewa w moim radiu, sprawia, że mam ochotę wysiąść z samochodu.

Nic podobnego. Na dzień dzisiejszy na naszej liście Top 10 figurują AC/DC, Motorhead, Steppenwolf, Queen, Kenny Loggins, Golden Earring, a pierwsze miejsce, co jest odrobinę niepokojące, zajmuje czarująco pretensjonalna piosenka *Bat Out of Hell* Meat Loafa.

To przywodzi mi na myśl stację Radio 2. Mówi się, że swoją rosnącą od nowa popularność ten należący do naszej kochanej BBC program rozrywkowy[1], zawdzięcza różnorodności prezenterów, ale to nie wszystko. Ta

---

[1] Stacje BBC Radio 1 i BBC Radio 2 wywodzą się z programu BBC Light Programme. W 1967 roku, z powodu spadającej popularności Light Programme wśród młodszej części odbiorców, został on podzielony na stację Radio 1 dla młodzieży i Radio 2 dla osób w średnim wieku.

popularność wynika z tego, że nowoczesna muzyka grana przez stację Radio 1 jest bez wyjątku irytująca i czasami może zagrażać dobremu samopoczuciu. Gdy niania włącza w kuchni Radio 1, a ja właśnie próbuję pisać, narasta we mnie nagła i czasami wymykająca się spod kontroli potrzeba, by zdzielić ją w łeb workiem z bilami do snookera.

Rozumiecie dokąd zmierzam? Sporo mówi się o tym, w szczególności gdy na dobre zaczyna się sezon festiwali, które z nowych zespołów w ogóle się do czegoś nadają. Nawet „Daily Telegraph" poświęca pół strony na porównywanie sukcesów zespołu Coldplay z innymi. Fakty są jednak takie, że perły, a jest ich kilka, giną w oceanie totalnego chłamu.

Zdaję sobie sprawę, że moja reputacja ma w sobie coś z dinozaura rocka, ale powinniście w takim razie zobaczyć kolekcję płyt mojej córki. Oczywiście, nie ma kolekcji jako takiej – to raczej zbiór jedynek i zer w jej komputerze. Tak czy siak, ponieważ córka ma 10 lat, lubi grupę Maroon 5 i Avril Jakąśtam, ale większość jej binarnych ballad to utwory Led Zeppów, o których mówi, że są „cool", i grupy Bad Company.

To znaczy, że wcale jej nie przeszkadza, gdy mamusia z tatusiem wybierają się wieczorem, by zobaczyć artystów, o których myśleliście, że przenieśli się na tamten świat dawno temu, w 1976 roku, leżąc w kałuży swoich wymiocin i narkotykach. W ciągu ostatnich kilku lat byliśmy na koncertach Rogera Watersa, Blondie, Yes, The Who (połowa tego zespołu rzeczywiście przeniosła się na tamten świat leżąc w kałuży swoich wymiocin i narkotykach), a ostatnio – Roxy Music.

Bryan Ferry to godny uwagi okaz gatunku ludzkiego. Jest mężczyzną, którego nie dotyczy proces starzenia się. Być może ma teraz już sto dwanaściedziesiąt lat, ale nie występuje u niego ani męski biust, ani brzuszek, ani jakiekolwiek oznaki kółka na czubku głowy. Powinniście zobaczyć, jak się porusza! Możecie być pewni, że jego syn Otis[2], buntowniczo nastawiony miłośnik polowań, nigdy nie będzie mógł powiedzieć do któregoś ze swoich kumpli: „O, tańczysz zupełnie jak mój tato!". Bo nikt, nieważne jak dobrze zbudowany by nie był, nie będzie tak dobry jak on.

Ten facet przedefiniowuje wszystkie wyobrażenia, co to znaczy być „cool". W jego wykonaniu nawet gwizdanie jest „cool", co z technicznego punktu widzenia jest przecież niemożliwe. Co więcej, chodzą plotki, że ochrzanił swojego młodszego syna za przeklinanie, gdy uprowadzony samolot, którym lecieli, zaczął pikować dziobem w dół. To opanowanie przenika całą scenę, na której jego grupa, złożona z prawdziwych, porządnych, mądrych i utalentowanych muzyków, wykonuje serię piosenek, które sprawiłyby, że każdy nowoczesny zespół stanąłby jak wryty z rozdziawionymi ze zdziwienia ustami.

Najlepsze jest jednak to, że na koncercie Ferry'ego również i publiczność była o wiele bardziej „cool", niż ta, którą zwykle widujemy na wrzaskliwych imprezach dla nastolatków. Nie było tam ani koszulek futbolowych, ani pryszczy, ani tych okropnych fryzur na żelu, tak popularnych wśród pracowników warsztatów wulkanizacyjnych. Były może ze dwie dość dziwacznie wyglądające istoty, których fryzury zostały uczesane w 1974 roku i od tego

___
[2] Patrz przypis 1 na s. 178.

czasu uległy samoistnemu przerzedzeniu. Chyba widziałem też kilka osób w czarnych T-shirtach wepchniętych w dżinsy, które też pochodziły z wczesnych lat 1970. Ale większość publiczności stanowili ludzie w średnim wieku, o bystrym wejrzeniu, dla których upływ czasu okazał się łaskawy.

Nie było przesadnie długich kolejek przed kabinami w toalecie, nikt nikomu nie usiłował opchnąć torebek z bardzo drogą aspiryną, a podczas ballad zamiast machać w powietrzu zapalniczkami, wszyscy wyjęli swoje komórki, żeby również ich dzieci mogły usłyszeć wykonywane właśnie kawałki. Co najlepsze, w trakcie opuszczania sali nikt nikogo nie sprał i nie zamordował. Wszyscy po prostu wpakowali się do swoich Range Roverów i pojechali coś zjeść.

A teraz porównajcie to ze współdzieleniem namiotu na polu, po tym, jak cały dzień upłynął na słuchaniu bandy nastolatków w wyjątkowo workowatych spodniach, którzy wytwarzali dźwięki przypominające walenie o siebie meblami ogrodowymi. Nie ma nawet o czym mówić.

Zaczynam podejrzewać, że rock and roll wcale nie jest rentownym przedsięwzięciem. Nie jest też po prostu, jak zawsze myśleliśmy, środkiem wykorzystywanym przez nastolatki do rozdrażniania rodziców. Jest raczej niepowtarzalnym, 30-letnim okresem w rozwoju muzyki. Tak jak barok. Jak muzyka skiflowa. Jak oratorium.

Każda z prób, by zmienić oryginalną formułę rock and rolla, czy będzie to hip hop, garage, techno czy rap, działa na nerwy każdemu, kto skończył 12 lat. I to jest jedyny cel muzyki tego rodzaju. To nawet nie jest muzyka do denerwowania starych. To jest hałas do denerwowania starych. A to oznacza, że kiedy jego fani zestarzeją się, odejdzie w niebyt.

Jestem pewny, że za 30 lat nikt nie będzie specjalnie jechał do Londynu, by zobaczyć P. Diddly'ego, czy jak się tam zwał w tym tygodniu[3]. A moja żona i ja skorzystamy ze zniżki dla seniorów, jaka będzie nam przysługiwała na kolei, i po raz kolejny wybierzemy się do Camden, by znowu zobaczyć Bryana Ferry'ego. I wiecie co? W dalszym ciągu nie będzie miał męskiego biustu i wciąż będzie tańczył jak zwinna balerina.

Niedziela, 12 czerwca 2005 r.

---

[3] Aluzja do częstych zmian pseudonimu Seana Combsa, znanego jako Diddy, Puff Daddy, P. Diddy, Sean John, Puff, Puffy, Bad Boy. Przekręcenie „Diddly" oznacza w wolnym tłumaczeniu „nie mający zielonego pojęcia".

Wkrótce zostaniecie pożarci

Według „Daily Mail" niedługo umrzecie, a ponieważ wasi mężowie jedzą czerwone mięso, oni również umrą. To oznacza, że wasze osierocone dzieci zostaną skazane na śmierć w samotności, chyba że zostały już uśmiercone przez nielegalnych imigrantów, płatki kukurydziane albo narkotyki, takie jak konopie indyjskie i Ecstasy. A może ugotowały się żywcem wskutek globalnego ocieplenia.

W naszym bezpiecznym, przytulnym, centralnie ogrzewanym życiu uwielbiamy tego typu tematy, i to dlatego w zeszłym tygodniu „Mail" poinformował nas o nowym zagrożeniu czyhającym przy wjeździe do tunelu pod kanałem La Manche od strony Francji.

Usuwa ono w cień wszystkie dotychczasowe niebezpieczeństwa. Lepiej usiądźcie, ponieważ wszystko wskazuje na to, że wkrótce, po drodze do sklepu, zupełnie nagle zostaniecie pożarci przez tygrysa.

To lepsze nawet od rojów zabójczych pszczół, które parę lat temu zmierzały do nas z Meksyku, i od śmiercionośnych glonów, które o mały włos nie zarosły Wenecji. Lepsze – bo nic nie przeraża nas bardziej od możliwości bycia zjedzonym. Bill Oddie[1] może sobie myśleć, że świat jest przytulnym miejscem, pełnym borsuków o sarnich oczach i małych pisklaków, i że nigdy nie dzieje się tu nic złego. A jednak: 90 procent żyjących istot udaje się na

---

[1] Patrz przypis 5 na s. 109.

spotkanie ze swoim stwórcą poprzez wnętrzności i żołądek innego stworzenia.

To oznacza, że ten strach w nas tkwi. Znad iPoda i zza tego, w co ubrała nas cywilizacja nie przychodzi nam do głowy nic bardziej bolesnego – a szczerze mówiąc, bardziej poniżającego – niż bycie pożartym przez coś pozbawione skrupułów, litości i przeciwstawnych kciuków.

Możemy sobie oglądać, jak miliony ludzi zostają zastrzelone, zadźgane i poćwiartowane, i nawet nie zadrży nam powieka. Wszyscy jednak pamiętamy, jak w *Szczękach* skończył Robert Shaw.

Takie coś przytrafia się nie tylko w Hollywood i Republice Południowej Afryki. Morze Śródziemne pełne jest żarłaczy białych, które często jedzą ludzi, nie bacząc na zagrożenie zdrowia, jakie niesie ze sobą trawienie surowego czerwonego mięsa.

A obecnie, według „Daily Mail", zagrożenie stoi u naszych drzwi. Oprócz jednego szczegółu. Tygrys, o którym piszą, zamiast „grrrrrrr", robi „bzzzzzz", ponieważ jest to komar.

Nie bądźcie rozczarowani. Od początku dziejów komary zabiły więcej ludzi, niż wszystkie wojny i wypadki samochodowe razem wzięte. To najbardziej śmierciono-śna istota, jaką zna człowiek. A gatunek szykujący się do napaści na Wielką Brytanię w swojej malutkiej kłujce niesie tyle chorób, że wystarczyłoby ich do spustoszenia olbrzymich zasobów ludzkiej populacji. Szpitale nie będą w stanie sobie poradzić. Zwłoki będą się piętrzyć na ulicach. A wasz dom straci na wartości aż 30 procent.

Podobno ten komar przybył do Europy w starych oponach, które zostały przysłane z Azji do recyklingu, i jest w stanie tu przeżyć ze względu na łagodną pogodę. Stanowi łakomy kąsek dla fatalistów, ponieważ dzięki niemu mogą jednocześnie obwiniać motoryzację, wielonarodowość i globalne ocieplenie.

Jest jeszcze lepiej, ponieważ wśród chorób transportowanych w komorze bombowej tego moskita znajduje się denga, która zabiła mężczyznę, u którego wypożyczałem narty wodne na Barbadosie, i wirus gorączki Zachodniego Nilu, który wywołuje wymioty, bóle głowy, gorączkę, sztywność karku, wysypkę, otępienie, śpiączkę, paraliż, dezorientację i ślepotę. Jeśli czujesz się kiepsko z jakiegokolwiek powodu, na pewno go złapałeś.

Każdy, kogo tego lata ukąsi komar, jest wezwany, by schwytać owada i przesłać go bezpośrednio do Rządowego Instytutu Zdrowia, oczywiście pod warunkiem, że jego palce nie są zbyt opuchnięte i nie uważa, że został Eną Sharples[2]. W takim przypadku rodzina proszona jest o namalowanie na drzwiach wejściowych białego krzyża i śpiewanie *Ring-a-ring o'roses*[3], dopóki nie przybędzie wóz zarazy.

Możecie się zastanawiać, dlaczego w takim razie helikoptery do opryskiwania pól nie opylają całego kraju środkiem owadobójczym. Dlaczego w radiu Patrick Allen nie doradza nam, byśmy po usłyszeniu syren przeciwlotniczych pozostali w domach? Dlaczego ludzie panicznie nie wykupują Offa i butelkowanej wody?

Otóż może to mieć coś wspólnego z faktem, że ten komar, zwany azjatyckim tygrysem, lata dość kiepsko,

---

[2] Nieżyjąca już aktorka występująca m.in. w serialu *Coronation Street*.

[3] Dziecięca rymowanka, ponoć śpiewana podczas wielkiej zarazy dżumy w Londynie w 1665 r.

a jego siedlisko nigdy nie rozciąga się dalej niż na parę metrów od jego bazy. Dlatego nawet jeśli jest w Calais, trudno byłoby mu dotrzeć do klifów Dover.

Dla potrzeb dyskusji załóżmy jednak, że udałoby mu się. Otóż wtedy musiałby znaleźć tam stworzenie, które zostało zainfekowane wirusem gorączki Zachodniego Nilu. Z największym prawdopodobieństwem dotyczy to pręgowców amerykańskich, skunksów i ptaków żyjących na bagnach.

Ponieważ w Wielkiej Brytanii nie ma ani bagien, ani pręgowców amerykańskich, ani skunksów, jest skrajnie nieprawdopodobne, by komar mógł złapać tę chorobę. Ale znowu, załóżmy, że tak by się stało. Co wtedy?

Otóż, według amerykańskiego Centrum Kontroli i Prewencji Chorób, insekt musiałby ukąsić cię w przeciągu mniej więcej jednego dnia, a nawet w takim przypadku poważnie zachoruje zaledwie 1 procent ludzi, którzy zostali zarażeni. W większości będą to nosiciele wirusa HIV.

Innymi słowy, masz 99 procent szans, że nie zachorujesz po ukąszeniu komara, który nie może złapać infekcji w Wielkiej Brytanii, nawet gdyby mógł się tam dostać, czego nie potrafi.

Tak w rzeczywistości przedstawia się ta sprawa. Dlatego azjatycki komar wraz z płatkami kukurydzianymi i czerwonym mięsem musi zostać zaliczony do rzeczy, które nie stanowią żadnego zagrożenia dla naszego zdrowia.

Jeśli zepsuło ci to dzień, nie martw się, bo mam dla ciebie pewną radę. Spróbuj dla odmiany być zadowolony i szczęśliwy.

Niedziela, 19 czerwca 2005 r.

Skonałem po rozdaniu tysiąca autografów

Tak jak większość ludzi, zapamiętaliście pewnie Johnny'ego Morrisa, prezentera programów telewizyjnych o zoo, jako genialnego, starszego duszę człowieka, który potrafił naśladować odgłosy wydawane przez jego lamę i nosił zawadiacką czapkę. Możecie się więc zdziwić, gdy wam powiem, że gdy w radiu ogłoszono wiadomość o jego śmierci, zakrzyknąłem z radości, zamachnąłem się pięścią w powietrzu i wrzasnąłem: „no i dobrze!".

To dlatego, że gdy miałem cztery lata i poprosiłem go o autograf, powiedział mi, żebym „spieprzał".

Co za zniewaga. To przecież ja, oglądając jego programy, zrobiłem z niego gwiazdę, tak więc jego obowiązkiem było rzucić wszystko, włączając w to małego orangutana, którego miał wtedy przy sobie, i zrobić to, o co go prosiłem. Nawet jeśli podałbym się za kogoś z ekipy wiadomości telewizyjnych i prysnął mu w twarz wodą, to też miałbym do tego prawo.

Widzieliście w zeszłym tygodniu Toma Cruise'a, jak podskakiwał ze złości na swoich krótkich nóżkach, i to tylko dlatego, że dowcipnisie z Channel 4 trysnęli mu prosto w oczy zawartością pojemnika z kwasem?[1]

---

[1] Chodzi o incydent, jaki miał miejsce 20 czerwca 2005 r. w Londynie po premierze *Wojny światów* – z mikrofonu komików z Channel 4 na twarz promującego film Toma Cruise'a polała się woda.

Czy Cruise nie zdaje sobie sprawy z tego, że nadanym przez Boga prawem „zwykłych ludzi" w stosunku do tych, którzy pojawiają się w telewizji, jest to, że mogą do nich wszystko mówić, wszystko w ich obecności robić i pryskać na nich czym tylko dusza zapragnie? Zawsze tak myślałem. Aż do momentu, kiedy sam znalazłem się w telewizji.

Wciąż pamiętam tę chwilę, gdy po raz pierwszy zostałem poproszony o autograf. To była kobieta w średnim wieku. W przypływie mieszanki szoku, ogromnej przyjemności i dozgonnej wdzięczności, padłem przed nią na kolana. Chciałem bez końca pławić się w blasku jej majestatu.

– Dziękuję. Dziękuję. Dziękuję – mówiłem, kurczowo trzymając się jej kostek jedną ręką, podczas gdy druga pisała natchniony esej.

Kiedyś Angela Rippon[2] powiedziała: „Uwielbiam, gdy ludzie proszą mnie o autograf. Dopiero wtedy, gdy przestają to robić, zaczynam się martwić". Zgadzałem się z tym aż do chwili obecnej, bo dziś za każdym razem, gdy się obracam, widzę jakiegoś zasmarkanego dzieciaka z flamastrem, obgryzioną do połowy chusteczką do nosa i malującym się na twarzy wyrazem oczekiwania.

Zawsze towarzyszy mu mamusia, która odstawia gadkę w stylu:

– On jest takim fanem programu *Newsnight*...

Nawet kibel przestał już pełnić rolę bezpiecznej przystani. Nie dalej jak w zeszłym tygodniu wyszedłem z kabiny w toalecie dla panów na lotnisku w Birmingham, a na zewnątrz stała już dwójka dzieci z ojcem.

---

[2] Znana brytyjska dziennikarka telewizyjna, występowała jako prezenterka w najważniejszych dziennikach telewizji BBC.

– Uwielbiają pana południowy program w Radio 2.

W ciągu jednego dnia jestem proszony o autograf średnio może ze 20 razy, zazwyczaj wtedy, gdy chcę zakończyć moją opowieść puentą, gdy pada, albo gdy niosę coś ciężkiego.

Oczywiście, że rozumiem kult autografów. Na zeszłotygodniowej aukcji charytatywnej siedziałem obok kobiety, która za gitarę z podpisami Bono i Sir Cliffa zapłaciła 55 000 funtów. Rozumiem to, bo sam posiadam gitarę podpisaną przez Jana Akkermana z holenderskiej grupy Focus.

Mam też 100-jenowy banknot z autografem Boba Segera[3], a do moich najcenniejszych przedmiotów zaliczam *Wielką czerwoną księgę* grupy Monty Pythona, podpisaną przez wszystkich jej członków, z Carol Cleveland włącznie. Tak naprawdę, jeśli się nad tym dobrze zastanowię, brakuje mi tylko autografu Johnny'ego Morrisa. Co za łajdak!

Autografy zbliżają nas do sławy. To świetnie. Pozwólcie jednak, że jako osoba znajdująca się po drugiej stronie, wyjaśnię wam, że muszą tu istnieć pewne reguły.

Ostatnio John Cleese powiedział w radiu, że ktoś poprosił go o autograf na pogrzebie jego ojca.

A gdy odmówił, posypały się na niego obelgi.

Wiem, jak mógł się poczuć. W zeszłym tygodniu oberwałem z grubej rury od kobiety, która powiedziała, że mój podpis to jakieś esy-floresy. A kiedy odparłem, że nie, odeszła wściekła, mówiąc:

– Moim zdaniem wcale nie widać, że jest tu napisane: „Beadle[4]"!

---

[3] Amerykański muzyk rockowy.

[4] Jeremy Beadle, brytyjski prezenter telewizyjny.

Są jeszcze ludzie o tępych twarzach, z fryzurami jak u mechaników z warsztatów wulkanizacyjnych, którzy po prostu stoją, a gdy pytasz ich: „A znacie może magiczne słowo?", zupełnie nie mają pojęcia, o co chodzi.

Niedawno podszedł do mnie pewien facet i powiedział, że naprawdę nie podoba mu się to, co wyczyniam w telewizji i że jeszcze nigdy nie zrobiłem dobrego programu, że jego żona nie wpuściłaby mnie do domu, że zerwał prenumeratę „Sunday Timesa" właśnie ze względu na mnie, i że powinienem w końcu dorosnąć.

– Mimo to – powiedział – tak na wszelki wypadek wezmę pański autograf.

I wiecie co? Tak wystraszyłem się syndromu Johnny'ego Morrisa, że zgodziłem się mu go dać, chociaż byłem na sto procent przekonany, że tego samego wieczoru pojawi się na eBayu za 99 pensów.

Uwaga – nawet to jest lepsze od prośby o szybkie zdjęcie, bo aparat, który taki ktoś wyciąga, zawsze okazuje się zwykłym telefonem komórkowym.

Czekasz więc, podczas gdy facet stara się go włączyć.

Potem czekasz jeszcze trochę, aż telefon połączy się z najbliższym satelitą.

Następnie czekasz, bo facet grzebie w menu telefonu, usiłując znaleźć „ustawienia aparatu".

I znowu czekasz, a on szuka, gdzie reguluje się zoom i ekspozycję, i myślisz: „Szczerze mówiąc, już szybciej byłoby ustawić sztalugę i skorzystać z farb olejnych".

Oczywiście wkrótce dzięki *Big Brotherowi* i innym tego typu programom, sławni będą wszyscy. I, jak można to sobie wyobrazić, nie będę już musiał, chodząc po centrach handlowych, stroić min do komórek należących do rozmaitych osób, ani pisać jedną ręką mojego nazwiska, podczas gdy druga pomaga robić siusiu. Bo do tego też bardzo często dochodzi.

To dziwne, ale myślę, że gdy sławni będą wszyscy, tak naprawdę niewiele się zmieni.

Pewnego dnia byłem na jakiejś imprezie i wpadłem na gości z zespołu McFly.

– O! – powiedziałem. – Mam nadzieję, że nie przeszkadzam. Czy mógłbym prosić was o autografy dla mojego syna?

– Jasne, spoko – powiedział jeden z nich. – Pod warunkiem, że dasz mi swój dla mojego taty.

Niedziela, 26 czerwca 2005 r.

Ups... wyrzuciłem 25 000 za burtę

Wszyscy wiemy, jak zachowywać się na aukcjach charytatywnych. Wypija się na nich kilka lampek wina, a potem spędza się mniej więcej godzinę, rozpaczliwie starając się nie kupić żadnej wycieczki balonem i żadnej książki podpisanej przez Davida Dickinsona[1].

Przekonałem się o tym osobiście, gdyż niedawno sam brałem udział w aukcji charytatywnej, której celem była zbiórka pieniędzy na basen pływacki w Chipping Norton. Tego wieczoru wszystko szło świetnie, głównie za sprawą dwóch rąk, które wystrzelały ponad tłum i kupowały prawie wszystko, niezależnie od tego, jak wysoka była cena.

Jak na złość okazało się, że te ręce należą do moich dzieci, którym zaczęło się nudzić i postanowiły włączyć się do licytacji. Wróciliśmy więc do domu niosąc ze sobą, między innymi, dwa worki obornika, nylonowy T-shirt i kilka podpisanych egzemplarzy mojej własnej książki.

Z tak świeżym doświadczeniem w mej pamięci, powinienem był bardziej uważać, żeby nie wychylać się z podnoszeniem rąk na imprezie charytatywnej poświęconej dzieciom chorym na raka. Można było na niej wygrać tydzień na 42-metrowym superjachcie na południu Francji. Jacht miał z tyłu doczepione dwie łodzie wyścigowe, na jego wyposażeniu było mnóstwo desek surfingowych,

---

[1] Patrz przypis 1 na s. 346.

dwa skutery wodne, 12 kajut, osiem osób załogi (z bosmanem włącznie) i tradycyjne stołki barowe w tapicerce z napletka wieloryba. Normalnie siedem dni na tym pływającym po oceanach pałacu dżina kosztowałoby 75 000 funtów. A licytacja zaczęła się od 25 000 funtów. A raczej – nie zaczęła się. Nikt nie wyciągnął ręki do góry. Ponieważ znałem licytatora, pomyślałem sobie, że pomogę mu i rozruszam aukcję.

– Nareszcie! – wykrzyknął, tak jak zwykło się to czynić podczas licytacji. – 25 000 od pana Clarksona. Świetnie. Kto da 26 000?

Namiot, co stwierdziłem z cichą satysfakcją, wypełniony był kilkoma setkami wyjątkowo jasnowłosych blondynek i taką samą liczbą opalonych facetów, którzy, jak pomyślałem, na pewno będą chcieli pokazać, jak bardzo wzbogacili się w ciągu kilku ostatnich lat.

Tak jest zawsze. Zaledwie tydzień wcześniej, na jeszcze innej aukcji, radośnie wystawiłem dłoń ku górze, by wykupić na dwa tygodnie olbrzymi billboard, 12 na 3 metry, dominujący nad londyńską ulicą Cromwell Road i widoczny, gdy jedziemy na zachód.

Chciałem go mieć, bo napisałbym na nim coś obraźliwego na temat kolegi, który codziennie jeździ tą ulicą do pracy, ale w głębi duszy wiedziałem, że billboard trafi do kogoś o wiele, wiele bogatszego. I tak właśnie się stało. Myślałem więc, że tak samo będzie z tą łodzią...

Minęła minuta i nie podniosła się żadna ręka. Licytator robił co w jego mocy, szarpiąc się i rzucając, tak jakby podłączyli go do prądu. Na próżno.

Wtedy zaczęła się wyłaniać przerażająca prawda. Kobiety miały blond włosy dlatego, że były fryzjerkami, a nie wyrzutkami społeczeństwa z wyższych sfer. A mężczyźni swoją opaleniznę zawdzięczali całodziennej pracy na otwartym powietrzu i na rusztowaniu. Nikt nie miał zamiaru przebijać mojej oferty. I nikt jej nie przebił.

Zachowywałem pozorny spokój. Po prostu wydałem 25 000 funtów na bardzo szlachetny cel charytatywny, którym było zapewnienie drugiego domu rodzinom dzieci chorych na raka.

Podziękowałem więc za oklaski wszystkim fryzjerkom i wesoło pomachałem licytatorowi, którego tak wspaniałomyślnie wyratowałem z opresji.

Ale w środku serce kołatało mi jak oszalałe. Cholera, przecież 25 000 funtów to kupa kasy! A ja właśnie wydałem ją przez głupi przypadek!

Ktoś siedzący obok mnie usiłował mi tłumaczyć, że 25 000 funtów to taniocha. Zależy, jak na to patrzeć. Dwadzieścia pięć tysięcy funtów za coś, co normalnie kosztowałoby 75 000 to rzeczywiście okazja. Ale idąc tym tropem, to samo można by pomyśleć o ofercie kupna w pełni sprawnego myśliwca za jedyne 4,3 miliona funtów. Przecież to kompletny absurd.

Nie mam aż tylu pieniędzy, by rozrzucać je wokół jak konfetti. Może i wydałbym 25 000 funtów na samochód. Ale na jakąś zachciankę? O Jezu. Zrobiło mi się niedobrze.

Potem było jeszcze gorzej, bo moja żona, której twarz przybrała kolor kalki kreślarskiej, zajęła się czytaniem tego, co w katalogu aukcji napisane było małym druczkiem. Była to informacja o kosztach, które nie były wliczone w aukcyjną cenę.

Na przykład – paliwo. A na łodzi tej klasy zużycia paliwa nie liczy się w kilometrach na litr, ani nawet w litrach na kilometr. Nic z tych rzeczy. Tankując taki jacht jak ten, musicie przestawić swoje myślenie o spalaniu ropy na tony. Do tego dochodzą jeszcze opłaty za cumowanie, które, w porcie takim jak Monte Carlo, będą wynosić wiele setek funtów za dobę.

– Czyli – powiedziałem do żony cichutko – nawet jeśli będzie nas stać, by dopłynąć tą łodzią do Monako, to nie wystarczy nam na postój w tamtejszym porcie?

Tak, a to dopiero początek kłopotów, bo pozostałe rzeczy, które nie są wliczone w cenę, to napoje, posiłki i, co najistotniejsze, napiwek dla załogi, który zwykle wynosi 10 procent kosztów najmu. Świetnie. Zapowiadał mi się tydzień na jachcie, spędzony bez picia, bez jedzenia i w bezruchu. Tak miałby wyglądać mój wypoczynek po pieszej wędrówce na południe Francji z powodu braku środków na zakup biletu w liniach easyJet.

A i tak nie powiedziałem wam jeszcze o najśmieszniejszym. Bo w przeciwieństwie do tego, co w swojej zagrzewającej do licytacji gadce powiedział prowadzący, okazuje się, że z jachtu można skorzystać wyłącznie w tygodniu rozpoczynającym się 17 września.

I wiecie co? W samym środku tygodnia rozpoczynającego się 17 września urządzamy charytatywne wyścigi gokartów. A ja podczas nich mam prowadzić aukcję, z której dochód trafi do rodziców dzieci chorych na raka.

Sprawdziłem już wszystkie możliwości i obawiam się, że jedyne wyjście, jakie mi zostało, to popełnić samobójstwo. Przynajmniej pójdę do nieba.

Niedziela, 3 czerwca 2005 r.

To irytujące – lubię Davida Beckhama

Co tydzień magazyny ilustrowane, które można kupić w supermarketach, przynoszą wieści o jeszcze jednej gwieździe, która poślubiła konia, wypiła własny mocz albo rzuciła telefonem w jakiegoś nieszczęsnego recepcjonistę hotelowego. Przekaz jest klarowny: wszyscy znani ludzie to obłąkańcy.

Doprawdy? Cóż, osobiście muszę stwierdzić, że Steve Coogan[1] nigdy nie poczęstował mnie swoim siusiu, Neil Morrisey[2] nigdy niczym nie rzucił w moją żonę, a Jonathan Ross[3] nie poślubił swojej fryzury. Jeśli już, to było raczej na odwrót.

Wszyscy znani ludzie, których spotkałem, są tacy, jak wszyscy inni. David Frost[4] ma nieświeży oddech. Johnny Vegas[5] po wspólnie spędzonym wieczorze zwymiotował do dzbanka z herbatą. A Anne Robinson[6] pozwala moim dzieciom bawić się w berka w swojej sypialni.

---

[1] Brytyjski artysta komediowy.

[2] Brytyjski aktor.

[3] Prezenter radiowy i telewizyjny BBC, jego fryzura – długie, charakterystycznie ułożone włosy – budzi u widzów mieszane uczucia.

[4] Dziennikarz i prezenter BBC.

[5] Brytyjski komik, znany ze skłonności do alkoholu.

[6] Brytyjska prezenterka telewizyjna, prowadzi m.in. teleturniej *The Weakest Link* („Najsłabsze ogniwo").

Zgadzam się, że Dale Winton[7] jest jasnopomarańczowy, ale co w tym dziwnego? Gdybyście się przeszli po salonach Alderley Edge[8], zobaczylibyście, że są po brzegi wypchane ludźmi, którzy występują w podobnych, jesiennych odcieniach.

Jednak sławni ludzie, których spotykałem, to płotki – małe, krajowe gwiazdki, sławne wyłącznie w Wielkiej Brytanii. A co z rekinami wielorybimi i tuńczykami? Co z tymi, których nazwiska odcisnęły piętno na świadomości każdej żyjącej na tej planecie istoty?

Weźmy na przykład Eltona Johna. Czy gdyby został hydraulikiem, pojawiałby się tu i tam całując w usta innych mężczyzn? Podejrzewam, że prawidłowa odpowiedź prawdopodobnie brzmi „nie". A Angelina Jolie? Czy wypisałaby na swojej sukni ślubnej imię przyszłego męża swoją własną krwią, gdyby jej ojciec nazywał się Reg Arkwright, a nie Jon Voight[9]? Wątpię.

Cóż więc poszło nie tak? Łatwo jest obwiniać za to pieniądze, ale czy Bill Gates i Richard Branson spotykają się, by wspólnie złożyć w ofierze gęś? Czy wyobrażacie sobie księcia Westminsteru ciskającego rośliną doniczkową w kelnera, bo zupa była za słona?

A może chodzi tu o połączenie pieniędzy i sławy? Może to właśnie ono sprawia, że normalna osoba staje się dziwakiem, który nalega, żeby usunąć mu z torebki M&Ms-ów wszystkie niebieskie drażetki i żeby wszyscy

---

[7] Brytyjski prezenter radiowy i telewizyjny.

[8] Ekskluzywne miasteczko w zamieszkiwanym przez wielu bogatych i sławnych hrabstwie Cheshire.

[9] Czterokrotnie nominowany do Oscara i raz nim nagrodzony sławny aktor, zasłynął m.in. jako odtwórca tytułowej roli w filmie *Jan Paweł II*.

siedzący przy stole jedli nogami? Może pieniądze dają sławnym możliwość odcięcia się od rzeczywistości? Może odfiltrowują krytykę i przepuszczają tylko ciepłe, łagodne promienie pochlebstw, które rozjaśniają wszelkie niepokoje związane z ich poczuciem wielkości?

Może właśnie to było problemem Michaela Jacksona? Do jego uszu docierały tylko pozytywne opinie. „Nie, nie, Michael. Oczywiście, że możesz wymachiwać swoim dzieckiem z okna na piątym piętrze...".

W zeszły weekend odwiedziłem kulisy imprezy Live8 i odkryłem odpowiedź na nurtujące mnie pytania. Te rzeczywiście znane, rzeczywiście „globalne" gwiazdy przemieszczały się jak komety, ciągnąc za sobą ogon ludzi zaangażowanych po to, by nic, co wykazuje najmniejszy nawet związek z rzeczywistością, nie pojawiło się na drodze ich pracodawcy.

Ci ludzie zachowywali się jak ryby piloty. Byli zatrudnieni, by wygładzać zmarszczki życia i drapać te swędzące miejsca, których gwiazda sama nie może dosięgnąć.

Snoop Doggy Dog, czy jak mu tam, dysponował całą armią ochroniarzy, z których każdy był wielkości kabiny plażowej. Nie miałem zielonego pojęcia, przed czym dokładnie chcą go chronić? Przed Peaches Geldof[10]? Przed NASA?

Potem zobaczyłem Madonnę, otoczoną setką apodyktycznych kobiet z podkładkami na dokumenty, których zadaniem, z tego co widziałem, było podnosić ogromny wrzask i pilnować, żeby nikt nie wchodził w drogę naszej

---

[10] Córka Boba Geldofa, organizatora koncertu Live8, jej pełne imię to Peaches Honeyblossom Michelle Charlotte Angel Vanessa.

Madzi. Co okazało się problematyczne, gdy jej ekipa na-
tknęła się na idącą z naprzeciwka świtę Paula McCartneya.
Chciałem zrobić zdjęcie tego rodzącego się chaosu i byłem zaskoczony, gdy jedna z sekretarek Madzi wycelowała
palcem w mój aparat i wykrzyknęła: „Żadnych zdjęć!".
Zapewne któraś z ryb pilotów od *public relations* postano-
wiła, że pani Ritchie może być fotografowana wyłącznie
w obecności pana Geldofa. Tak więc, by egzekwować to
postanowienie, należało oczywiście zatrudnić cały sztab.

Na tym tle normalnie wyglądał nawet A.A. Gill[11], więc
poszliśmy razem do namiotu na piwo. I właśnie tam spotkałem Davida Beckhama. Przez całe lata naśmiewałem
się z jego głupkowatej żony, jego durnych tatuaży i uparcie dowodziłem, że gdyby mniej czasu spędzał u fryzjera,
a więcej na treningach, byłby świetnym piłkarzem, a nie
tylko zabawnym kolesiem. Chyba było też tak, że po tym,
jak usunięto go z boiska podczas meczu Pucharu Świata,
powiedziałem, że chętnie bym go sprał po głowie i szyi
kijem bejsbolowym.

– Dlaczego zawsze tak się wyzłośliwiasz na mój
temat? – pisnął Beckham.

– O rany... – zająknąłem się. – Wiesz, bo to jest
tak, że... eee... czasem, gdy szukasz metafory i... hm...
i gonią cię terminy, to piszesz rzeczy, których wcale nie
masz na myśli. Czasem budzę się rano i myślę sobie: co ja
najlepszego narobiłem?

– To żałosne – cmoknął z niezadowoleniem Gill i wyszedł z namiotu w poszukiwaniu kogoś z kręgosłupem.

– Ale to, co powiedziałeś o mnie w *talk-show* Parkinsona, było naprawdę obrzydliwe – odparł Beckham.

---

[11] Patrz przypis 2 na s. 15.

Musiałem się z tym zgodzić. Wykorzystywałem tego biednego kolesia jako uosobienie wszystkiego, co złe na tym świecie, w tysiącach różnych sytuacji, w gazetach, w radiu i w telewizji.

To dlatego, że zawsze słyszymy o Davidzie Beckhamie, a nie od Davida Beckhama. Beckham zatrudnia ludzi, by mówili w jego imieniu, a kiedy mówi sam za siebie, wszystko jest wyreżyserowane przez innych.

A sprawy wyglądają tak, że gdy zabierze się od niego wszystkich tych ludzi, ukaże się waszym oczom bardzo sympatyczny facet: przyjacielski, normalny, i nie tak gruby, jak mogłoby się wam wydawać (na podstawie tego, co o nim pisałem).

Mam więc teraz poważny kłopot: kogo teraz nienawidzić? Coś czuję, że mój celownik wędruje w kierunku Jade Goody[12]. Co wy na to?

Niedziela, 10 lipca 2005 r.

---

[12] Słynąca z nieopisanej głupoty gwiazda programów *reality show*.

Gorąco nienawidzę ogrzewaczy do patio

Po tych wszystkich bombach i tak dalej, można by się spodziewać, że brytyjscy ekolodzy i naziści od BHP dadzą sobie spokój i przestaną nami dyrygować. Skądże. Podczas gdy normalni ludzie zachowali w tym tygodniu dwuminutowe milczenie, ci intryganci badali, jak bardzo naszej planecie szkodzą pomidory.

Pewnie myśleliście, że *Atak pomidorów zabójców* był żartobliwym filmem klasy B, ale wydaje się, że jednak nie. Serio. Ktoś wykrył, że jedzenie pomidorów wyhodowanych w Hiszpanii i przetransportowanych do Wielkiej Brytanii samolotem mniej szkodzi środowisku, niż jedzenie pomidorów wyhodowanych na miejscu w szklarniach.

A w czasie, gdy trwały te badania, śmieciarze w Fife otrzymali zakaz przychodzenia do pracy w krótkich spodenkach, pomimo panujących upałów, na wypadek gdyby – naprawdę nie zmyślam – zadrapali sobie kolana albo zostali ukąszeni przez jakiegoś owada. Wydaje się, że wytyczne BHP w tej sprawie są jasne.

Jednocześnie ludzie z Greenpeace'u długo i wnikliwie przyglądali się światu. Zauważyli budzące niepokój rozprzestrzenianie się islamskiego ekstremizmu i korupcję w Afryce. Dostrzegli ucisk panujący w Birmie i rzeź na Bliskim Wschodzie. I stwierdzili... że trzeba coś zrobić z waszymi ogrzewaczami do patio.

Mark Strutt, bojownik na rzecz klimatu, twierdzi, że są one „lekkomyślnym marnotrawieniem energii", natomiast Norman Baker, rzecznik Liberalnych Demokratów powiedział pierwsze, co przyszło mu do głowy: „Bla bla bla, dwutlenek węgla, bla bla bla, nagrzewający Ziemię od lat".

Okazuje się, że w Wielkiej Brytanii jest obecnie 750 000 ogrzewaczy do patio, które produkują łącznie 380 000 ton gazów cieplarnianych rocznie. Jeśli chcecie wiedzieć, to prawie tyle samo, ile produkują Brytyjczycy uprawiający jogging.

Powinienem teraz wyjaśnić, że żona kupiła mi ogrzewacz do patio na cynową rocznicę ślubu, kiedykolwiek by to nie było, i zawsze trochę się go obawiałem. Oczywiście teraz, kiedy wiem, że takie urządzenia działają na nerwy ludziom z Greenpeace'u, będę go używał przez 24 godziny na dobę, ale mimo to wątpliwości pozostaną.

Po pierwsze, nie lubię słowa „patio". A szczególnie nie lubię go dlatego, że w przeciwieństwie do takich słów jak „toaleta" albo „sofa", albo „hol", nie potrafię wymyślić żadnego zastępczego określenia. Wydaje mi się, że „ogrzewacz do patio" można by nazwać „ogrzewaczem tarasu", ale o ile dobrze rozumiem, taras powinien znajdować się nad ziemią. Nie ma czegoś takiego, jak taras położony na poziomie gruntu. Takie coś nazywa się patio, czy wam się to podoba, czy nie.

Jednak głównym powodem mojej niechęci do patio jest fakt, że próbują one zrobić z Wielkiej Brytanii coś, czym ona nie jest. W Australii można jeść i urządzać przyjęcia na zewnątrz, ponieważ panuje tam łagodny klimat, a wieczory są ciepłe. Natomiast u nas klimat jest beznadziejny, a wieczory przeraźliwie zimne. To wspaniałe. To właśnie dzięki temu, że zostaliśmy wychowani na diecie złożonej z mżawki i paluszków rybnych mieliśmy największe imperium, jakie kiedykolwiek widział świat.

Tak jest po dziś dzień. Ponieważ prawie na pewno nie istnieje coś takiego, jak globalne ocieplenie, wciąż mamy w Wielkiej Brytanii pogodę, na której nie można polegać, i właśnie dlatego mamy tak silną ekonomię. W czasie, gdy Francuzi, Włosi i Australijczycy opalają się na plaży, my musimy chronić się przed deszczem i zimnem – siedząc w pracy. Ogrzewacze do patio to wszystko podważają. Umożliwiają naszym restauracjom serwowanie kolacji na świeżym powietrzu i kładą kres zastrzeżeniom drukowanym u dołu zaproszeń na przyjęcia w ogrodzie: przy złej pogodzie impreza zostanie przeniesiona do domu kultury.

Co więcej, ogrzewacze do patio skłaniają rodziny do jedzenia na zewnątrz. A w Wielkiej Brytanii to nie działa, ponieważ prawie zawsze jest tu zbyt zimno, a jeśli nie, to zbyt gorąco. A kiedy jest zbyt gorąco, nie możesz pozwolić sobie na siedzenie na zewnątrz. Jesteś Anglikiem i zaraz ulegniesz poparzeniu słonecznemu. I to nierównomiernie. Zrobią ci się ślady po ramiączkach i rękawach, plama w kształcie litery „V" wokół szyi i nos jak u renifera Rudolfa. Następnego dnia w pracy będziesz wyglądał jak ofiara losu – cały w czerwono-różowe plamy. Będziesz wyglądał po prostu śmiesznie.

Aha, i o ile nie jest się niezwykle ostrożnym, w Wielkiej Brytanii dokładnie każdy kęs jedzenia spożywanego na zewnątrz zawiera osę, a każdy łyk napoju – muchę wielkości Jeffa Goldbluma.

Muszę także wyjaśnić tym z was, którzy nie cierpią na alergię, że dla osoby cierpiącej na katar sienny, cztery najbardziej złowieszcze słowa brzmią: „może", „zjemy", „na" i „zewnątrz".

Następnie jest jeszcze kwestia jedzenia jako takiego, które, jeśli jesteście na zewnątrz, będzie przygotowywane na grillu. Dlatego z jednej strony będzie spalone na węgiel, a z drugiej – surowe i rojące się od salmonelli. W dodatku pokryte cienką warstewką popiołu, ponieważ na pewnym etapie przygotowywania spadnie przez kratkę i wyląduje w węglu drzewnym.

Gdy otrzymuję od kogoś zaproszenie na grilla, jestem tak struchlały z przerażenia, jak wtedy, gdy zapraszają mnie na bal przebierańców.

Szczególnie, jeśli gospodarze dysponują ogrzewaczem do patio, ponieważ wtedy goście wyglądają tak samo jak jedzenie. Od jednej strony są ogrzani do tego stopnia, że ich ciało zaczyna się topić, a od drugiej zamarznięci.

Ludzie z Greenpeace'u mówią nam, że to śmieszne – próbować ogrzewać powietrze na zewnątrz, i że jeśli jest nam trochę zimno, powinniśmy założyć sweter. Ale ja jak zwykle mam lepszy pomysł. Wróćmy do domu i zjedzmy jedzenie przygotowane w piekarniku. Będzie na pewno smaczniejsze, nie zostaniemy pokąsani przez komary, nie umrzemy z powodu zatrucia pokarmowego, będzie to korzystne z punktu widzenia ekonomii, a jeśli podkręcimy centralne ogrzewanie o jedną czy dwie kreski i zjemy brytyjskie pomidory, zrobimy Greenpeace'owi nawet bardziej na złość, niż gdybyśmy trzęśli się z zimna pod rozgrzanym, metalowym parasolem.

Niedziela, 17 lipca 2005 r.

Wielokulturowość? Jakoś tego nie widzę

Przez ostatnie parę tygodni Ken Livingstone w kółko wyjaśniał, ze Wielka Brytania stanowi obecnie wielokulturową, wieloetniczną społeczność. Przedstawił wizję polskich hydraulików pomagających nigeryjskim czarownicom poznać sztukę spawania, i greckich pedziów uczących niepełnosprawnych irańskich dentystów grać na buzuki.

Oczywiście jestem pewien, że burmistrzowska siedziba Kena w Londynie stanowi prawdziwy wachlarz etnicznej różnorodności, tęczę odcieni kolorów skóry i wyznań. Założę się, że współegzystuje tam sto różnych kultur, a wszystkie współdziałają w doskonałej lewicowej harmonii.

Z pewnością pracując w takim środowisku łatwo jest uwierzyć, że boiska szkolne wszędzie w kraju pełne są żydowskich chłopców grających w nogę z muzułmańskimi dziewczynkami. I że każde spotkanie towarzyskie wygląda jak scenka z tłumem w reklamie British Airways.

Ale w moim świecie rzeczy przedstawiają się inaczej. Ponieważ, za wyjątkiem A.A. Gilla[1], który twierdzi, że jest Hindusem, właściwie wszyscy moi znajomi są biali i dobrze sytuowani. Mieszkają albo w przyjemnych geor-

---

[1] Patrz przypis 2 na s. 15.

giańskich domach, albo w dużych wiktoriańskich rezydencjach, i większość z nich ma dwoje lub więcej blond dzieci uczęszczających do prywatnych szkół.

Właśnie w zeszłym tygodniu w szkole moich dzieci obchodzono dzień sportu i przypominam sobie, jak leżąc w wysokich trawach na brzegu rzeki, pijąc różowego szampana i rozmawiając z innymi rodzicami pracującymi w mediach, pomyślałem: „Boże, jak dobrze należeć do klasy średniej".

Możecie egzystencję tego rodzaju uważać za nudną i możecie mieć rację. Ale co miałbym z tym zrobić? Mieszkam w mieście, które, według najnowszego spisu ludności, w 98,6 procenta zamieszkują biali. Mniej więcej 75 procent populacji jest chrześcijanami, a pozostali twierdzą, że nie są wyznawcami żadnej religii, albo że nie wiedzą. Jest też jeden rycerz Jedi. To ja.

Dlatego, kiedy udaję się na przyjęcie, goście zawsze są biali. Wszyscy moi znajomi i znajome mają białych współmałżonków. A jedynym urozmaiceniem w biurze, gdzie pracuję, jest fakt, że trzy osoby są leworęczne. W ten sposób nigdy nie spotykam żadnych czarnoskórych ani Azjatów. Dlatego, przynajmniej w kraju, nie mam żadnych czarnoskórych ani azjatyckich znajomych. Ani jednego.

Jestem pewien, że Ken byłby szczerze zdumiony, gdyby się o tym dowiedział. Sam się trochę zdziwiłem, gdy kiedyś mój żydowski znajomy zapytał, ilu innych Żydów mógłbym uznać za kumpli.

– Och, mnóstwo – odpowiedziałem bez zastanowienia. Ale kiedy spojrzałem do notesu z adresami, zobaczyłem, że poprawna odpowiedź brzmi: „dwóch".

W zeszłym tygodniu Michael Portillo napisał w „Sunday Times": „Wyróżniająca nasz naród tolerancja przez kolejne etapy imigracji została umocniona, a nie osłabiona". Brzmi to bardzo godnie i bardzo mądrze. Ale to po prostu nieprawda. W moim przypadku, a przypuszczam, że nie jestem daleki od przeciętnej, jakość tolerancji pozostała zupełnie niezmieniona w związku z imigracją, ponieważ imigracja nie zrobiła mi absolutnie żadnej różnicy.

O Albańczykach sądzę obecnie dokładnie to samo, co myślałem o nich, gdy mieszkali w Albanii. To znaczy nic nie sądzę, bo żadnego z nich nie znam.

Słyszałem, że w Londynie sprawy mają się inaczej, i z pewnością kiedy patrzy się na zdjęcia ludzi, którzy zginęli zabici przez bomby dwa tygodnie temu, jest to prawdziwy szwedzki stół kolorów skóry i wyznań. Ale poza systemem transportu publicznego, większość grup etnicznych ma tendencję do trzymania się razem tak ściśle, jak my tu, na głębokiej prowincji. Na przykład na ulicy Southall High Street mieszkają prawie wyłącznie Hindusi. Brixton jest w przeważającej części czarny. Golders Green – żydowski. I tak dalej.

Dopiero co rozglądałem się po dużej i dobrze znanej szkole prywatnej, i nie dało się nie zauważyć, że wszystkie czarne dzieci siedziały w kaplicy obok siebie.

Co więcej, w studiu *Top Gear* nigdy nie pojawiają się grupy mieszane etnicznie. Azjaci przychodzą z innymi Azjatami. Czarne dzieciaki przychodzą z innymi czarnymi dzieciakami. Golfiści przychodzą z innymi golfistami.

W Harrow ma powstać szkoła dla Hindusów na tej samej zasadzie, na której w Yorkshire jest szkoła dla katolików. To samo jest w internecie. Są chat-roomy dla muzułmanów, chat-roomy dla Hindusów, chat-roomy dla Polaków. Cały nasz kraj jest pełen ludzi tworzących sobie małe enklawy. W podobny sposób Brytyjczycy mieszkający we Francji najczęściej jedzą i spotykają się z innymi Brytyjczykami.

Być może Ken Livingstone wymyślił sobie to wielokulturowe środowisko, bo podejrzewam, że Wielka Brytania wcale nie jest wielokulturowa. Jest to po prostu wielki szmat ziemi, i tak się złożyło, że żyje na nim nieznana liczba imigrantów i rdzennych mieszkańców.

Koegzystujemy jak ptaki. Nigdy nie spotyka się wróbli dołączających do stada szpaków. Nie widuje się trznadli pikujących na drzewo czereśniowe w towarzystwie stada kwiczołów. Ale, co najważniejsze, nie widuje się też walk pomiędzy nimi.

Sądzę, że jest to lekcja, której powinniśmy się nauczyć w tych trudnych czasach. Zamiast zmuszać pakistańskiego nastolatka, by składał przysięgę na wierność sztandarowi i uczył się angielskiego, by dostać jakieś liche zaświadczenie o brytyjskości od miejscowego burmistrza, dlaczego po prostu nie pozwolić mu pozostać Pakistańczykiem, który mieszka akurat w Bradford?

Pozwólmy mu chodzić do szkoły dla muzułmanów. Pozwólmy mu kibicować Pakistanowi, gdy jego drużyna gra z Anglią w krykieta. Pozwólmy mu być tym, kim chce.

Jeśli powiedzą nam, że tu jest Wielka Brytania i wszyscy musimy być Brytyjczykami, rozdrażni to tych, których korzenie są gdzieś indziej. Ale jeszcze gorzej jest powiedzieć nam, że musimy być wielokulturowi. Bo to rozdrażni nas wszystkich.

Niedziela, 24 lipca 2005 r.

Tak naprawdę dzieci wcale nie chcą zabawek

Hamleys ma dla nas złe wieści. Według tego największego na świecie sklepu z zabawkami, rodzice powinni zacząć oszczędzać już teraz, bo w tym roku wymarzone przez dzieci prezenty gwiazdkowe będą kosztować trzysta jedenaście milionów funtów.

Chłopcy będą chcieli dostać 60-centymetrowego robota Robosapien V2, który potrafi krzykiem odpowiadać na rozkazy, padać na ziemię i podążać za wiązką lasera. To coś będzie sprzedawane za 200 funtów i popsuje się, zanim w piekarniku zdąży dojść indyk.

Dziewczynki będą najprawdopodobniej leżeć na podłodze i wierzgać nogami, dopóki nie dostaną różowej lalki, która wygląda trochę jak gwiazdka z *Big Brothera*, Jade Goody, i miewa napady złego humoru dopóki nie uczesze się jej włosów. Ta lalka nazywa się Amazing Amanda i kosztuje mniej więcej tyle, ile nowa kuchnia.

Wszystko to brzmi przerażająco, ale chętnie założę się, że w rzeczywistości te zabawki nie są wcale droższe od tego, co dostawał mój tato, gdy był chłopcem. A była to, jak lubił mi przypominać, pomarańcza i kawałek sznurka. Co więcej, założę się również, że nie są one bardziej kosztowne od zabawek, które w dzieciństwie piętrzyły się w moim łóżku.

Weźmy na przykład spirografy. Te w największym zestawie były niewyobrażalnie wręcz drogie. Czy chociaż odpowiadały na rozkazy? Czy lubiły, gdy im się czesało włosy? Nie. I zawsze psuły się tak samo szybko, jak współczesne, interaktywne, skomputeryzowane zabawki, których – jak słyszymy – tak pragną nasze dzieci.

W 1965 roku samochodzik z serii Corgi kosztował sześć szylingów, co w przeliczeniu na dzisiejsze pieniądze wynosi tyle, ile koszt budowy promu kosmicznego. A co taki samochodzik „robił"? No cóż, przez kilka lat leżał w piaskownicy i rdzewiał.

Dalej mamy Misia Paddingtona. W 1978 roku trzeba było dać za niego 25 funtów, co odpowiada dzisiejszej cenie Robosapiena. Czy w takim razie zabawki faktycznie są dziś droższe? Nie sądzę.

Coś się jednak zmieniło – częstotliwość z jaką dzieci je dostają. Gdy byłem małym chłopcem, a wychowywałem się w warunkach dalekich od ubóstwa, dostawałem prezenty tylko na urodziny i na Boże Narodzenie. Dziś moje dzieci dostają prezenty od różnych ludzi co 24 sekundy.

Wciąż posiadam i pielęgnuję mój pierwszy zegarek na rękę, podczas gdy dziś rodzice od niechcenia rozdają zegarki gościom swoich dzieci, wręczając je „na odchodne". Moje dzieci zepsuły więcej wiecznych piór, niż ja w ciągu 45 lat mojego życia.

Zabawki nie są też czymś wyjątkowym.

Obserwuję, jak dzieci na przyjęciach urodzinowych radośnie zrywają papier z prezentów, a następnie kompletnie je ignorują. W wyniku tego sypialnia każdego dziecka jest dziś pełna wciąż zafoliowanych gier planszowych, garaży dla samochodzików ciągle jeszcze niewyciągniętych z pudełek i milionów nieodpakowanych wiejskich zwierzaków.

Natomiast klocki Lego są zawsze odpakowane i porozrzucane tak, by dorośli mieli na co nadepnąć, gdy o drugiej w nocy skradają się na bosaka po domu w poszukiwaniu źródła dziwnych odgłosów.

W naszym pokoju do zabawy jest tyle tych kolorowych cegiełek, że starczyłoby ich na wybudowanie całego nowego domu. I taka ilość lalek, misiów i innych figurek, że z powodzeniem można by nimi wyrównać deficyt populacji wschodnich Niemiec. Moja najmłodsza córka zmienia lalki Barbie częściej, niż ja sięgam po papierosy.

Pewnego razu mój syn wykazał śladowe zainteresowanie sklejeniem małego modelu samolotu z firmy Airfix. Tak naprawdę chodziło mu oczywiście o to, by przez chwilę popatrzeć, jak ja sklejam ten samolot, a potem wrócić do PlayStation. Ale to wystarczyło.

Teraz wszyscy jego krewni, przyjaciele i rodzice chrzestni zaczęli kupować mu modele samolotów. Efekt: ma więcej części do budowy samolotów niż British Aerospace.

Problem jest prosty. Cały czas mówimy, jak szybko w dzisiejszych czasach dorastają nasze dzieci. Że w wieku pięciu lat używają słowa na „f". A mając lat dziesięć wprowadzają je w życie. Czy wiesz, co twoja dwunastoletnia córka robi w nocy siedząc w internecie? Na miłość boską, lepiej nie chodź sprawdzać, bo umrzesz z przerażenia! A ona i tak nie zauważy, że wszedłeś, bo całkiem możliwe, że będzie właśnie odlatywała po mieszance hery z koką.

I mimo to, rankiem w Boże Narodzenie, wręczysz jej Amazing Amandę. To tak, jakby kupić Pete'owi Doherty'emu[1] kolejkę elektryczną.

---

[1] Brytyjski muzyk i poeta, słynący z nadużywania alkoholu i narkotyków.

To, że w wieku 9 lat pragnęliście dostać model Spitfire'a nie oznacza, że wasz dziewięcioletni syn będzie miał ochotę na to samo. Jest bardziej prawdopodobne, że chce aparat cyfrowy, iPoda albo gram kokainy. Albo kamerę internetową, by mógł wieczorem oglądać swoją narzeczoną wybierającą się do łóżka.

Dzisiejsze dzieci wyrosły z czegoś, co ja i wy nazwalibyśmy zabawkami, w wieku pięciu lat. A przedtem, jak już wiemy, byłyby w zupełności zadowolone otrzymując puste, kartonowe pudła, pod warunkiem, że zostałyby opakowane w ładny papier.

To nie są złe wieści, które ma dla nas Hamleys. To są złe wieści dla Hamleysa.

To dlatego, że jedynymi, którzy utrzymują rynek zabawek dla dzieci, są rodzice o nostalgicznym usposobieniu, kupujący dzieciom to, czego one wcale nie chcą.

Moja najstarsza córka wparowała pewnego dnia do kuchni i na chwilę wyciągnęła z uszu słuchawki iPoda, by oznajmić, że obecnie jej oszczędności wynoszą 15 funtów.

– Czy to wystarczy na samochód? – zapytała.

– Jasne, że nie – odparłem z pogardą w głosie.

Ale wiecie co? Jeśli wszystko, czego potrzebuje, to stary gruchot, 15 funtów powinno jej wystarczyć.

Otóż to. Kupiliśmy dom z wybiegiem, by nasze dzieci mogły mieć kucyka. Zamiast tego, będą jeździć dookoła niego w starym Mini. Chcieliśmy, by wzorem dla nich była Jenny Agutter[2] z *The Railway Children*, a skończyło się na tym gamoniu od totolotka[3].

---

[2] Aktorka, grająca skromną dziewczynkę Robertę w ekranizacji powieści dla dzieci Edith Nesbit *The Railway Children* (*Pociągi jadą do taty*).

[3] Chodzi o Michaela Carrola, śmieciarza, który wygrał w totolotka prawie

Dam wam więc dobrą radę jak wychowywać dzieci. Przestańcie co pięć minut kupować im zabawki, których wcale nie chcą. A to, czego chcą, kupujcie im bardzo rzadko, prawie nigdy. W związku z tym zapomnijcie w tym roku o sklepie Hamleys. Pomyślcie raczej o czymś w stylu sprzętu Bang & Olufsen.

Niedziela, 31 czerwca 2005 r.

---

10 milionów funtów. Wygrana sprawiła, że jego życie uległo moralnemu rozkładowi. W brytyjskiej prasie określany jest mianem „Lotto Lout", czyli „gamoń od totolotka".

Błędne koło ćwiczeń

Zaniepokoiłem się nieco, gdy w zeszłym tygodniu otrzymałem od mojego kręgarza list, w którym sugerował, że byłoby dobrze, gdybym pojawił się u niego w podkoszulku, adidasach i jakichś spodniach od dresu.

Szczerze mówiąc, w każdym rankingu „rzeczy, których nie chce się usłyszeć", zalecenie pojawienia się w przychodni lekarskiej ze strojem sportowym pod pachą, plasuje się na równi z sytuacją, gdy twoja dziewczyna wpatruje się w test ciążowy i mówi: „Ojej, zrobił się cały niebieski!".

Oczywiście, ponieważ nie jestem dilerem narkotyków z Manchesteru, nie posiadam żadnych spodni dresowych. Dlatego udałem się do Selfridges, który, ponieważ jest właśnie środek lata, zapchany był wielkimi, grubymi płaszczami. Świetnie, przynajmniej miałem się za czym chować zmierzając w stronę działu sportowego.

Porwałem pierwszą parę spodni jaką zobaczyłem, a wtedy sprzedawca zapytał mnie, jaki rodzaj sportu będę uprawiać.

– Żaden – powiedziałem głośno. – Będę sprzedawał kokę dzieciom w szkole.

Wydawało mi się, że to lepiej brzmi. I nie, nie chcę ich przymierzyć, ponieważ nigdy nie będę nosił czegoś takiego w miejscach publicznych, więc nie będzie miało znaczenia, jeśli rozmiar okaże się nieodpowiedni.

Kręgarz kazał mi zejść kilka pięter po schodach do piwnicy, gdzie na ścianach umieszczono wiele narzędzi tortur. Wśród tego wszystkiego czekał niejaki pan Wong. Jak się okazało, pan Wong był specjalistą od „gimnastyki korekcyjnej". I miał dla mnie złe wieści.

Aby poprawić stan moich wypadniętych kręgów, muszę codziennie nosić spodnie od dresu i poruszać się, nawet jeśli nigdzie się nie wybieram.

No i zaczęło się. Pan Wong położył mnie na podłodze z czujnikiem nacisku pod plecami i kazał mi podnieść nogi, utrzymując jego wskazanie na stałym poziomie. Było to niemożliwe. Za każdym razem, gdy zaczynałem podnosić chociaż jedną nogę, nacisk natychmiast spadał do zera. Pan Wong powiedział, że mój brzuch jest „niewiarygodnie słaby".

Jest to oczywistą bzdurą. Codziennie wypełniam go olbrzymią ilością jedzenia i wina, i ani razu jeszcze nie pękł. Ale zanim miałem okazję mu to wyjaśnić, byłem już na czworakach. No, niezupełnie.

Moja lewa ręka nie była w stanie utrzymać ciężaru mojego niewiarygodnie słabego brzucha, dlatego przednia lewa część mojego ciała była podtrzymywana przez moją twarz.

Nawet ja byłem tym zaskoczony.

Ale przynajmniej to odkrycie przygotowało mnie na rozczarowanie związane z faktem, że nie byłem w stanie zrobić ani jednej pompki.

Następnie stanąłem przed lustrem przyglądając się moim spodniom od dresu, a pan Wong poprosił mnie, abym zatoczył kółko biodrami. Widziałem, jak na Florydzie robili to staruszkowie, więc wiem, że jest to w zasięgu ludzkich możliwości. Ale ja zupełnie nie potrafiłem tego zrobić.

W ten sposób pan Wong zebrał już wszystkie informacje, jakich potrzebował, by przygotować program ćwiczeń, który muszę ściśle realizować dwa razy dziennie przez resztę życia. Następnie przyczepił się do mojej postawy. Wygląda na to, że muszę nauczyć się stać jak strażnik królowej. Pierś do przodu, brzuch wciągnięty, głowa cofnięta. I mam przestać blokować kolana. Mam je lekko zginać, tak jak się to robi zjeżdżając na nartach. Próbowałem tego przez pięć sekund i czułem, że moje uda płoną żywym ogniem. Wtedy pan Wong znowu coś zanotował.

Okazuje się, że nawet w pozycji siedzącej nie mogę zaznać ani chwili wytchnienia. Muszę się upewniać, że moje uszy, ramiona i biodra znajdują się w jednej linii, co nie jest fizycznie możliwe, ponieważ mam zbyt wiele podbródków. Ponadto muszę zadbać o to, by ekran mojego komputera znajdował się na wysokości oczu, tak żebym nie musiał patrzeć w dół, gdy coś piszę.

Świetnie, ale używam laptopa, i jeśli ustawię ekran wystarczająco wysoko, nie widzę klawiatury. Z tej sytuacji są dwa możliwe wyjścia. Albo od teraz każę mojemu współprezenterowi Richardowi Hammondowi pisać scenariusz do *Top Gear*, albo kupię sobie nowy komputer.

Ale jak mogę na niego zarobić, jeśli codziennie muszę spędzać pół dnia leżąc na plecach z nogami w górze?

Tak naprawdę głównym problemem związanym z moim treningiem jest jego wysoki stopień komplikacji. W jednej z serii ćwiczeń muszę stać przed lustrem i, powstrzymując się od śmiechu na widok moich spodni, zrobić wdech jednocześnie cofając ramiona. Następnie mam wstrzymać oddech wciągając brzuch w kierunku kręgosłupa, po czym muszę zgiąć kolana, aż moje uda będą równolegle do podłogi. Wtedy robię wydech i prostuję się.

W żadnym razie nie jest to wyzwanie, i to nawet dla osoby, u której mięśnie zbudowane są z czystego tłuszczu.

Ale wysiłek intelektualny wymagany, by zapamiętać, co trzeba po kolei zrobić, jest olbrzymi. Leciałem kiedyś myśliwcem F-15 i wierzcie mi, było to prostsze.

Jednak w całym tym procesie najbardziej zadziwia mnie otępiająca nuda i znikome tempo poprawy, jaka ma wynikać z każdego wstrzymanego oddechu i każdej rozciąganej kończyny. Podczas gdy leżysz tak w tych głupich spodniach, wyjałowiony przeraźliwą monotonią tego wszystkiego, zaczynasz intelektualizować cały proces.

Tak oto doszedłem do zatrważającego wniosku. Jeśli nie spędzę codziennie 27 godzin na podnoszeniu przedmiotów i odkładaniu ich z powrotem na dół, znajdę się znowu w świecie bólu i cierpienia. A jeśli codziennie spędzę 27 godzin na podnoszeniu przedmiotów i odkładaniu ich z powrotem na dół, nic innego się nie wydarzy.

Innymi słowy, muszę spędzić resztę życia czyniąc ogromny wysiłek i nie dostając za to nic w zamian.

Niedziela, 7 sierpnia 2005 r.

Przewodnik po wakacjach w cieniu

Kiedy mówię ludziom, że spędziłem urlop w Islandii, każdy reaguje tak samo: „O, zawsze chciałem się tam wybrać".

Cóż, nie jest to trudne. Jeśli chcesz spędzić tydzień pławiąc się w siarce i jeżdżąc na koniach o grzywach bujnych jak włosy aktorki Toyi Willcox, i zawsze byłeś ciekawy, jak smakuje nurzyk, po prostu jedziesz na lotnisko i wsiadasz w samolot.

Jednak prawda jest taka, że w rzeczywistości wcale nie chcesz jechać do Islandii, ponieważ jak trafnie zgadłeś, wrócisz do domu bez opalenizny. A wtedy twoi znajomi i sąsiedzi pomyślą, że nigdzie nie byłeś. To z kolei mogłoby ich doprowadzić do wniosku, że jesteś biedny. Co akurat może być prawdą, jeśli kupisz wino w Reykjaviku.

Tak więc zamiast tego, o czwartej nad ranem udałeś się na lotnisko Stansted, gdzie zostałeś zapędzony do jakiegoś zatłoczonego, zapomnianego przez Boga i ludzi samolotu czarterowego, który porwał cię nad Morze Śródziemne. Tam spędziłeś parę tygodni kąpiąc się w gnojowisku, pijąc wino zrobione ze starych butów i stołując się w restauracjach z plastikowymi krzesłami.

Ale nie ma to znaczenia, ponieważ wróciłeś do domu z czymś, co uważasz za opaleniznę, a co w rzeczywistości jest śmiesznym różowo-czerwonym wzorkiem.

Gdzieś tam w głębi duszy wiesz, że wyglądałeś jak ofiara losu – cały w plamy. A teraz, po dwóch tygodniach, wszystko zniknęło. A ile wydałeś? Jakiś tysiąc funtów? I to na coś, co nie wygląda zbyt ładnie i może przetrwać najwyżej tak długo, jak kabina plażowa w Nowym Orleanie. Opalenizna ma interesującą historię. Dawnymi czasy, każdy, kto miał brązowe plecy, pracował w polu, dlatego ci, którzy mieszkali w wielkich domach, aby zapewnić swojej skórze śnieżną biel, spędzali większość życia pod parasolką albo kąpiąc się w maślance.

Nawet po tym, jak wynaleziono wakacje nad morzem (nawiasem mówiąc w Biarritz), ludzie z wyższych sfer spacerowali po plaży w strojach, które dzisiaj uznano by za całkiem przyzwoite suknie balowe. Nagle, w 1923 roku, gdy Coco Chanel zeszła w Cannes z pokładu jachtu księcia Wellingtona, paradując w opaleniźnie jak David Dickinson[1], wszystko się zupełnie odmieniło[2].

Amerykanie wzięli to sobie do serca i w końcu zaczęli pokazywać się światu po tym, jak spędzili całe lato z głowami w aluminiowych kapeluszach przypominających anteny satelitarne. Ponieważ Amerykanie mieli rajstopy i samochody ze skrzydłami, wszyscy myśleli, że są „cool". Kiedy więc pojawiły się wczasy zorganizowane, każdemu pracownikowi biurowemu w Wielkiej Brytanii dana była szansa, by mógł wyglądać jak zdumiewające dziecko miłości George'a Hamiltona[3] i Michaela Winnera[4].

---

[1] Brytyjski prezenter armeńskiego pochodzenia o ciemnej karnacji.

[2] Płynąc z Paryża do Cannes, Coco Chanel przypadkowo za mocno się opaliła. Prasa wzięła to za kolejny trend lansowany przez tę wpływową kobietę świata mody. Stąd stwierdzenie, że Coco „wynalazła opaleniznę".

[3] Amerykański aktor, słynący z wiecznej opalenizny.

[4] Brytyjski reżyser i producent, również słynący ze swojej opalenizny.

Mnie to nie pociąga. Akceptuję fakt, że jestem koloru pędzonego rabarbaru i podczas upalnych wakacji zabijam czas przemieszczając się od drzewa do drzewa. Robię tak, ponieważ najbardziej ze wszystkiego nienawidzę tego, że kremy do opalania kosztują więcej, niż butelka sikacza w Islandii, i że są tak piekielnie skomplikowane w obsłudze.

Pierwszego dnia trzeba użyć kleju do tapet, i stopniowo przechodzi się do oleju Castrol GTX, na który trzeba nałożyć tłustą Maggi, zwaną przyspieszaczem opalania, w cenie 50 funciaków za buteleczkę. Nie mam czasu na nic z tych rzeczy, a poza tym – czy naprawdę istnieje jakaś różnica między faktorem 6 a 8? Uważam, że mniej więcej taka, jak między mlekiem półtłustym a odtłuszczonym.

Poza tym, jeśli już znajdę się w słońcu, pozostaję w przekonaniu, że promień UV, który przebył 150 milionów kilometrów przez przestrzeń kosmiczną i przeżył gwałtowny atak górnej warstwy atmosfery Ziemi, nie może zostać zniszczony przez niewidoczną warstewkę oleju kokosowego. Wskutek tego ogarnia mnie paniczny strach przed oparzeniem słonecznym, co jest czwartą najgorszą rzeczą, jaka może się człowiekowi przydarzyć.

Po chorobie morskiej, eboli i jeździe autobusem.

Oczywiście zazwyczaj faktycznie ulegam poparzeniu, bo zawsze istnieje duże prawdopodobieństwo, że zapomniałem nakremować jakąś odkrytą część ciała, na przykład grzbiety stóp. Wtedy muszę spędzić resztę wakacji nosząc skarpetki. Już dziesięć lat temu nauczyłem się, że tańszym, mniej niebezpiecznym i o wiele mniej skomplikowanym sposobem spędzania wakacji jest czytanie książki w cieniu.

Zwróćcie uwagę, że kremem trzeba smarować również swoje dzieci, które o 8 rano są już pokryte piaskiem i nie chcą usiedzieć w bezruchu. Dlaczego dziecięce kremy przeciwsłoneczne muszą mieć konsystencję i rozsmarowywalność Poxipolu? Z tego powodu każę moim dzieciom bawić się na plaży w kostiumie płetwonurka.

Moja żona ma inne podejście. Radośnie spędza godzinę wcierając w dziecko tłusty piasek, a następnie kolejną, smarując się czymś, co jak na mój gust jest po prostu olejem do smażenia. I nie, nie posmaruję ci tym pleców.

Po tym wszystkim żona idzie na plażę i, po przeanalizowaniu konfiguracji ciał niebieskich, ustawia swój leżak tak, żeby przez cały dzień nie musieć go przesuwać. I rzeczywiście go nie przesuwa. Po prostu na nim leży i puszcza soki jak pieczony ziemniak. Muszę jednak przyznać, że efekt jest oszałamiający. W zaledwie dwa tygodnie zmienia się z ciemnowłosej piękności w żółwia skórzastego.

Oczywiście w dwa tygodnie po naszym powrocie do Anglii powraca do dawnego wyglądu. Co oznacza, że równie dobrze mogła spędzić dwa tygodnie w piekarniku.

To, co chcę powiedzieć, jest proste. Jeśli chcesz się opalić, załatw sobie pracę przy robotach drogowych. Wtedy będziesz mógł pojechać na wakacje do Islandii. To miejsce jak z bajki, ale jedno słowo ostrzeżenia: pewnego dnia pokazało się słońce, a ponieważ znajdowałem się wewnątrz koła podbiegunowego, nie zadbałem o ochronę. Do dzisiaj mam na szyi kawał spalonej skóry.

Niedziela, 4 września 2005 r.

Wędkowanie to naprawdę śliska sprawa

Zacząłem moczyć robaka, albo „wędkować" – nazywajcie to, jak chcecie. To nie dlatego, że nie lubię już mojej żony i wolę spędzić sześć godzin bawiąc się robakami na brzegu kanału. I nie dlatego, że chcę zjeść to, co złowię. O wiele łatwiej, smaczniej i mniej „ościście", jest kupić rybę w sklepie, pod postacią paluszków.

Zacząłem wędkować, ponieważ obecnie jestem poławiaczem homarów. Mam pięć pułapek, czyli maksymalną dopuszczalną prawnie liczbę, i co rano muszę je napełniać czymś, co wydaje oleisty zapach ryby znajdującej się w niebezpieczeństwie.

Pomyślałem, że zamiast znów wsiadać do volvo i kupować makrelę w sklepie rybnym, miło byłoby wpasować się w naturalny łańcuch pokarmowy kupując wędkę i łapiąc makrelę samemu.

Sprzedawca powiedział, że tu, gdzie mieszkam, najlepszą metodą, by złowić makrelę, jest użycie piór. Dobra jest! Zastrzeliłem więc mewę i użyłem jej upierzenia, by złapać rybę, która przyciągnie homary. Wspaniale. A jednak to nie tak. Okazuje się, że pióra to małe paseczki folii aluminiowej, z których każdy skrywa haczyk.

Kupiłem więc paczkę piór, przywiązałem je do żyłki i zarzuciłem w morze, gdzie z zażartą nieustępliwością rzepa przyczepiły się do kępy glonów. Ciągnąłem, szarpałem i targałem, aż zerwała się żyłka. Wtedy wróciłem do sklepu po nową.

Wkrótce stało się to rutyną. Wstać. Pójść do sklepu dla wędkarzy. Kupić pióra. Wrzucić je do morza. Stracić je. Wrócić do sklepu dla wędkarzy. Później spotkałem mężczyznę, który doradził mi stosowanie żywej przynęty i spławika.

Wymagało to przywiązania wielu rzeczy do innych rzeczy. Po chwili, poleciwszy wszystkim odsunąć się na bezpieczną odległość, zarzuciłem wędkę i zobaczyłem, jak wszystkie zawiązane przeze mnie węzły rozwiązują się, a całość tonie. Wtedy znowu poszedłem do sklepu dla wędkarzy.

Szczerze mówiąc, byłoby prościej i taniej, gdybym co rano do morza wrzucał mój portfel. Właściciel sklepu powiedział, że przez 30 lat nie spotkał nikogo, kto straciłby tyle sprzętu. A było to zanim przy pewnym energicznym zarzuceniu odpadł cały kołowrotek i też bezpowrotnie przepadł. Nawet krótki spacer nad morze był najeżony trudnościami, ponieważ zwykle haczyk zaczepiał się o jakiś niezwykle istotny element i cała żyłka plątała się spadając ze szpulki. Typowy dzień wyglądał wtedy następująco. Wstać. Iść nad morze. Rozplątać węzły. Wrócić do domu.

Na szczęście w pobliżu miałem wielu miejscowych, którzy wyjaśniali mi, co robię źle.

Wyglądało na to, że wszystko. Stałem w niewłaściwym miejscu. Nosiłem koszulkę w nieodpowiednim kolorze i zarzucałem wędkę w zły sposób.

– Przecież nie chodzi panu o węgorze – powiedział pewien żylasty i zasolony wilk morski. – Potrzebuje pan makreli.

– Phi – powiedział inny. – Bardziej niż to, czego się używa, ważne jest, kiedy. Najlepsza jest martwa woda.

– Nieprawda – zaoponował jego kolega.

Było to zadziwiające. Ludzie wędkują od zarania dziejów i wciąż jeszcze nie powstała ostateczna lista, co należy, a czego nie należy robić. 20 milionów lat ciągłych kłótni.

Później jakiś facet doradził mi użycie błystek, czyli błyszczących kawałków metalu zakończonych haczykiem. Wrzuca się je do morza, wciąga z powrotem, wrzuca do morza, rozplątuje kilka węzłów i wciąga z powrotem. I tak dalej. Aż do śmierci.

To zadziałało. No, prawie. Raz za razem wędka trzęsła się, gdy ryba łapała błystkę, ale ponieważ Hiszpanie poczęstowali się już wszystkim, co jest większe od ciernika, w naszych wodach pozostał jedynie szeroki wybór insektów morskich.

I najwyraźniej moja siedmiocentymetrowa błystka była za duża, by zmieścić się w ich mikropyszczkach.

Dlatego spróbowałem z mniejszą, ale ponieważ nie zrobiłem dobrego węzła, odpłynęła. A później – nie zgadniecie – złapałem rybę.

Wszelkie dane z mojego atlasu ryb wskazywały, że jest to pielęgnica Meeka. Tyle, że pielęgnice Meeka znajduje się zwykle w okolicach Gwatemali, a nie w Morzu Irlandzkim.

Ta tajemnica została wyjaśniona przez kolejnego zasolonego wilka morskiego, który powiedział, że był to wargacz. Inny zaś twierdził, że był to dorsz. W każdym razie homarom bardzo to smakowało i tego wieczora jadłem już skwierczącego faszerowanego skorupiaka.

Następnego dnia złapałem więcej ryb, niż potrzeba do napełnienia wszystkich moich pułapek na homary. Później szło już jak po maśle. Wyłuskiwałem okruszki spod wielkiego niebieskiego stołu Manuela.

Oczywiście jestem świadomy, że większość wędkarzy wypuszcza na wolność to, co złowi, ale nie jest to takie łatwe, jak mogłoby się wydawać, ani z technicznego, ani z moralnego punktu widzenia. Szczególnie wtedy, gdy haczyk przeszedł dokładnie przez lewe oko ryby.

Wydawało mi się to niewłaściwe, żeby tak sobie wyciągnąć ją z morza, oślepić i wrzucić z powrotem. Życie ślepej ryby na pewno nie jest łatwe.

Uderzyłem ją więc w głowę i włożyłem do zlewu. Pozostała tam do czasu, aż w kuchni zaczęło bardzo brzydko pachnieć. Wtedy wrzuciłem ją z powrotem do morza.

Podsumowując – uważam, że wędkarstwo jest okrutnym i głupim sposobem marnotrawienia czasu. Ale każde zarzucenie wędki wywołuje takie bicie serca jak przy hazardzie. I zawsze jest czas na jeszcze jedno, ponieważ może to właśnie ono przyniesie wielką wygraną. Uwielbiałem to.

Oprócz tego wędkarstwo jest dobre dla zdrowia. Wędkowanie z błystką to aktywność na świeżym powietrzu zajmująca obie ręce. A to oznacza, że nie da się palić.

Niedziela, 11 września 2005 r.

Wiadomość w butelce niechluja

W tym tygodniu, po tym jak zarobiłem tortem w twarz, pomyślałem, że dobrym pomysłem byłoby napisać coś o środowisku naturalnym. Na początek zajmijmy się więc składem wody morskiej. Jest w niej woda, to jasne, i trochę soli, kapka chloru, odrobina siarki i szczypta magnezu.

Jako modne dziś przybranie, znajdują się w niej także buty, parę milionów plastikowych butelek, kilkaset tysięcy jednorazowych zapalniczek, jakieś volvo i pół tryliona kilometrów nylonowych lin.

Wiem o tym wszystkim, ponieważ ostatnio kupiłem domek nad morzem. W dzikim i surowym miejscu, pełnym fok i rybołowów.

Ale właściwie nie zauważa się tam dzikiej przyrody, ponieważ po każdym przypływie wszystko pokryte jest grubą warstwą śmieci.

Nie bójcie się. Phantom Flan Flinger[1] nie zamienił mnie w jakiegoś zwariowanego ekologa. Zawsze żywiłem głęboką nienawiść do ludzi, którzy śmiecą. Kiedyś, na jakimś przejeździe kolejowym, kierowca samochodu stojącego przede mną wyrzucił przez okno zawartość popielniczki. Ogarnęła mnie wtedy nagła potrzeba zdarcia mu skóry z twarzy za pomocą noża do cięcia wykładzin.

---

[1] Popularny bohater programu telewizyjnego dla dzieci i młodzieży z lat 1970., który rzucał tortem w publiczność, porównaj też s. 385.

Niestety, akurat nie miałem go pod ręką, więc zamiast tego zebrałem wyrzucone przez niego niedopałki i papierki po cukierkach. Na następnych światłach wrzuciłem mu to wszystko przez otwarte okno do samochodu, mówiąc:

– Chyba coś zgubiłeś!

Niestety, nie da się odszukać ludzi, których śmieci pokrywają należącą do mnie część brzegu, a szkoda, ponieważ chciałbym zadać im parę pytań. Na przykład: „Jak na miłość boską jesteś w stanie, ty kretyński imbecylu, zgubić podczas spaceru swoje pieprzone buty?".

Znajduję też całe kilometry wyrzuconego kabla. To doprawdy niepojęte. Co za długoręki debil, chcąc naprawić jakąś usterkę w tosterze, postanawia: „Już wiem, zrobię to stojąc w morzu"?

Z braku winnych do przepytania a następnie zabicia, przeprowadziłem badania, jakie produkty upodobali sobie śmiecący niechluje.

Na pierwszym miejscu znajduje się pełnokaloryczna coca-cola. Następnie mamy zapalniczki BIC i margarynę Flora, co skłania do postawienia kolejnego pytania. Jestem w stanie zrozumieć, że na spacer brzegiem morza zabiera się napój chłodzący i zapalniczkę, ale chyba nie margarynę?

„No dobrze, dzieci. Czy wzięliśmy już wszystko na naszą przechadzkę po plaży? Buty, które spadną nam z nóg. Fajki taty. Picie. Jakiś elektryczny sprzęt, który tam będziemy naprawiać. O rany, prawie zapomnieliśmy o pudełku margaryny na wypadek, gdybyśmy zgłodnieli."

Mogę również ujawnić, że śmiecący mają słabość do chipsów Walkera z solą i octem. I tu wyłania się pewien obraz: margaryna, chipsy, cola, pety – wszystko to, czego współczesny tępak potrzebuje, by przeżyć. A nie używając bata jako kary i ciastek dla psów jako nagrody, nie da się wytresować tępaka, żeby wyrzucał swoje śmieci do kosza.

Cóż można więc zrobić? Możecie wybić sobie z głowy zwracanie się do samorządu lokalnego, by posprzątał, ponieważ oni po prostu ogrodziliby wszystko czerwoną taśmą, co jeszcze pogorszyłoby sprawę. Nie można również polegać na ekologach, ponieważ są zbyt zajęci rzucaniem mi w twarz tortami.

Próbuję więc brać sprawy w swoje ręce, ale nawet na moim malutkim kawałku brzegu ilość śmieci jest przytłaczająca. A jeśli spróbujemy to wszystko zebrać i podpalić, skończy się na tłumie narzekających na dym ekoświrów i na lepkiej, ciągnącej się mazi. Na tym polega problem z plastikiem. Nie można się go pozbyć.

Co w takim razie powiecie na następujący pomysł: ostatnio producenci samochodów dowiedzieli się, że kiedy któryś z ich produktów osiągnie kres egzystencji, są odpowiedzialni za jego utylizację. Dlaczego więc nie można by zastosować tego w szerszym zakresie? Jeśli znajdziesz wyrzucone pudełko po margarynie, zabierasz je z powrotem do Flory, która musi ci wtedy zapłacić. Chciałbym, by było to 500 funtów, ale myślę, że nawet 50 pensów załatwiłoby problem.

Efekt byłby podwójny. Po pierwsze, stałbym się zdumiewająco bogaty, a po drugie zmusiłoby to Florę i Walkera do dogłębnego zastanowienia się nad zaletami papieru i kartonu.

A co z coca-colą? Czy coś złego jest w szkle? Jest zrobione z piasku, sody i wapienia, co oznacza, że jest całkowicie naturalne. A to oznacza, że produkt nie nabiera smaku opakowania, i właśnie dlatego cola lepiej smakuje ze szklanej butelki, niż z plastikowej.

Co więcej, kiedy szklana butelka zostaje wrzucona do morza, tłucze się na małe kawałki, które następnie są wygładzane przez fale do czasu, aż wreszcie lądują w eleganckiej misie z firmy Conran na parapecie w naszej jadalni.

Pewnie myślicie, że koszty przejścia na szkło byłyby zaporowe, ale w rzeczywistości szklana butelka kosztuje około 5,5 pensa, a plastikowa mniej więcej pół pensa więcej. Oczywiście ta różnica w cenie jest niwelowana przez problemy z transportem – szkło się tłucze. Ale właśnie tu dobrze sprawdziłby się mój pomysł ze zwrotem pieniędzy. Wyciąłby plastik z rynku.

Okazuje się jednak, że największy problem ze szkłem jest taki, że po zamknięciu pubów może być użyte jako broń. Rada miejska Glasgow już zakazała używania szklanych butelek w centrum miasta, a obecnie wprowadzenie podobnej ustawy rozważa rząd.

To idiotyczne, ponieważ ci, którzy wieczorami walczą ze sobą za pomocą szkła, to właśnie te spasione prostaki, które śmiecą. Jeśli więc przejdziemy na szkło, wytłuką się nawzajem, a na plażach będzie mniej śmieci. Czyli wygrywamy na wszystkich frontach.

Niedziela, 18 września 2005 r.

Wielcy nieprzybyli naszych czasów

Całkowicie rozumiem, że w dzisiejszych, pełnych pośpiechu czasach, gdy pracujemy do późna i wiele godzin spędzamy stojąc w korkach, nie zawsze można zdążyć punktualnie na umówione spotkanie. Dlatego właśnie, jeśli mam się zobaczyć z kimś w restauracji, zawsze daję mu 60 sekund łaski, zanim wstanę od stołu i udam się do domu.

Istnieje wiele sposobów na obrażenie człowieka. Można drwiąco prychnąć oglądając zdjęcie jego dzieci albo przerąbać go siekierą na pół. Zawsze jednak byłem zdania, że największą możliwą obrazą jest spóźnić się na spotkanie.

Najbardziej boli ukłucie tego subtelnego przekazu, tej dyskretnej sugestii, że wasz czas jest wart więcej, niż czas tej drugiej osoby. Że można kazać jej czekać, bo, w końcu – cóż innego ma do roboty?

Robią tak linie lotnicze, nalegając by zjawiać się na lotnisku dziewięć godzin przed odlotem, bo to im ułatwia życie. Robią tak również zakłady użyteczności publicznej, które każą nam zostawać w domu od godziny dziewiątej do lutego, żeby ich fachowiec mógł wpaść, kiedy akurat ma czas i ochotę. To jest po prostu chamstwo i nie można tego określić inaczej.

Jednak ostatnio otworzyły mi się oczy na coś jeszcze gorszego, niż pojawienie się na spotkaniu z opóźnieniem:

niepojawienie się wcale. Ta choroba wydaje się dotykać głównie ludzi będących w centrum zainteresowania, ludzi, którzy prawdopodobnie są zapraszani na tak wiele uroczystych spotkań, że najłatwiej jest im przyjąć zaproszenie na wszystkie, a decyzję o przybyciu podjąć dopiero tego konkretnego wieczora.

Kiedy nagrywamy *Top Gear*, żyję w ciągłym strachu, że „gwiazda w samochodzie za rozsądną cenę" po prostu zostanie w domu i będę zmuszony przeprowadzić wywiad z krzesłem.

Czy to się zdarza? Och tak, i to ludziom, po których najmniej bym się tego spodziewał. Na przykład Davinie McCall[1]. I, co zadziwiające, Davidowi Dimbleby[2].

Oczywiście, oboje mieli w pełni uzasadnione usprawiedliwienia, ale ponieważ nie mogli się pojawić, musieliśmy znaleźć kogoś w zastępstwie, i to mając bardzo niewiele czasu.

To bardzo trudne zadanie. Zwykle kończy się tak, że zapraszamy do programu kogoś, o kim nigdy wcześniej nie słyszeliście.

Podobnie jak spóźnianie się, również niepojawienie się na spotkaniu niesie z sobą klarowny dla mnie przekaz: „moje życie jest ważniejsze od twojego".

Przez kilka ostatnich tygodni pomagałem w zorganizowaniu charytatywnych wyścigów gokartów.

Różne przedsiębiorstwa płacą za to, że mogą zaprosić swoich gości, a my znajdujemy jakąś sławę, która zostaje kapitanem drużyny. Później następuje kolacja i poucza-

---

[1] Brytyjska aktorka i prezenterka telewizyjna, znana m.in. z prowadzenia programu *Big Brother*.

[2] Prezenter telewizji BBC i komentator.

jące widowisko, gdy Johnny Vegas[3] wymiotuje do dzbanka z herbatą. Przynajmniej tak właśnie było w zeszłym roku.

Wiem, że dla ludzi z telewizji takie imprezy to nudy. Ostatnią rzeczą, jaką chcą robić w piątkowy wieczór jest wyjazd do Milton Keynes, aby mogło ich tam obejrzeć stu sprzedawców fotokopiarek.

Dlatego właśnie nie mam problemu, gdy 99 procent ludzi odmawia: „Nie, dziękuję. Wolałbym spędzić wieczór siedząc w wannie pełnej zimnej zupy jarzynowej".

Prawdziwy problem mam natomiast z tymi, którzy mówią: „Eee... tak, możesz mnie wpisać", a następnie sami wypisują się na dwa dni przed imprezą.

W tym roku jako pierwszy chciał się wycofać Richard Hammond. To ten niskawy facet, z którym pracuję. Twierdził, że tego wieczora ma występ dla jakiejś spółki. Ale kiedy zasugerowałem, by przeznaczył swoje honorarium na cele dobroczynne, szybko wpadł na pomysł, że może skorzystać z helikoptera i wziąć udział w obu imprezach.

Następnie James May (to ten spokojny i wrażliwy) zadzwonił, by powiedzieć, że musi nagle wyjechać do Szkocji. Owszem, piloci myśliwców mogą dowiedzieć się znienacka, że są nagle potrzebni gdzie indziej. To samo dotyczy ratowników morskich. Ale nie dziennikarzy motoryzacyjnych. Zresztą akurat do Szkocji nikt nie musi nagle jechać.

Obawiam się, że James zachorował na syndrom Jade Goody[4] – martwię się, że myśli, iż nie potrzebuje przyjaciół, ponieważ zamiast nich ma fanów. A jeśli straci kilku spośród nich, zawsze pół miliona kolejnych będzie czekało w kolejce, aby wpisał ich do swojego notesu z adresami.

Mało brakowało, a napisałbym poważny list z zażaleniem, ponieważ jego odmowa oznaczała, że musiałem spędzić całe dwa dni próbując znaleźć zastępstwo, czyli kogoś, o kim wiedziałem, że powie „dobrze", a następnie i tak nie pojawi się na imprezie. Jeśli Dimbleby może to zrobić, to każdy może.

Tak naprawdę jedyną osobą w show-biznesie, na której można polegać w stu procentach, jest Michael Winner[5]. W porównaniu z nim zawodna jest nawet zegarynka.

Tyle że jakoś nie widzę go w gokarcie. Dlatego pozostał mi tylko Ronnie Winner, na którym także można polegać, ale który prowadzi warzywniak, i dlatego goście płacący za zaproszenia nie uznaliby go za gwiazdę. W tej chwili właśnie czekam, aż oddzwoni do mnie brat Steve'a Coogana[6].

Jednocześnie ludzie z cateringu ciągle dzwonią i pytają, ile osób będzie na kolacji.

Zasugerowałem, żeby zaprosili do kuchni Jezusa, ponieważ może będzie ich pięć, a może pięć tysięcy. To samo przerabiam z ludźmi dostarczającymi stoły i krzesła, oraz z przedsiębiorstwem taksówkowym.

Organizowanie przyjęcia, gdy nie ma się zielonego pojęcia, ilu ludzi przyjdzie, ani kiedy przyjdą, ani kiedy pójdą, jest jak przygotowywanie sałatki z zamkniętymi oczami. Nie wiadomo, czy wyjdzie z tego nicejska, czy cesarska, ani czy tajemnicze składniki w ogóle trafią do salaterki.

---

[5] Patrz przypis 4 na s. 346.
[6] Patrz przypis 1 na s. 323.

Za to dokładnie wiem, co zrobię Jamesowi May'owi. Poczekam, aż to on będzie urządzał przyjęcie i wtedy, 24 godziny wcześniej, pokażę mu, co to jest prawdziwe chamstwo: zabiorę wszystkich jego gości na bezpłatne wakacje na Barbados. Pod warunkiem, że wcześniej nasikają mu do skrzynki na listy.

Niedziela, 24 września 2005 r.

Uwiodły mnie Brodate Linie Lotnicze

Zadanie felietonisty polega na szukaniu dziury w całym. Doszukiwaniu się rozdźwięku tam, gdzie panuje harmonia. Rozpylaniu wywołującej katar sienny odrobiny kurzu w atmosferze doskonałego letniego dnia.

Niestety, trudno jest czepiać się czegoś, co się kocha. O dziwo, jedną z tych rzeczy, którą najbardziej kochałem przez te wszystkie lata była pierwsza klasa w samolotach British Airways. Kocham to, że gdy kończysz pracę w jakiejś zapomnianej przez Boga i ludzi zapadłej dziurze Trzeciego Świata, na pokładzie ich samolotu wita cię jakiś homoseksualista w szarych, flanelowych spodniach i możesz wtedy pomyśleć: „Uff. Jeszcze nie wystartowaliśmy, a ja już jestem w domu".

Kocham ich babeczki z bitą śmietaną. Kocham to, że gdy coś idzie nie tak, zawsze mają pod ręką zapasowy samolot. I kocham spokój ich pilotów, spośród których wszyscy noszą zdrobniałe chrześcijańskie imiona i dodające otuchy, trzysylabowe nazwiska:

– Panie i panowie, witam was na pokładzie. Z kabiny pilotów mówi do państwa Mike Richardson…

O, a jak się starali, by przez te wszystkie lata zniechęcić mnie do siebie! Najpierw zerwali z eleganckimi, błękitno-szarymi barwami firmowymi i zastąpili je tymi okropnymi, przedblairowskimi, etnicznymi rysunkami na stateczmikach. Potem w miejsce wspaniałych jumbo jetów kupili nudne i gnuśne Boeingi 777.

Nawet gdy przestałem latać tak często jak kiedyś, a oni zdegradowali mnie z posiadacza karty, która upoważniała mnie do siedzenia na kolanach kapitana, do posiadacza karty, która nie dawała mi nawet wstępu do kibla w klasie turystycznej, wciąż pozostałem lojalny. A co zrobiłem, gdy wycofali Concorde'a? Czy zaczęła mnie rozpalać gorączka świętego oburzenia? Czy zacząłem ciskać gromy? Nie.

Zwaliłem winę na Francuzów.

Pewnego dnia znów wybrałem British Airways, mimo iż wiedziałem, że ich dostawa żywności utknęła na rondzie w Slough i że nie będzie babeczek. Żeby dać wam przykład mojego oddania, powiem tylko, że gdy negocjowałem mój kontrakt z telewizją BBC, jedyne żądanie z mojej strony było takie, iż jeśli tylko będzie to możliwe, będę latał liniami British Airways.

W zeszłym tygodniu nie było to jednak możliwe i dostałem bilety na lot do San Francisco w wyższej klasie samolotem wroga. Samolotem linii lotniczych Virgin Atlantic.

Leciałem już kiedyś tymi Brodatymi Liniami Lotniczymi i gdy kazano mi założyć „śmieszne słuchawki", i wysłuchać instruktażu na temat bezpieczeństwa, zacząłem się poważnie zastanawiać, czy nie otworzyć drzwi i nie wyskoczyć z samolotu. Na miłość boską, przecież to są linie lotnicze, a nie wycieczka przedszkolaków!

Ale tym razem zaproponowali, że mogą wysłać po mnie samochód. To było coś, czego linie British Airways nigdy nie zrobiły. Oczywiście nie była to luksusowa limuzyna, znana z reklam z udziałem Helen Mirren[1]. Tak naprawdę samochód przypominał bardziej volvo.

Mimo to, zostałem podwieziony do strefy odprawy bagażu, gdzie nie musiałem nawet wysiadać – ktoś odprawił moją torbę, a ja dostałem kartę pokładową. Zrobiło to na mnie wrażenie. Później piękna, szczupła dziewczyna, wyglądająca dokładnie tak, jak powinny wyglądać zatrudniane przez linie lotnicze osoby, odprowadziła mnie do poczekalni linii Virgin.

Mój Boże. Czułem się tak, jakbym wszedł do muzeum sztuki współczesnej. Całe wnętrze ociekało stylem, który charakteryzuje się tym, że nie można otworzyć ani zamknąć drzwi do toalety, a serwowane wino pochodzi z Norwegii. Było po prostu fantastyczne!

W poczekalni British Airways można dostać filiżankę kawy i herbatnika, a w dodatku jest tam samoobsługa.

Tu była restauracja, bary, miejsce dla palaczy, które nie wyglądało jak szklane akwarium rodem z zoo, fryzjer, kilka salonów masażu, parę łaźni parowych i jakiś biznesmen gadający w jacuzzi przez komórkę.

Ten obrazek nie należał do najzwyklejszych. Gdy latasz liniami British Airways, wszyscy siedzą przy laptopach i pozują na idiotów z lotniskowych billboardów, na których reklamują się amerykańskie banki. W przypadku linii Virgin, większość pasażerów wygląda jak ludzie, którzy mogliby wpaść do ciebie na kolację. Jeden z nich był oświetleniowcem zespołu Eagles. Kilku innych było kobietami.

---

[1] Brytyjska aktorka teatralna, filmowa i telewizyjna, nagrodzona Oscarem za główną rolę w filmie *Królowa* (2006).

Zafundowałem sobie masaż, który – jak stwierdziła wykonująca go dziewczyna – był jak próba rozluźnienia napięcia w drzwiach lodówki. To dlatego, że nie mogłem trafić do toalety, przez co wiłem się w konwulsjach. Potem zadzwoniłem do biura i zapytałem, ile to wszystko kosztuje.

– Mniej więcej tyle samo, co klasa biznes w British Airways – odpowiedziała dziewczyna po drugiej stronie słuchawki.

To dziwne. Zwykle dwa produkty w tej samej cenie i o tym samym przeznaczeniu działają mniej więcej w ten sam sposób. Ford jest bardzo zbliżony do Opla. Woda mineralna Evian jest bardzo zbliżona do tego, co wypływa z kranu. Ale przepaść oddzielająca linie Virgin od British Airways jest po prostu astronomiczna. A jeszcze nawet nie wsiedliśmy do samolotu!

Na pierwszy rzut oka samolot wyglądał tak samo jak te z British Airways. Był tam nawet homoseksualista witający nas na pokładzie, babeczki i sterowane elektrycznie fotele. Ale w przypadku Virgin można było zamówić jeszcze jeden masaż u dziewczyny w pończochach podtrzymywanych na pasie. Był tam również bar. Mam na myśli bar z prawdziwego zdarzenia, taki, gdzie można się rozwalić na ladzie.

Co więcej, w samolotach British Airways ogląda się filmy wtedy, gdy właśnie je pokazują. W samolotach linii Virgin jest się panem własnego losu dzięki technologii, która prędzej czy później odmawia posłuszeństwa. I tak właśnie stało się w drodze powrotnej, ale ponieważ lecieliśmy Boeingiem 747, podróż trwała niecałe 9 godzin, w związku z czym nawet mi to nie przeszkadzało.

No i proszę. Wreszcie znalazłem coś, co można zarzucić liniom British Airways. Po prostu nie są wystarczająco dobre. A teraz czas na to, by jednym pytaniem, jak superbakterią, spaskudzić omlet Brodacza. Jeśli potrafisz stworzyć linie lotnicze lepsze niż najlepsze linie na świecie, jak to się dzieje, że twoje pociągi to takie kompletne dno?[2]

Niedziela, 2 października 2005 r.

---

[2] Do koncernu Virgin należą też linie kolejowe Virgin Trains.

Nasz naród ma się dobrze

Wkrótce czynienie obraźliwych uwag o ludziach innej narodowości będzie nielegalne. Ale jeszcze tak nie jest. Dlatego tego ranka zaczniemy od pewnej obserwacji. Uważam, że ludzi każdej narodowości na świecie można podsumować jednym słowem. Amerykanie są grubi, Hiszpanie leniwi, Niemcy drętwi, Rosjanie piją, Australijczycy są drażliwi, a Grecy homoseksualni.

Świetnie, ale jak myślicie, jakiego słowa użyliby ludzie z innych stron świata, aby podsumować Brytyjczyków? Spodziewam się, że gdyby zetknęli się z naszą drużyną futbolową albo niektórymi naszymi wczasowiczami, to słowo mogłoby z powodzeniem brzmieć: „chuligani"; jednak tak naprawdę sądzę, że przeważająca część określiłaby nas jako „uprzejmych".

Panuje przekonanie, że spędzamy czas nosząc meloniki, stojąc w towarzystwie kobiet i ustępując miejsca w pociągu starszym i niepełnosprawnym. Ale to wyobrażenie jest dalekie od prawdy, ponieważ jeśli chodzi o uprzejmość, uważam, że w rzeczywistości Brytyjczycy plasują się pomiędzy Izraelczykami a lampartami morskimi, tymi grubymi i złośliwymi kanaliami, które zabijają pingwiny dla zabawy.

W zeszłym tygodniu „Reader's Digest" dostarczył pewnych dowodów na poparcie tej tezy. Dziennikarze tego magazynu krążyli po największych miastach kraju, ułatwiając kierowcom włączanie się do ruchu, aby sprawdzić, czy za to podziękują, i z premedytacją upuszczając torby z zakupami, by zobaczyć, czy ktoś pomoże im to wszystko z powrotem pozbierać.

Następnie przyznano każdemu miastu miejsce w rankingu uprzejmości, i w zasadzie wszystkie miasta oprócz Newcastle i Liverpoolu wypadły źle. Za najbardziej nieuprzejme uznano Birmingham.

Upuść zakupy w centrum handlowym w Birmingham – Bullringu, a niewykluczone, że zostaniesz zabity i pożarty.

No i dobrze. Birmingham jest miastem, które pan Blair nazwałby wielokulturowym, a to badanie pokazuje, że ci, którzy tu niedawno przyjechali, już zaczynają kapować, co oznacza bycie Brytyjczykiem.

Najważniejsze, by nie znać nazwiska najbliższego sąsiada. Po co? Mieszkanie na tej samej ulicy, co ktoś inny, wcale nie jest argumentem za tym, by zostać przyjaciółmi. W rzeczywistości, jedyna sytuacja, gdy powinien zwrócić na was uwagę wasz sąsiad ma miejsce wtedy, gdy od dziewięciu miesięcy leżycie martwi w kuchni.

To rdzennie brytyjska tradycja: możliwość gnicia w spokoju. We Włoszech nie zdążylibyście nawet ostygnąć, a już pół miasta zaczęłoby się dobijać, by sprawdzić, co jest nie tak.

I nie mam na myśli jedynie miast. Z okna mojego biura widzę pół tuzina domów rozsianych po okolicy i z dumą mogę powiedzieć, że nie wiem, kto mieszka w którymkolwiek z nich. A według Billa Brysona, nie inaczej jest w hrabstwie York, które zawsze uchodziło za przyjazne miejsce. Bryson musiał mieszkać w Dales przez całe lata, zanim ktoś z miejscowych leniwie pomachał ręką, by potwierdzić, że zauważa jego obecność.

Nie zgadzacie się z tym? W takim razie wybierzcie się na spacer z psem po polu pełnym owiec i przekonajcie się, czy podoba się wam wiejskie powitanie, które nadleci w kierunku waszego psiska z dymiącej lufy śrutówki kalibru 12 mm.

Gdyby jakiś turysta zechciał z pierwszej ręki doświadczyć typowo brytyjskiej wymiany zdań, powinien skierować się do lokalu Grab'n'Go w BBC. Potrafię tam kupić butelkę coli light, krakersy serowe i batonik Picnic nie zamieniając z kasjerką ani słowa. Bierze towary, skanuje ich kody kreskowe, leniwie wskazuje na wyświetlacz kasy, bierze pieniądze, a wtedy ja sobie idę.

Pomyślcie tylko, jaka to oszczędność czasu.

Można by nawet uznać, że Wielka Brytania podbiła jedną czwartą świata po prostu dzięki temu, że nikt nie marnował życia na mówienie każdemu, kogo spotkał: „Miłego dnia!".

To od razu przywodzi mi na myśl mojego listonosza. Widzę go każdego ranka, czy to deszcz, czy globalne ocieplenie, a jedyne, co kiedykolwiek słyszę z jego ust, to „proszę tu podpisać". Właściwie to ostatnio posunęliśmy się jeszcze dalej. Teraz listonosz jedynie wskazuje na swój formularz, ja wpisuję tam moje nazwisko, a on z powrotem wsiada do swojej furgonetki. Genialne.

Mówi się, że dziś prawdziwej ciszy można doświadczyć jedynie na pustyni, ale to najzwyklejsza nieprawda. Jeśli chcecie zaznać prawdziwego spokoju, po prostu wsiądźcie do zatłoczonej brytyjskiej windy. Właśnie zrobiłem to wczoraj, zresztą w Birmingham, i nikt nie wydał z siebie ani jednego dźwięku, nawet gdy drzwi się zamknęły, a ta przeklęta maszyna nie chciała ruszyć się z miejsca.

A gdzie indziej na świecie można przeczytać w gazecie o sąsiadach wszczynających wojnę o żywopłot, albo o pożyczony i nie zwrócony wąż ogrodowy? Czy możecie sobie wyobrazić kogokolwiek w Szwajcarii, kto na drodze dostaje ataku furii?

Mówi się, że Nowy Jork to prymitywne miejsce, ale w porównaniu z Wielką Brytanią jest to po prostu bardzo wysoka i hałaśliwa odmiana prywatnego menedżerskiego college'u Lucie Clayton.

Czy gdzieś poza Wielką Brytanią istnieje miasto, w którym młodzi mężczyźni, i całkiem sporo młodych kobiet, wychodzą wieczorem z domu specjalnie po to, by się pobić?

Gdzie jeszcze można zarobić dziurę w głowie za patrzenie na kogoś, albo skończyć z kuflem wbitym w szyję za rozlanie czyjegoś drinka? Nigdzie tam, gdzie byłem; to pewne.

Co więcej, Wielka Brytania to prawie na pewno jedyny taki kraj na świecie, gdzie jedna z wiodących gazet opublikowałaby tekst, zaczynający się stwierdzeniem, że Amerykanie są grubi, Hiszpanie leniwi, a Grecy homoseksualni. W związku z tym Birmingham powinno być dumne, że zostało uznane za najbardziej nieuprzejme miasto. Ponieważ dzięki temu jest również najbardziej brytyjskie.

Niedziela, 23 października 2005 r.

Dwie pary oczu wcale nie są lepsze od jednej

Ostatnio mój wzrok przykuło zdjęcie zamieszczone w magazynie „The Spectator". Ukazywało starszego mężczyznę w dziewiętnastowiecznej scenerii, a pod spodem widniał podpis: „Samuel Hahnemann, prekursor homoseksualizmu".

Wydało mi się to dziwne, częściowo dlatego, że starszy mężczyzna ze zdjęcia, ze swoimi bokobrodami i surdutem, przypominał geja nie bardziej niż, dajmy na to, Sean Connery, a częściowo dlatego, że myślałem, iż homoseksualizm został wynaleziony na długo przed rokiem 1800.

Zagłębiłem się więc w przydługi artykuł towarzyszący fotografii i dość szybko moje zdziwienie zamieniło się w osłupienie. Ponieważ w całości poświęcony był on medycynie alternatywnej.

Dopiero gdy doszedłem do końca i powróciłem do początku, by lepiej przyjrzeć się temu mężczyźnie, spostrzegłem, jaki popełniłem błąd. Samuel Hahnemann nie był prekursorem homoseksualizmu. Był prekursorem homeopatii.

Już od pewnego czasu podejrzewałem, że moje oczy zaczynają się psuć i że dobrym pomysłem byłoby sprawienie sobie okularów. Zawsze się jednak tego obawiałem z prostego powodu. Otóż tak: nie wszyscy ludzie, którzy noszą okulary, zasługują na to, by wsadzić im palec w oko.

Niemniej wszyscy ludzie, którzy aż się proszą, by wsadzić im palec w oko, noszą okulary.

Niestety, soczewki kontaktowe nie są dla mnie dobrym rozwiązaniem, ponieważ jeśli człowiek ma zepsuty wzrok, w jaki niby sposób będzie w stanie je znaleźć po tym, jak spadną na wzorzysty hotelowy dywan? Albo podczas meczu piłki nożnej? Widziałem już zbyt wielu ludzi na czworakach, wrzeszczących: „Niech nikt się nie rusza!".

Jest jeszcze coś. Regularnie pokazuję się w telewizji z przekrwionymi oczami, ponieważ nie mogę używać kropli do oczu, a na samą myśl o poddaniu się skanowi siatkówki czuję się chory. Nie jestem nawet w stanie oglądać zbliżenia czyichś oczu w serialu *Casualty*[1]. Stojąc więc przed wyborem: założenie soczewek kontaktowych albo pożarcie moich genitaliów przez sforę dzikich psów, natychmiast zdjąłbym spodnie.

I właśnie dlatego, ponieważ w zeszłym tygodniu na lotnisku London City musiałem zabić godzinę czasu, wstąpiłem do sklepu z zamiarem zakupienia jakichś okularów.

Nie było to łatwe. Zgodnie z informacją widoczną na wyświetlaczu miałem stanąć w odległości 35 centymetrów i przeczytać różne linie tekstu, z których każda napisana była czcionką innej wielkości. Dobrze. Ale skąd można wiedzieć w sklepie na lotnisku, ile to jest 35 centymetrów? Wreszcie wykombinowałem, że gazeta w formacie „berlińskim" mogłaby być dobrą miarą, więc wreszcie miałem jakiś powód, by kupić „Guardiana".

Gdy go użyłem, aby umieścić nos w odpowiedniej odległości od wyświetlacza, odkryłem, że mogę bez

---

[1] Patrz przypis 1 na s. 95.

najmniejszego problemu przeczytać całą tablicę znaków, oraz nazwę jej producenta i jego adres.

Na tej podstawie należy uznać, że z moimi oczami jest wszystko w porządku.

Ale tak nie jest. Nie mogę czytać „Spectatora" przy 40-watowym blasku mojej nocnej lampki. Nie jestem również w stanie przeczytać menu w restauracji przy świecach. Dlatego też, ponieważ nie chcę przejść przez resztę życia jedząc niewłaściwe jedzenie i myląc homeopatów z homoseksualistami, wybrałem najsłabsze szkła i zająłem się doborem oprawek.

A teraz chwila refleksji. Można śmiało założyć, że większość ludzi potrzebujących okularów nie jest już pierwszej młodości, więc czy ktoś byłby tak uprzejmy i wyjaśnił mi, dlaczego wszystkie oferowane oprawki były tak bardzo „cool" i „anty-hip"? Chciałem coś à la lata 1970., może coś w stylu Aviatora, albo lennonki, ale wszystko, co było w ofercie, to rzeczy, jakie noszą bezwzględni telewizyjni dyrektorzy i ludzie wyglądający jak spaniele.

Byłem pewien, że w żadnej z tych oprawek nie będzie mi do twarzy, ale by się upewnić, założyłem jedne z nich na nos i stanąłem przed lustrem, aby zobaczyć jak się w nich prezentuję.

Trudno było to jednoznacznie stwierdzić, a to z powodu tych wszystkich przywieszek reklamowych i ostrzeżeń z zakresu BHP, zwisających jak chorągiewki z przodu szkieł, które, by jeszcze pogorszyć sytuację, pokryte były naklejkami. Czyż to nie głupota?

Gdy już to wszystko poodklejałem i poodrywałem, podszedłem z powrotem do lustra, aby odkryć, że widzę się zupełnie nieostro. Mogłem z całą pewnością stwierdzić, że to nie ja stoję przed lustrem. Może odbija się w nim olbrzymi plakat z obcym? Na pewno stworzenie patrzące na mnie z lustra miało twarz o szerokości około 5 kilometrów.

I było pokryte olbrzymimi krostami. Jezu Chryste. Nie było ich tam, gdy się rano goliłem, a jednak teraz wyglądałem jakbym oberwał gazem bojowym VX. A z nosa wyrastało mi coś, co wyglądało jak drzewo.

Jak to możliwe, że dziewczyna przy stanowisku odprawy nie zwróciła mi na to uwagi? Ja zawszę mówię ludziom, że wystaje im ze spodni rolka od papieru toaletowego, albo że spódnica weszła im do majtek. Dlaczego więc nikt nie wziął mnie na bok i nie poinformował, że z wypełnionego ropą księżycowego krateru na moim nosie wyrasta olbrzymia sekwoja? Gnojki.

Pospiesznie zdjąłem okulary i poczułem, jak zalewa mnie fala ulgi po tym, jak wszystko powróciło do normalności. Krosty zniknęły, a drzewo z powrotem zamieniło się w małe włoski.

Nic dziwnego, że ludzie noszący okulary są tak denerwujący. Podobnie jak wampiry, żyją w stanie permanentnego lęku, że przez przypadek mogą zobaczyć swoje odbicie w lustrze.

Zdają sobie także sprawę, że ich rozpad już się rozpoczął. Dzisiaj dotyczy on oczu, ale wkrótce proces starzenia się dotknie czegoś o wiele ważniejszego.

Podsumowując: okulary sprawiają, że łatwiej jest czytać „Spectatora" i menu w restauracjach. Niestety, stawiają również w samym centrum pola widzenia fakt, że jesteśmy śmiertelni.

Niedziela, 6 listopada 2005 r.

Niegrzeczne noce w hotelu złamanych serc

Co tydzień w programie *Have I Got News For You?*[1], w rundzie polegającej na uzupełnianiu słów w nagłówkach gazet, wykorzystywana jest tak zwana „specjalna publikacja". Może być nią magazyn „Udany Ziemniak" albo – tak jak ostatnio podczas prowadzonego przeze mnie odcinka – „Wiadomości o Oleju Opałowym dla Kierowców Cystern".

Ha, ha, ha – myślicie pewnie – jakie to zabawne, że ktoś wydaje magazyn dla kierowców cystern i to dla tych, którzy zajmują się zawodowo olejem opałowym. Ale wiecie co? Każdy z tych komicznych „dwukwartalników" to zaledwie wierzchołek olbrzymiej góry lodowej, dowód na to, że pod jej linią wodną znajduje się cała armia ludzi, którzy chcą wiedzieć wszystko o najnowszych, przełomowych w danej dziedzinie wydarzeniach i spotkaniach kadr kierowniczych. Ludzi, dla których olej opałowy i jego transport jest źródłem spłaty hipoteki i utrzymania własnych dzieci.

---

[1] *Have I Got News For You* (HIGNFY) – brytyjski program rozrywkowy w formie quizu, polegający na zabawnych komentarzach i grach słownych wokół wiadomości bieżącego tygodnia. Program prowadzony jest przez trzech prezenterów, z których dwóch to kapitanowie drużyn złożonych ze znanych postaci medialnych. W fotelu głównego prowadzącego zasiadają niekiedy popularni aktorzy, prezenterzy, piosenkarze itp. Przygotowywana jest polska edycja tego programu.

I tak jak w przypadku każdej innej gałęzi przemysłu, również i ta będzie miała swoją wystawę, podczas której prezentowane będą związane z nią nowinki. Taka wystawa zostanie z pewnością zorganizowana w National Exhibition Centre w Birmingham, co oznacza, że ci, którzy odpowiadają za uzupełnianie zasobów naszego kraju, znajdą schronienie na noc w pobliskim hotelu „Metropole".

Gdy meldowałem się tam w zeszłym tygodniu, „Metropole" sprawiał wrażenie normalnego, międzynarodowego hotelu.

Były tam drzwi obrotowe i dużo roślin, a w pokojach cała masa kanałów z pornografią. Ale w rzeczywistości hotel wcale nie był normalny. Pierwsza oznaka tego, że budynek, do którego właśnie wszedłem, to z pewnością najdziwaczniejsze miejsce na świecie, pojawiła się wtedy, gdy po drodze do mojego pokoju minąłem w holu pracującą na laptopie kobietę w średnim wieku ubraną jak elf.

Okazało się, że pewna firma produkująca wyroby czekoladowe opanowała jedną z sal konferencyjnych, gdzie urządzała coroczną potańcówkę, i żeby przełamać pierwsze lody, nalegała, by cały personel przebrał się w jakieś zabawne kostiumy.

Około godziny jedenastej wszyscy siedzieli już przy barze, gdzie dołączyło do nich 60 dziewcząt od *public relations* z jakiejś agencji z północy kraju. Ubrane były w kuse czarne sukienki i najwyraźniej bardzo chciały pójść na całość z wodzem Hiawathą – operatorem olbrzymiego wózka widłowego.

Tymczasem elficy udało się poderwać Indianina Tonto.

Ci, którym podryw się nie udał, doszli do wniosku, że najlepsze i najśmieszniejsze na co ich stać, to włączyć alarm przeciwpożarowy. I tak, o drugiej w nocy, staliśmy na środku holu ubrani w szlafroki i slipy, i patrzyliśmy jak strażacy dają z siebie wszystko, nie zważając na bandę wymiotujących Smerfów. Była to pełna wydarzeń i raczej nieprzespana noc, no ale trudno. Przynajmniej jutro będzie spokojniej.

Nie było. „Jutro" przyniosło panienki z infolinii, które przyjmują skargi klientów ubezpieczeń na życie z rentą kapitałową, i sporo facetów, którzy być może, a może wcale nie, byli jakoś powiązani z olejem opałowym i cysternami.

Znów rozpoczął się rytuał zalotów, ale tym razem pikanterii dodała mu obecność pewnej gwiazdy. W rzeczy samiutkiej. Bill Bailey, wyglądający jak łachmaniarz aktor komediowy, pojawił się w National Exhibition Centre w przedstawieniu Jaspera Carrota. Potem można go było znaleźć przy barze w naszym hotelu, gdzie nieznoszącym sprzeciwu spojrzeniem odpędzał kierowców cystern.

Panienki z infolinii naprowadziły swoje celowniki na mojego kumpla z *Top Gear*, Richarda Hammonda o sarnich oczach. W pewnej chwili wisiało na nim sześć z nich, a dwie w ogóle nie chciały go puścić. O wpół do trzeciej w nocy odebrałem telefon od tego karzełka. Był zrozpaczony. Panienki z infolinii cały czas go śledziły, a on chodził w tę i z powrotem, bo nie miał odwagi wejść do swojego pokoju.

Nie miało to jednak większego znaczenia, bo pięć minut później część z tych, którzy zostali odtrąceni przez Billa Baileya, doszła do wniosku, że najlepsze i najśmieszniejsze na co ich stać, to włączyć alarm przeciwpożarowy. I tak, po raz kolejny, wszyscy staliśmy w holu w slipach, patrząc jak strażacy stąpają pomiędzy kałużami wymiotów.

Potem wszyscy zmyli się do swoich pokojów, gdzie dokończyli oczyszczanie nagłośni[2] swoich panienek od księgowości z miasteczka Rhyl w północnej Walii.

Jasne, wszystkie hotele to afrodyzjaki i wszystkie podróże w interesach w zbliżonym stopniu obfitują w „okazje". Ale gdy spotyka się dwoje, zanikają wszelkie hamulce. Meldujecie się w hotelu „Metropole" jako najzupełniej przyzwoici i najzupełniej normalni ludzie, a opuszczacie go ze świądem skóry. Bóg jeden raczy wiedzieć, po co komu płatna sekstelewizja w pokoju, skoro przy barze to samo jest dostępne najwyraźniej za darmo.

W przeciwieństwie do drinka. W większości hoteli po prostu mówi się barmanowi numer pokoju i po sprawie. W „Metropole'u" trzeba oprócz tego pokazać odpowiednie papiery. Ponieważ moja żona, by zapewnić mi trochę spokoju i prywatności, rezerwując pokój podała fałszywe nazwisko, a ja nie miałem pojęcia jakie, nie mogłem sobie kupić piwa.

Akurat tutaj podzielam zdanie kierownictwa, bo większość gości jest tak pijana, że nie pamięta jak się nazywa, więc tym bardziej nie są świadomi tego, że w cenę za pokój ze śniadaniem nie są wliczone zamawiane przez nich dodatki.

Trzeciej nocy w hotelu nie mogłem już znieść, tak więc nasza paczka udała się do centrum Birmingham na curry. Wróciliśmy o północy i znaleźliśmy się w samym środku czegoś, co wyglądało jak wszystkie możliwe bożonaro-

---

[2] Nagłośnia – ruchoma chrząstka zamykająca podczas połykania wejście do krtani.

dzeniowe przyjęcia pracownicze, odbywające się jednocześnie w tym samym miejscu.

Zapomnijcie o Ibizie. Zapomnijcie o uliczkach pro-
wincjonalnego miasteczka w sobotni wieczór. Jeśli chodzi
o pijaństwo i rozpustę na okrągło przez siedem dni w tygodniu, trudno jest pobić hotel „Metropole". Nieważne,
czy jesteście młodzi i wolni, czy starzy i żonaci, czy piękni,
czy może obdarzeni twarzą przypominającą pysk słonia,
możecie się tu wyszaleć, jak nigdy w życiu. Na przykład
będąc w „Metropole'u" kilka lat temu, widziałem, jak za
panoramicznymi oknami dziewczyna ubrana wyłącznie
w stringi, robi gwiazdę. Takiego widoku próżno szukać
nawet w hotelu „Carlton" w Cannes.

Niestety, ja już jednak jestem na to za stary, i dlatego
czwartej nocy wróciłem do hotelu tylko po to, by zabrać
swoje walizki i udać się do domu. Zajęło mi to dłuższą
chwilę, bo ktoś znów włączył alarm przeciwpożarowy.

Niedziela, 27 listopada 2005 r.

Gdy bycie sławnym staje się zabawne

Niestety, z winy kilku obłąkańców z górnej półki show--biznesu – tych, którzy adoptują delfiny, piją własny mocz i uprawiają tantryczny seks z różnymi częściami mebli – najwyraźniej wbiliśmy sobie do głowy, że wszystkie gwiazdy to totalne czubki.

Przykro mi, ale wcale tak nie jest. Widząc przechadzającego się po Londynie Ricky'ego Gervaisa możecie myśleć, że wybiera się na lunch z Clintem Eastwoodem, ale tak naprawdę po prostu usiłuje znaleźć jakieś fajne segregatory[1].

Gdy widzicie Steve'a Coogana jadącego autostradą M6, możecie się zastanawiać, ile tancerek erotycznych wiezie właśnie na podłodze swojego samochodu[2], ale najbardziej prawdopodobne jest to, że właśnie wraca do domu po weekendzie spędzonym ze swoją mamą na rozmowach o skromnej Mabel spod numeru 23.

Ludzie myślą, że ponieważ występuję w telewizji i wrzeszczę, gdy wchodzę zbyt szybko w zakręty, to

---

[1] Aluzja do brytyjskiego artysty komediowego, Ricky'ego Gervaisa, który po olbrzymim sukcesie stworzonego przez siebie serialu komediowego *The Office* („Biuro"), chciał, by w jego kolejnej produkcji wystąpił m.in. Clint Eastwood; ten jednak odmówił.

[2] Nawiązanie do skandali seksualnych z udziałem Coogana, patrz też przypis 1 na s. 323.

na pewno mieszkam w domu ze skóry lamparta, gdzie dziewczyny w lateksie karmią mnie kokainą i potrawką z pawia. A w rzeczywistości większość czasu spędzam odbierając dzieci z imprez u rówieśników. Zupełnie tak jak wy.

Oczywiście na co dzień taki sposób myślenia o gwiazdach nie rodzi większych problemów, ale raz do roku ciągają mnie po krajowych stacjach radiowych i telewizyjnych, by promować moją bożonarodzeniową płytę DVD. Która zazwyczaj nosi tytuł „Na pełnej mocy z piekielną szybkością", czy coś w tym stylu.

Większość gwiazd dużego formatu wie o co chodzi i można się przy tym nieźle bawić. Pojawiasz się na antenie, opowiadasz jakąś krótką, zabawną anegdotkę, prowadzący wspomina o twojej nowej płycie DVD/książce/ sztuce, wtedy zaczynasz opowiadać o niej w ten sposób, by nie było widać, że ją promujesz, a potem wsiadasz do samochodu i udajesz się na kolejne spotkanie.

W zeszłym tygodniu, w czwartek zacząłem od stacji radiowej LBC, potem pojechałem do programu „Dziś rano" prowadzonego przez Fern i Phillipa[3], gdzie poczułem się, jakbym przez 10 minut zażywał ciepłej kąpieli w pianie, a następnie przyszedł czas na Simona Mayo z Radio Football.

W odróżnieniu od wszystkich innych w tym interesie, Simon, który jest normalny i jeździ volvo, faktycznie przeczytał twoją książkę/obejrzał twoje DVD/był na twojej sztuce, tak więc rozmowa z nim jest naprawdę rzeczowa i trafna, a wychodząc z jego studia zderzasz się

---

[3] Oryg. *This Morning* – program rozrywkowy stacji telewizyjnej ITV prowadzony przez Fern Britton, Phillipa Schofielda i Ruth Langsford.

z Helen MacArthur[4], która właśnie wpadła by pogadać o swojej nowej łodzi.

W stacji Radio 2 mijasz się z Gordonem Ramsayem[5], który staje na głowie, promując swoje DVD z setką wielkich futbolowych wpadek. Co ciekawe, przy maszynie do kawy nie rzucał czteroliterowymi wulgaryzmami. W końcu docierasz do prezentera Radio 2 Steve'a Wrighta, który jest miły i przekorny zarazem.

Starasz się więc też być miły i przekorny zarazem, ale przychodzi ci to z trudem, bo musisz pamiętać, że program będzie emitowany dopiero w przyszłą środę.

Prezenter radiowy Danny Baker myślami naprawdę już tam jest. Mieć z nim wywiad to tak, jakby przepuścić przez swoją czuprynę cztery miliony woltów. W połowie piosenki *Highway Star* ścisza dźwięk i oznajmia swoim słuchaczom, że Franz Ferdinand nie dorasta do pięt zespołowi Deep Purple, a potem tłumaczy, dlaczego nie używa komórki i dlaczego sardynki noszą monokle, po czym szuuust – jesteś z powrotem na ulicy, z powrotem w samochodzie, i jedziesz na spotkanie z kimś o imieniu Colin i z kimś o imieniu Edith, którzy występują w czymś o nazwie Radio 1.

No więc w czym problem? Dobra, powiem wam w czym problem. Simon, Edith, Danny, Steve wiedzą, że jestem normalny i że po prostu wykonuję swoją pracę. Ale na pewnym etapie dnia muszę udzielić wywiadu jakiemuś didżejowi z lokalnej, prowincjonalnej stacji radiowej

---

[4] Długodystansowa żeglarka brytyjska, rekordzistka w samotnych rejsach dookoła świata.

[5] Brytyjska gwiazda telewizyjna, prowadzi programy kulinarne. Właściciel koncernu Gordon Ramsay Holdings (media, restauracje, konsulting).

i młodym reporterom z magazynów dla panów, a oni myślą, że mieszkam w ogromnym domu razem z Angeliną Jolie, Harrisonem Fordem i Kofim Annanem, i umilam sobie wolny czas polując na tygrysy i zażywając heroinę.

Robią więc wszystko, by mnie poniżyć, wymyślając jakieś idiotyczne konkursy i zadając głupie pytania. Udzielałem kiedyś wywiadu przez telefon jakiemuś chłopakowi... z Marsa, jak sądzę, który chciał się dowiedzieć, w jakim stopniu jestem homoseksualny. To wymagało ode mnie odpowiedzi na niesamowicie osobiste pytania dotyczące mojego życia intymnego, i przykro mi, ale po prostu uciekłem...

...trafiając prosto w szpony bezczelnej panienki, studiującej na kierunku dziennikarskim sponsorowanym przez „Guardiana". Nie chciała robić ze mną wywiadu, chciała raczej pouczyć mnie, ile zła wynika z bycia mężczyzną, posiadania samochodu i chodzenia w butach. To było wszystko, co mogła zrobić, by powstrzymać się od nazwania mnie na antenie świnią i sukinsynem.

Pewien gość o zachrypniętym głosie z jakiejś zapomnianej przez Boga i ludzi stacji na północy kraju, zapowiedział przy obracających się szpulach magnetofonowych, że będzie losowo wydzwaniał do miejscowych firm, a ja, korzystając z mojej sławy i mojego gwiazdorstwa, będę usiłował coś od nich wyciągnąć.

Tylko sobie to wyobraźcie. Wyobraźcie sobie śmieszność sytuacji, w której Jeremy Clarkson, dzięki sile swojego nazwiska, otrzymuje za friko trzy i pół metra rur kanalizacyjnych oraz kserokopiarkę.

Łagodnie wyjaśniłem, że nie uprawiam „wyciągania". Nawet się tym nie przejął. Ponieważ był właścicielem

Rovera 200, ozdobionego z boku wysokimi na 30 centymetrów literami, którymi wypisane było jego nazwisko i nazwisko dealera, od którego dostał samochód, był utwierdzony w przekonaniu, że nie muszę kupować nawet mleka.

– Nie, to wcale nie tak... – zacząłem wyjaśniać.

Na nic się to jednak nie zdało, bo w tym samym czasie usłyszałem sygnał połączenia i wiedziałem już, że za chwilę będę musiał rozmawiać z jakąś nieszczęsną ekspedientką z miejscowego sklepu, która, według wszelkiego prawdopodobieństwa, nie będzie miała zielonego pojęcia, kim jestem, ani chęci, by podarować mi ogrodową suszarkę do prania.

Nie wyobrażałem sobie, by ta sytuacja mogła przynieść coś innego, niż zażenowanie dla niej i upokorzenie dla mnie.

Przykro mi, ale zdjąłem z głowy słuchawki i stamtąd również uciekłem. A teraz ta stacja radiowa opchnęła tę historię miejscowej gazecie, która z pewnością napisze, że wypadłem ze studia jak burza i ukryłem się w moim otoczonym fosą zamku, gdzie hoduję niedźwiedzie, a w korytarzu stoi pełno wypchanych niemieckich żołnierzy. Tak jakby tylko oni o tym wiedzieli.

Niedziela, 4 grudnia 2005 r.

Osaczony przez żądną linczu zgraję zielonych

Wygląda na to, że ekolodzy nie są w stanie dyskutować jak normalni ludzie. Być może pamiętacie na przykład, jak latem pewna wegetarianka, której nigdy wcześniej nie widziałem na oczy, wyskoczyła z krzaków i wpakowała mi tort bananowo-śmietanowy prosto w twarz.

Następnie członek parlamentu z ramienia Liberalnych Demokratów, Tom Brake, który ma najgłupsze zęby ze wszystkich polityków, powiedział, że zgłosi wniosek dotyczący mojego stosunku do ochrony środowiska i zawlecze mnie do Londynu, żebym mógł to zobaczyć. A teraz posłuchajcie. Nie mam ochoty oglądać nikogo podczas jego porannego wypróżnienia, a już najmniej liberalnego demokraty, którego odchody zawierałyby mnóstwo liściastego kompostu. A już szczególnie nie chcę tego wszystkiego oglądać na stole[1].

Dlaczego ci ludzie nie mogą napisać mi w liście: „Nie zgadzam się z Panem"? Dlaczego muszą we mnie rzucać tortem i zmuszać do przyglądania się, jak liberał z idiotycznymi zębami robi kupkę? To nie do pojęcia.

---

[1] Nieprzetłumaczalna gra słów: „to table an early day motion" oznacza zgłoszenie w Parlamencie Brytyjskim wniosku do rozpatrzenia przy najbliższej nadarzające się okazji, „to have a motion on a table" oznacza „wypróżniać się na stole".

Jednak w zeszłym tygodniu protest ekologów dotyczący mojego stylu życia przybrał już całkiem złowieszczy obrót, kiedy członek parlamentu z ramienia Partii Pracy o nazwisku Colin Challen wygłosił mowę, w której powiedział, że chciałby, bym został zabity. Koniec z tortami. Koniec z porannymi wypróżnieniami.

Skazany na stracenie. Może żartował, a może nie.

Co dziwne, Challen kiedyś stwierdził publicznie, że nie wierzy w karę śmierci, i dlatego nie chce wykonania wyroku na Peterze Sutcliffe[2]. Ani na Ianie Huntleyu[3]. Uważa, że również i Gary Glitter[4] powinien uniknąć plutonu egzekucyjnego. A jednak chce mnie zobaczyć, jak dyndam na krokwi w Wormwood Scrubs[5]. Chce obejrzeć w telewizji twarze moich zrozpaczonych dzieci, i śmiać się z mojej żony, gdy będą mnie odcinać od stryczka i rzucać moje bezwładne, martwe ciało na pożarcie więziennym świniom.

Przypuszczalnie zanim zażądał mojej śmierci, zebrał jakieś informacje na mój temat. Musiał w takim razie dowiedzieć się, że do przystrzygania trawy na moim kawałku ziemi wykorzystuję owce, zamiast jeździć moją kosiarką, która jest napędzana paliwem i miele te wszystkie stworzonka, które tak zadziwiają nas w nowym programie Davida Attenborough[6].

Co więcej, człowiek, którego pracownicy kosztują podatnika 64 000 funtów rocznie, z pewnością dysponuje

---

[2] Wielokrotny morderca kobiet, głównie prostytutek.

[3] Zabójca dwóch dziewczynek, swoich podopiecznych.

[4] Brytyjski wokalista muzyki pop, skazany na 3 lata więzienia za kontakty seksualne z nieletnimi.

[5] Londyńskie więzienie o złej sławie.

[6] Patrz przypis 5 na s. 110.

odpowiednimi zasobami ludzkimi, by ustalić, że w tym roku wyprodukowałem całkowicie ekologiczny, wolny od nawozów jęczmień. Nie za bardzo się udał. Z nadejściem jesieni miałem siedem akrów czegoś, co wyglądało jak rozmoczone, szare słomki do picia, które sprzedałem dokładnie za 325 funtów mniej, niż wyniósł koszt zakupu ziaren i wynajęcia kombajnu.

Mniejsza z tym. Nie zrobiłem tego z dobroci serca, ani aby uratować świat czy jakiegoś wieloryba. Zrobiłem to, bo jęczmień przyciąga mnóstwo ciekawych ptaków, którym się lubię przyglądać. Wiem, to samolubne, ale z przyjemnością sobie myślę, że w dziedzinie ekologii osiągnąłem troszkę więcej, niż Colin Challen, który drepcze po Parku Narodowym Yorkshire Dales, ubrany w swoją ohydną fioletową kurtkę z kapturem, wymyślając, jakich jeszcze interesujących ludzi chciałby widzieć martwych.

Czy w takim razie jest wariatem? Cóż, nie może być kompletnym czubkiem, ponieważ w ostatnich wyborach udało mu się przekonać 20 570 osób, że powinien być członkiem partii rządzącej. No ale z drugiej strony ma brodę, nazywa się Colin, i należy do czegoś, co zwie się Socjalistyczne Stowarzyszenie Zasobów Ekologicznych (SERA)[7].

To właśnie jest kluczem. Na pierwszy rzut oka, SERA wydaje się zupełnie nieszkodliwą organizacją – na przykład zbiera fundusze dla ludzi urządzających przyjęcia z niską emisją dwutlenku węgla. Mmmm. Niezły ubaw.

Ale nic, co ma w nazwie słowo „socjalistyczny", nie może być całkowicie nieszkodliwe. Może pamiętacie na

---

[7] W oryginale: Socialist Environment Resources Association.

przykład Związek Socjalistycznych Republik Radziec-kich, gdzie ludzie za sprzeczanie się z przywódcami skazywani byli na śmierć. Coś takiego robi teraz brodaty Colin. Tak jak jego współtowarzysz z klubu właścicieli owłosienia twarzy – Stalin – chce, bym zginął za to, że się z nim nie zgadzam.

Uwielbiam się sprzeczać. Uwielbiam wypełniać mój salon pracownikami opieki społecznej i łowcami lisów, tak że każdy może podwinąć rękawy i naprawdę nieźle się pokłócić. To wszystko dlatego, że wierzę w wolność słowa.

Najwyraźniej nie wierzy w nią ani szanowny przedsta-wiciel okręgu wyborczego Morley & Rothewell, ani Tom Brake z Liberalnych Demokratów, ani ta kobieta z dużym tyłkiem, która dała mi w twarz tortem. Tak naprawdę, nikt z tej hałaśliwej orkiestry ekologów nigdy nawet nie słyszał o czymś takim, jak dyskusja.

Nie wierzę, że człowiek jest odpowiedzialny za global-ne ocieplenie. Wielu wybitnych naukowców też jest tego zdania. Uważam, że rządy państw zachodnich wydają miliardy funtów próbując powstrzymać coś, nad czym nie mają żadnej kontroli. Uważam, że za te pieniądze można by świat uczynić lepszym i bardziej spokojnym miejscem.

O wiele bardziej wolałbym dostarczać czystą wodę pitną do ubogiej wioski w Sudanie, niż zbudować farmę wiatrową na wybrzeżu Szkocji. Możecie się z tym nie zga-dzać, ale z pewnością potraficie dostrzec, że to rozsądny argument.

Tom Brake tego nie potrafi. Podobnie jak ta panienka z tortem. A już na pewno nie Colin Challen.

Najwyraźniej nie robi mu różnicy to, że wszyscy Afrykanie mogą umrzeć z głodu i chorób, ponieważ, jak wszyscy socjaliści, chce pomóc biednym tylko na tyle, na ile może zaszkodzić bogatym.

Szanuję ten argument. Szanuję ludzi z Leeds, których Challen przekonał i którzy go wybrali. I z ogromną przyjemnością porozmawiałbym z nim o tym. Jednak staje się to trudne, gdy moją twarz pokrywa tort bananowy, gdy jestem zmuszany do konfrontacji z warzywnymi odchodami pana Brake'a, a w dodatku za chwilę będę martwy.

Niedziela, 11 grudnia 2005 r.

Co się stało? – Nie zrzędzę!

Przez ostatnie pięć lat pojawiałem się w waszym świecie w niedzielny poranek i biadoliłem właściwie z każdego powodu. Narzekałem na skrzydła Airbusa i na to, że lisy nie przestają pożerać moich kurczaków. Jęczałem, że ludzie spóźniają się na przyjęcia, i że przez naklejki na soczewkach okularów w sklepie nie można zobaczyć, jak się w nich wygląda. Zaglądałem pod każdy możliwy kamień i zrzędziłem na temat wszystkiego, co tam znalazłem.

Dziś tak nie będzie. Gdy piszę te słowa, niebo ma piękny, błękitny kolor i jest tak wspaniale ciepło, że na drzewach pozostały wszystkie liście. U mnie w domu w kominku huczą płonące polana, a błyszczące dekoracje bożonarodzeniowe mienią się kolorami.

Moja książka nadal zajmuje pierwsze miejsce w rankingach, moje coroczne DVD dobrze się sprzedaje, dzieci są zdrowe, żona ma dobry humor, a wieczorem idę na przyjęcie do serdecznego starego przyjaciela, gdzie będę się dobrze bawił.

W wyniku tego wszystkiego, mam dziś coś dosyć nietypowego. Mam dobry nastrój.

Patrzyłem na olbrzymi wybuch, który zmiótł z powierzchni ziemi połowę Hertfordshire[1] i nie pomyślałem:

---

[1] Chodzi o pożar magazynów ropy w Hertfordshire, największy w czasie pokoju w historii Wielkiej Brytanii.

„O nie! A co z zanieczyszczeniem powietrza? Jak to wpłynie na ludzi cierpiących na problemy z oddychaniem?". Pomyślałem po prostu: „O kurczę! Nieźle to wygląda!".

Oczywiście normalnie mógłbym wypełnić mój mały kącik na tej stronie mnóstwem zrzędzenia, dlaczego policja zareagowała na to zamykając wszystkie drogi w okolicy; ale przecież płaci się im, by nas chronili i dla nas pracowali. A nie wypełniliby swoich powinności, gdyby pozwolili ludziom przejeżdżać w pobliżu tych kłębów dymu.

Nawet za bardzo nie mogę się wkurzyć na program *Space Cadets*[2] w Channel 4. Po prostu życzę powodzenia tym wszystkim, których on dotyczy.

Życzę powodzenia również Davidowi Cameronowi[3], kiedy wejdzie na scenę i ogłosi, że w swojej polityce będzie kładł nacisk na aspekty ekologiczne z dużą ilością odnawialnych, pełnoziarnistych upraw. Dlaczego nie? Przecież nie zostanie wybrany, jeśli wyjdzie do ludzi i powie im, że zamierza przywrócić karę chłosty i obowiązkową służbę wojskową.

To samo dotyczy Tony'ego Blaira. Musi być trudno kierować państwem próbując jednocześnie powstrzymywać śmiech z powodu nowego zarostu swojego syna. Myślę, że przez te ostatnie parę lat odwalił kawał dobrej roboty. Wątpię, czy ja mógłbym cokolwiek zrobić lepiej, głównie dlatego, że jeśli mówię, że mam zamiar coś zrobić,

---

[2] *Reality show* nagrywany w specjalnie przygotowanym studio, którego uczestnicy, odpowiednio dobrani pod względem osobowości i poziomu inteligencji, byli przekonani, że znajdują się w przestrzeni kosmicznej. Widzowie programu byli świadomi oszustwa.

[3] Lider Partii Konserwatywnej.

to zwykle to robię. Na pewno nie jest łatwo codziennie mówić, że się coś zrobi, a następnie robić coś zupełnie przeciwnego.

Zwykle nieco gniewu udaje mi się wylać na jego żonę. Ale nie dziś. A jak wy byście się czuli, idąc przez życie z takimi ustami? Jak długo potrafilibyście się powstrzymać przed pobraniem słonego honorarium, które na cele dobroczynne dla dzieci pozostawiłoby marne grosze?[4] A w jaki inny sposób można zapłacić za nowy dom?

W tym tygodniu nawet doniesienia o stanie naszej planety są radosne. Wygląda na to, że północny biegun magnetyczny oddala się od Kanady tak szybko, że w przeciągu 50 lat może znaleźć się u wybrzeży Rosji. Tak więc w ciągu naszego życia mieszkańcy północnej Anglii będą mogli regularnie obserwować zorze polarne. Oczywiście pod warunkiem, że do tego czasu nie umrzemy wszyscy na ptasią grypę, ale to, szczerze mówiąc, wydaje się mało prawdopodobne.

Jest jeszcze więcej dobrych nowin z wierzchołka świata. Naukowcy odkryli, że orki z Oceanu Arktycznego wyprzedziły niedźwiedzie polarne i zostały najbardziej skażonymi istotami na Ziemi. Analiza ich tłuszczu wykazała niezwykle wysokie stężenie wyprodukowanych przez człowieka chemikaliów, między innymi pestycydów, polichlorowanych bifenyli i materiałów niepalnych. Oznacza to, że nigdy nie będzie ich bolała głowa i nigdy się nie zapalą. Czyż to nie pokrzepiająca wiadomość w tym świątecznym okresie?

---

[4] W Australii Cherie Blair otrzymała za wykład na cele charytatywne honorarium piętnastokrotnie przewyższające kwotę przekazaną na badania nad leczeniem nowotworów.

To prawie tak radosne, jak rozmowa, jaką w zeszłym tygodniu odbyłem z czołowym brytyjskim ekspertem od przeszczepów twarzy. Podobno bardzo łatwo byłoby przeszczepić całą głowę. To oznacza, że mógłbym przyszyć moją do ciała Kate Moss. Ubaw byłby przedni!

Oczywiście, głowa nie mogłaby się ruszać, więc nie byłbym w stanie zabawiać się ciekawszymi częściami ciała. Trochę szkoda, ale przynajmniej taki przeszczep utrzymałby mnie przy życiu. Co jeszcze lepsze, możliwe byłoby nawet odkrojenie głowy od chorego ciała i trzymanie jej przez jakiś czas na półeczce przy kominku. Wyobraźcie to sobie – móc rozmawiać z głową ukochanej osoby, gdy akurat nie ma nic ciekawego w telewizji.

Myślicie, że żartuję, prawda? Otóż – nie. Żyjemy w czasach, gdy chirurdzy są w stanie odciąć głowę i utrzymywać ją przy życiu. Czy nie czujecie się więc dumni i szczęśliwi, że żyjecie na początku najlepszego stulecia w historii ludzkości?

Niestety, jeśli chodzi o muzykę nie jest już tak wesoło. W bitwie o największy przebój tegorocznych świąt bierze udział jakiś boysband[5], angielska drużyna krykieta[6] i jakiś facet, który napisał naprawdę żałosną piosenkę o chłopcu, który jedzie na przejażdżkę w koparce JCB swojego ojca[7].

Van Halen to to nie jest. Ale ponieważ i tak nie słucham Radio 1, mało mnie to obchodzi.

---

[5] Westlife & Diana Ross i piosenka *When you tell me that you love me*.

[6] Angielska drużyna krykieta towarzysząca piosenkarce Keedie Babb wykonującej angielski hymn patriotyczny *Jerusalem*.

[7] Nizlopi i piosenka *The JCB Song*.

Tak naprawdę jestem tak radosny, że chciałbym życzyć Wesołych Świąt nawet najbardziej obłąkanym ekologom na świecie. Chcę, by te życzenia objęły także inspektorów BHP, rowerzystów, kobietę, która próbuje napisać moją biografię, amerykańskich polityków, Piersa Morgana i nawet tych, którzy przyklejają naklejki na soczewki okularów w sklepach.

Nie dotyczy to prawników. Wy wszyscy siedzicie tu jak chmura dymu, niosąc czarną rozpacz nawet w najjaśniejszy, najbardziej słoneczny dzień. Możecie więc spadać.

Niedziela, 18 grudnia 2005 r.

ŚWIAT WEDŁUG
Clarksona

insignis

ŚWIAT WEDŁUG Clarksona

To pierwsza opublikowana w Polsce książka Jeremy'ego Clarksona, a zarazem kolejny dowód na to, że Polacy przepadają za brytyjskim poczuciem humoru i nie znoszą poprawności politycznej. ***Świat według Clarksona*** odniósł spektakularny sukces, okupując przez wiele tygodni pierwsze miejsce list bestsellerów księgarni Empik i Merlin. Został uhonorowany prestiżowym Asem Empiku 2006 w kategorii „literatura zagraniczna". Od brytyjskiej premiery tej książki w maju 2004 roku sprzedano na świecie ponad 2 miliony jej egzemplarzy.

As Empiku 2006 dla „Świata według Clarksona"

W ***Świecie według Clarksona*** jak zwykle niepoprawny Autor dzieli się z nami swoim spojrzeniem na pełen absurdów świat. Z charakterystyczną dla siebie ironią bezlitośnie obnaża bezsens wielu aspektów życia we współczesnej cywilizacji. Z książki dowiadujemy się, jak funkcjonuje psychika mężczyzny, dlaczego nie warto być milionerem i jak polować na lisy używając radzieckiego noktowizora. Clarkson wyjaśnia, dlaczego powinno nam być żal Concorde'a i zniechęca nas do posiadania prywatnego basenu. Zdradza, czy lubi Niemców i Unię Europejską oraz opowiada, jak pod nieobecność żony opiekował się trójką swoich dzieci.

Wydanie specjalne zawiera dodatkowo zdjęcia, biografię i pozdrowienia Autora napisane specjalnie dla polskich Czytelników.

Przed lekturą ***Świata według Clarksona*** uprzedźcie przebywające w pobliżu osoby, że często będziecie parskać śmiechem!

Wiem, że masz duszę
Clarkson

Kolejna książka Clarksona po polsku i kolejny bestseller.

Czy maszyna może mieć duszę? Według Jeremy'ego Clarksona – tak. Ten zafascynowany techniką brytyjski dziennikarz zaprasza nas w podróż w czasie i przestrzeni, by ukazać sylwetki 21 wybranych przez siebie maszyn, które są czymś więcej niż tylko zlepkiem blachy, plastiku, przekładni i przewodów. Z humorem wyjaśnia, co sprawia, że każda z opisywanych maszyn ma w sobie „to coś".

A są to relacje z pierwszej ręki. Clarkson przez kilka dni mieszkał na lotniskowcu **USS „Eisenhower"**, był pasażerem naddźwiękowego odrzutowca **Concorde**, pływał wyścigową łodzią **Riva**, prowadził **Rolls-Royce'a Phantoma**, dotykał poszycia samolotu szpiegowskiego **Blackbird**, strzelał z karabinu maszynowego **AK47** i na własne oczy widział, jak Amerykanie niszczą jeden z reliktów zimnej wojny, bombowiec **B-52**.

Czy pięciokrotny udział w koncercie grupy The Who uodparnia na hałas wytwarzany przez silniki wahadłowca? Z czym kojarzy się Clarksonowi wygląd samochodu **Alfa Romeo 166**? Co przesądziło, że Brytyjczycy wygrali wojnę z Niemcami? O tym wszystkim przeczytacie w książce *Wiem, że masz duszę*.

Nie interesujecie się motoryzacją? Nie fascynuje was technika? Myślicie, że to książka nie dla was? Mylicie się! Bez reszty pochłonie was historia **Zapory Hoovera**, dowiecie się, co niezwykłego ma w sobie samolot **Boeing 747** i dlaczego **„Yamato"** – najpotężniejszy pancernik drugiej wojny światowej – okazał się zupełnie bezużyteczny.

Zapraszamy do świata niezwykłych maszyn Jeremy'ego Clarksona. Przeczytajcie o nich i o ich twórcach, którym zawdzięczają swoje dusze.

Już wkrótce kolejne książki
Clarksona

insignis

WYDAWNICTWO
INSIGNIS

www.insignis.pl